How to build VOL.02
GARAGE KIT フィギュアの教科書
レジンキット&塗装入門編

SHIGETOSHI FUJITA
藤田茂敏 著

INDEX 目次

COLUMN コラム

はじめに

この度、フィギュアの教科書第2弾として「レジンキャストキットの組み立てと塗装」について書かせていただきました。フィギュアの教科書第1弾は、東海村源八さんの「エポキシパテによる原型制作」の本です。原型が制作できるようになったら、できあがったフィギュアを誰かに見てもらいたくなります。そんな欲求を満たすためには、SNSやブログ、HPにアップしたり、フィギュアの展示即売イベントへ出展したりするかもしれませんね。その際には、無彩色の状態より、きれいに色を塗って完成させた状態のほうがベストです。もちろん、フィギュアの教科書第1弾でも、塗装をして完成品にする工程は紹介されていましたが、原型制作がメインの本だったのでボリュームとしては少なめでした。そこで、第2弾は、塗装をメインにした本にしました。

さて、ワンダーフェスティバルをはじめとするフィギュアのイベントに行くと、個人が制作したフィギュアを型取りした「無塗装、未組み立てのフィギュア」が売られています。それが「レジンキャスト製のフィギュアキット」です。手作業やデジタルで制作したフィギュア原型から、シリコーンゴムで型を作り、レジンキャスト(無発泡ポリウレタン樹脂)を流し込んで量産します。この方法ならば特別な設備がなくても量産が可能なので、趣味で制作したフィギュアをキット化して販売することもできるのです。ですから、ここではメーカーが商品化しないようなマイナーなキャラクターのフィギュアを手に入れることが可能です。ただし、完成品ではなく組み立て式のキットとして。お気に入りのフィギュアキットを見つけてとりあえず購入する人、展示されている完成見本を見て欲しいと思っても組み立てられないので購入を見送る人、様々だと思います。私自身、ディーラーとしてワンフェスなどのフィギュアの展示即売イベントに参加するのですが、卓に飾ってあるフィギュアの完成見本を前にして「コレ、キットですよね」「はい」「キットは作れないなぁ」という会話……。本当に多いです。「プラモデルを組み立てるようなものですよ」とザックリと作り方を説明して、パーツ数の少ないディフォルメのキットなどをお買い上げ頂くこともあるのですが、そもそも、最近は、プラモデルに色を塗って完成させたことのある人がほとんどいないという状況。昔は、模型雑誌などでも、レジンキャストキットの組み立て方についての特集が組まれていたのですが、最近は見かけなくなりましたね。そこで、今回はレジンキャスト製の複製品を完成品にするまでをがっつり取り扱うことにしました。

モチーフとしてはメーカー製のカラーレジンキットとアマチュアディーラー製の一般的なキットの2本立てにしてあります。まずはプラモデルの延長のような簡単なキットで、道具や基本的な作業に慣れてもらい、次に本格的なキットに取り組むという段取りです。メーカー製のキットに関しては、縁があってボークスさんの「キャラグミン」というキットを使用させていただくことができました。もうひとつのキットは知人の紙パレット氏のオリジナルキャラクター「見習い魔法使いミルカ」にしました。私自身もフィギュアの造形をしますので自分の制作したフィギュアをカラーレジンキットにし、題材にするという方法もありましたが、皆さんがレジンキャストキットを組み立て、塗装するという場合は、ほとんどが購入したフィギュア、すなわち他人の手による原型のレジンキャストキットだと思います。自分で造形、分割、型取りしたキットだと組み立てや塗装まで考えているので、他人の制作したフィギュアのほうが、ここはこう対応したとか、試行錯誤や見せられて良いのではないかと考えてのことでした。実際、どうしようかなと迷ったり、様々な発見がありましたので、できるだけ詰め込んだつもりです。ただ、思った以上に気泡があり、作業時間をとられたのは誤算でしたが……(苦笑)。というわけで、表面処理や仮組みなど塗装前に行う作業の解説が盛りだくさんですが、これらは、アマチュア製のレジンキャストキットはもちろん、「自分で複製したレジンキャストキットの制作」の際にも参考になるはずです。この本が、自分で作ったフィギュアに塗装する人も、買ってきたレジンキャストキットにチャレンジする人にも役立てていただけることを願っています。

藤田茂敏

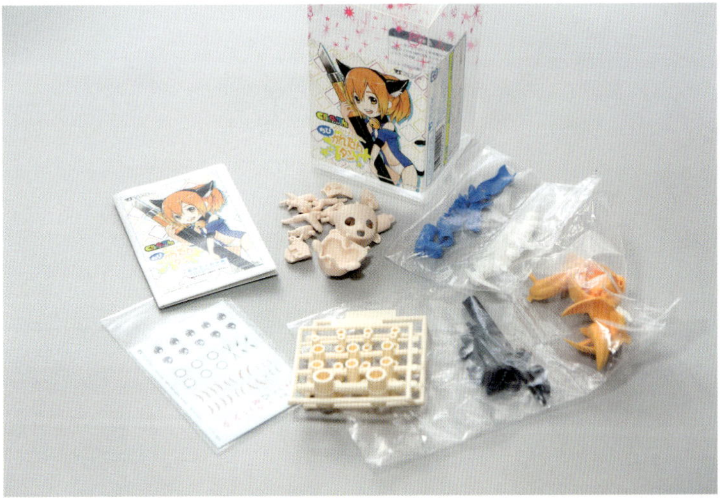

第1章
レジンキットって何？

未塗装、未組み立てのフィギュア それが「レジンキャストキット」です

ゲームセンターの景品やくじの景品、ガチャガチャや食玩。私たちの身の回りには完成品のフィギュアがあふれています。多くの方がそれらを買い求め、集めたり飾ったり、思い思いに楽しむことのできる環境です。ところで皆さんは「未塗装、未組み立てのフィギュア」が売られていることをご存知でしょうか？専門店やフィギュアの展示即売イベントなどで売られているそれらのフィギュアは「レジンキット」「キャストキット」「レジンキャストキット」などと呼ばれています。未塗装、未組み立てのフィギュアはパテや粘土、あるいはデジタルで造形したフィギュアを型取りして商品としたものです。型に流し込む樹脂の通称が「レジンキャスト」なので「レジンキャストキット」と呼ばれます。「レジンキット」「キャストキット」はそれらが省略された呼びかたです。
第1章では、この本で取り扱う、「レジンキャストキット」について基本的なところを紹介していきます。実際に制作に取り掛かる前に知っておいて欲しいことなどをまとめましたので、ざっと目を通しておいていただければ幸いです。

第1章
レジンキットって何？

CHAPTER
01

レジンキャストキットとは

レジンキャストキットは、シリコーンゴムで制作した型の中に無発泡ポリウレタン樹脂（レジンキャスト）を流し込んで制作されるキットです。レジンキットとも言います。大規模な設備なしで、プラモデルに似た模型が生産できるので、アマチュアが自分の制作したフィギュアを頒布する手段として利用したり、メーカーが「金型を作って量産したのでは採算が取れないアイテムの商品化」の手段として使用しています。レジンキャストもプラスチック樹脂の一種なのですが、プラモデル用の接着剤では接着ができないなど、制作には一定以上の知識とスキルが必要です。

01

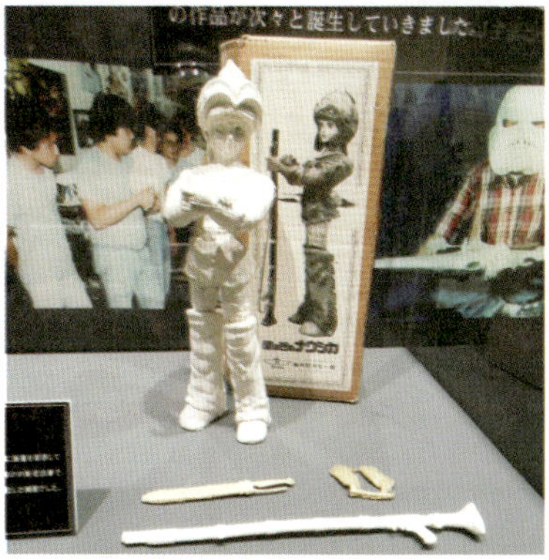

レジンキットの誕生

1980年代初頭、東急ハンズや小売店が土筆レジンクラフト研究所の「レジン」やニッシリの「プラキャスト」などの取り扱いを開始しました。型取りの方法が模型誌などで紹介され、これらを用いた複製が行われるようになります。当初は貴重な絶版キットの複製に使用されていました。そんな中、『ホビージャパン』誌1979年8月号にFFG製 1/35 スケールの「ロビー・ザ・ロボット」が掲載されます。これが、日本における「レジンキャストキット第1号」とされています。やがて、自分で作ったものをシリコーンゴムで型取りし、レジンキャストで複製することが一般に普及。こうしてレジンキャストキットが誕生しました。

02

レジンキットの発展

当初は怪獣や特撮に出てくるメカなどのプロップ（撮影用のミニチュア）を忠実に再現したモデルがメインでした。やがて、アニメのキャラクターやロボットなども作られるようになります。『ファイブスター物語』の「モーターヘッド」や、『機動警察パトレイバー』に登場する「レイバー」などのロボット、『セーラームーン』や、『ときめきメモリアル』、『カードキャプターさくら』などのタイトルがブームを牽引しました。キャラクターの再現性、クオリティも向上していきます。そして金型では再現できない、細かなデザインや有機的なフォルムを持つ原型を、きれいに成型するため、複製の技術も向上していきました。

カラーレジンの登場

塗装済み完成品の台頭によって、衰退しつつあったレジンキャストキット。それを食い止めるため、「組み立てるのが大変、塗装が大変」といった声に応えて、カラーレジンキットが登場しました。何色もの成型パーツを使って、カラーリングを再現しているキットの登場。それは、ちょうどガンダムなどのキャラクターのプラモデルが、色プラになったのと同じ道をたどっています。しかし、カラーレジンは型取り屋にとっても、原型師にとっても大変でした。特に原型師は、色ごとに原型を分割しなくてはならないのですから。ところが、デジタル造形では、楽に分割を行うことができます。色ごとに原型を分割することができれば、単色で成型してあってもマスキングの手間が省けることになります。レジンキャストキットはもっと簡単になるかもしれません。

03

メーカーの登場

レジンキャストキットの生産は、金型を製作し量産するプラモデルなどに比べて、少ないコストで開発することができます。ただし、一つの型で生産できるのが50〜100個なので、それ以上生産するには、再度シリコーン型を作る必要があります。そのため、大量生産しても必要なコストが下がらず価格はどうしても高くなります。しかし、その価格でも購入するマニアがいるので十分採算が取れました。そこで、多くのメーカーが誕生しました。「海洋堂」や「ボークス」、「多摩工房(現:壽屋)」「ラーク(現:ウェーブ)」「マックスファクトリー」など現在、フィギュアメーカーとして有名な多くの会社もこの頃にガレージキットメーカーとして活動を開始しています。

04

レジンキットの衰退

レジンキットがブームになると、マニアックな専門店でなくても買えるようになりました。フィギュアの展示即売イベントも多数開催されるようになります。エヴァンゲリオンのブームにより、即売会でファンがガレージキットを買い求めていきました。完成見本を見て塗装済み、組み立て済みの商品だと勘違いして購入したファンからメーカーにクレームが寄せられたといいます。アニメやゲームが認知され、キャラクター人気が高まるにつれ、完成品を望む声が高まっていきました。その頃、アメリカから入ってきた完成品のフィギュア(アクションフィギュア)がブームになります。クオリティの高いフィギュアに影響を受けて各メーカーが完成品の商品化に着手し、フィギュア商品の主力は、塗装済み完成品に移っていきます。

05

レジンキットの今後

近年ではデジタル造形が普及しつつあります。誰でも気軽に造形ができ、3Dプリンターで出力することができます。しかし、精度の高い3D出力品は高価であるため、出力品をそのまま売ることはせず、複製して、レジンキャストにしたものを販売するのが主流です。デジタル造形の増加は、レジンキャストキットの増加に繋がるのではないかと考えています。ただし、この状態が続くのは、3D出力品1個あたりの単価が、型取りしてレジンキャストで生産する1個の費用より安価になるまでと考えられます。現に、クオリティにさえ目をつぶればフルカラープリント出力品は安価なので、出力品をそのまま販売するケースも出てきています。

CHAPTER 02

レジンキャストキットにはどんな種類があるの?

レジンキットは、大きく分けるとメーカーが発売しているものと、個人がイベントなどで販売しているものに分けられます。メーカー製のものはそれなりの数を生産し、店舗(ネットショップや通販を含む)で販売されるので手に入れやすいです。また、ある程度の期間、ライセンス契約を結んで商品化していますので、その間は安定供給されます。それに対して、個人が販売するものは、イベント当日のみの特別な許可を受けて販売するといったものがほとんどです。中には、次のイベントや他のイベントでも同じ商品を販売する人もいますし、結構な量を生産して販売する方もいらっしゃいますが、基本的には、イベントで販売したそのときを逃すと入手は難しいです。

01

カラーレジン成型

何色かのパーツで成型されており、塗装しなくても、組み立てるだけである程度色分けされた状態に仕上がります。色分けを完全に再現するためには、シールを貼ったり、部分塗装をしなくてはならないものがほとんどですが、中には、虹彩や瞳孔、ハイライトなど目の部分まで分割で再現しているものもあります。

02

単色レジン成型

カラーレジン成型とは異なり、1色で成型されたキットです。成型色としては、白やアイボリーが一般的ですが、肌色やピンクなどもあります。キャラクターフィギュアのキットには使用されませんが、ロボットやメカ系のキットには、グレー、黒なども使用されています。

03

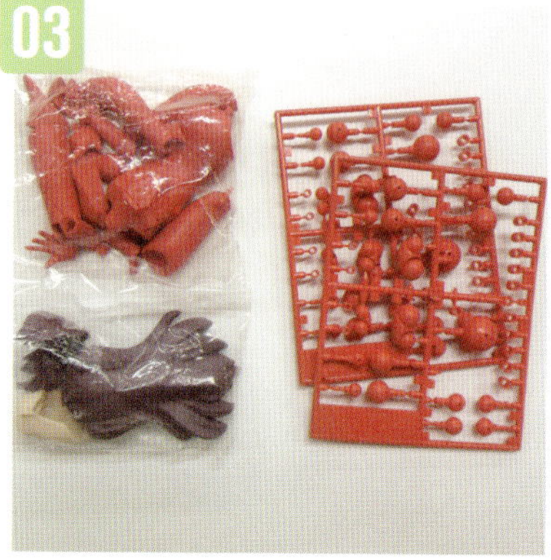

可動式

関節部分にポリキャップやボールジョイントを使用し、自由にポーズを付けられる仕様のキットです。ポリキャップやボールジョイントを仕込むためにパーツ分割が複雑になる上、パーツ数も多くなります。その分組み立てや塗装の難易度が上がります。

04

ポーズ固定式

関節部分が可動しない仕様のキットです。可動式にする場合よりはパーツ数や構成が簡単になりますが、ポーズ固定式でも、装備品や装飾品などが多いとパーツ数は増えます。完全な固定式と、パーツの差し替えでポーズや衣装を変更できるものとがあります。

レジンキット分類図

まず、メーカー製とアマチュア製に大別できます。
そして、注型方式で区別すると
①手流し成型(常温・常圧)
②業者抜き(遠心注型・真空脱泡) に分けられます。最後に、商品の仕様で区別すると
①カラーレジン成型キット
②単色成型キット
③ポーズ固定式キット
④可動式キット に分けられます。

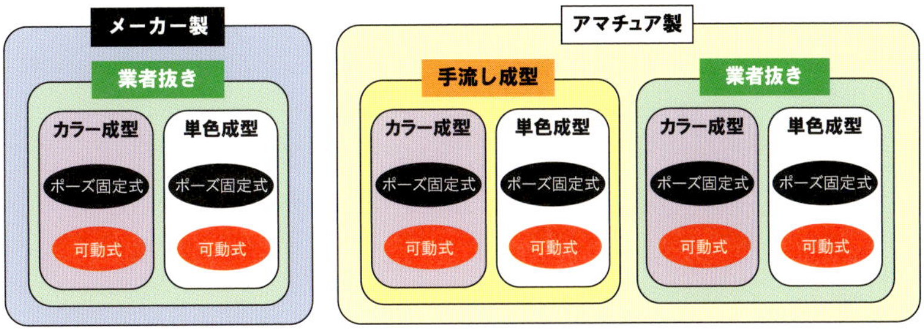

05

メーカー製

企業が製作し、販売するレジンキャストキットです。正式に版権元に許諾を受けて製作されており、店舗や通信販売で購入することができます。量産は自社の工場や型取りの専門業者によって行われるため、パーツの成型状態はきれいです。

06

アマチュア製(業者抜き)

原型制作までをアマチュアが行い、量産(複製)作業を、専門の業者に委託したもの。遠心注型や真空脱泡といった手法でパーツを成型するので、気泡や欠けなどのないとてもきれいな状態です。成型状態だけで言えば、メーカー製と同等です。

07

アマチュア製(手流し成型)

業者に依頼せず自身で型取り・注型を行っています。業者抜きに比べて、パーツの状態が悪いものが多いです。この手のキットを購入する場合は注意が必要です。真空脱泡機を使用したり、複製作業に長けていてきれいなパーツを販売するアマチュアディーラーもいますが、少数派です。

08

選び方①パーツ数

パーツ数が多ければ作業量が多くなり、大変になります。ただし、パーツ数が少なくても塗り分けが多ければ、マスキングや筆塗りなどの作業が増え、塗装時に手間がかかります。いちばん難易度が低いのは、「パーツ数が少なく、かつ塗り分けも少ない。さらに塗り分けラインでパーツが分かれているもの」です。

09

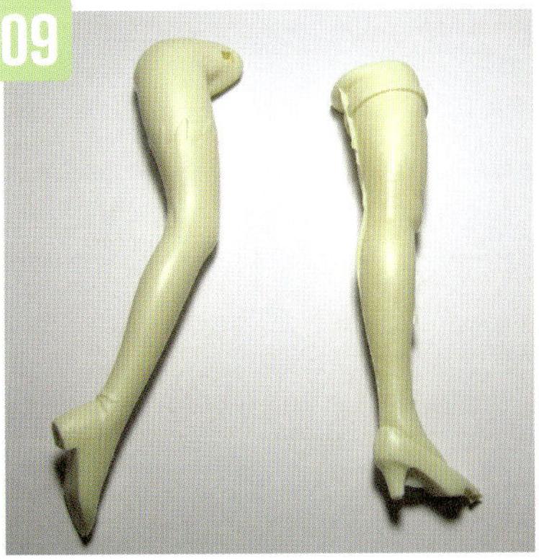

選び方②成型状態

注型方式で区別すると①常温・常圧(手流し成型)、②遠心注型、③真空脱泡に分けられます。②と③は、業者が行うので、きれいな成型品です。また、②と③はパーツの形状によって使い分けられるので、一つのキットに両方が入っていることもあります。初めてのキットは「業者抜き」のものを選ぶことをおすすめします。

10

選び方③可動の有無

パーツ数のところでも触れましたが、可動式のキットは関節を仕込むためにパーツ数が多くなります。無可動のものに比べると作業量が多くなるのは必至です。塗装して仕上げる場合、簡単なのは無可動のキットですが、可動式でもカラーレンジ成型のキットを塗装しないで仕上げるなら、難易度は下がります。

CHAPTER

03

レジンキャストキットはどこで買える?

前ページまでで、レジンキットがどのようなものかがわかりました。様々な状態の組み立て式フィギュアがあるというのもわかりました。では、「それらを買って組み立てたい！」というとき、一体どこで買えば良いのでしょうか?　メーカー製のキットが欲しい場合とアマチュアが作ったレアなキットが欲しい場合では購入場所が違ってきます。どこで、どのようなキットが入手しやすいかを見てみましょう。

01

フィギュアの展示即売イベント

「ワンダーフェスティバル」や「トレジャーフェスタ」といったフィギュア・模型の展示即売イベントで入手するのがいちばん確実な方法です。実際に商品や完成見本を見て購入できるので安心です。特に、ワンダーフェスティバルは規模的にも最大で、様々なジャンルのキャラクターのレジンキャストキットが発売されていますので、思ってもみないキャラクターのフィギュアが見つかるかもしれません。

〈買えるキット〉
・メーカー製の最新キット
・アマチュアディーラーの最新キットや再販キット
・過去に販売されたメーカー製の中古キット

02

専門店・ホビーショップ

一時期のガレージキットブームの頃からすると随分と店舗も取扱数も減ってしまいました。店舗によって多少の違いはあるでしょうが、メーカー製の商品であれば比較的、入手しやすいでしょう。「ボークス」や「海洋堂」などのフィギュアメーカー商品なら、直営店での購入が確実です。いずれにせよ、入荷数や種類には、限りがあるので注意が必要です。

〈買えるキット〉
・メーカー製の最新キット
・メーカー製の再販キット
・メーカー製の過去に販売されたキットの在庫

海賊版にご注意！

そもそも、レジンキャストキットの生産数は少ないです。欲しい人が販売数を上回ると手に入らない人が出てきます。手に入らなかった人は、オークションや中古ショップなどでプレミア価格のものを購入するしかありません。こうしてイベントで販売される入手困難な人気フィギュアは、転売され、何倍～何十倍もの高値が付くことになるのです。これだけ高値で取り引きされると、入手したレジンキャストキットを原型にして型取りをし、新たに複製したレジンキャストキットが販売されるケースも発生します。これが、俗に言う海賊版です。レジンキットを制作して販売した人に許可を得ず、勝手に型取りをしているので違法ですし、もとになったキットと異なり、キャラクターの権利を有する版権元の許諾を得ていないので二重に違法なのです。また、コピーのコピーであるため、劣化してもとのキットとは比べものにならないくらい粗悪なものもあるようです。欲しい気持ちはわかりますが、良く調べて海賊版を買わないように注意したいものです。

ネットショップ・通信販売

フィギュアメーカーが運営するネットショップなら、そのメーカーのキットを確実に手に入れられます。「ウェーブ」などネットショップオンリーのメーカーや、実店舗もある「ボークス」「海洋堂」などもありますが、代表的なのは「クレイズ」や「里見デザイン」などでしょうか。個人で許諾を受けて通信販売しているケースやオリジナルキャラクターのキットを販売しているメーカーもあります。また、次の項目とかぶるのですが、中古ショップの通販やネットショップもあります。

〈買えるキット〉

・メーカー製の最新キット
・メーカー製の再販キット
・メーカー製の過去に販売されたキットの在庫
・アマチュアディーラーの最新キットや再販キット

中古ショップ

レジンキャストキットを専門で扱う店の他、トイやアニメグッズの販売をしているお店で取り扱っている場合があります。「まんだらけ」や「リバティー」などです。少し、古めのキットなどを入手するには適していますし、うまく利用すれば安価で入手することもできたりします。キットの状態が確認できるところで購入すると良いでしょう。

〈買えるキット〉

・メーカーが過去に販売したキット
・アマチュアディーラーがイベントで販売したキット

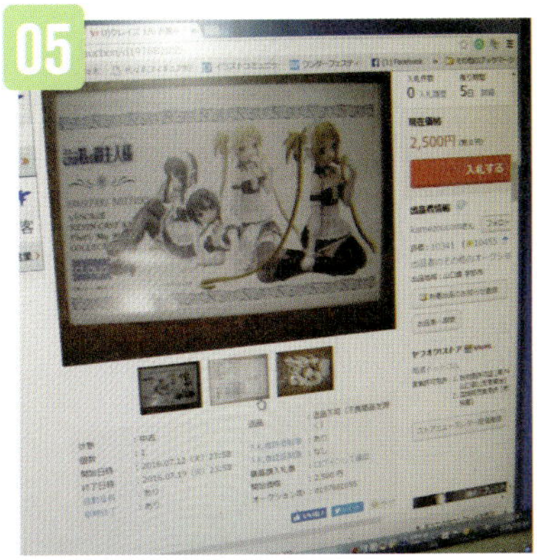

ネットオークション

どうしても欲しいキットがあれば、ネットオークションで探して落札するという方法もあります。送料がかかったり、プレミア価格になっていたりするので、お得に入手するわけにはいきません。また、商品の状態が確認できないというリスクもあるので、よほど欲しいものでなければ、おすすめできない方法です。

〈買えるキット〉

・メーカー製の最新キット
・メーカーが過去に販売したキット
・メーカー製の再販キット
・メーカー製の過去に販売されたキットの在庫
・アマチュアディーラーがイベントで販売したキット
・アマチュアディーラーの最新キットや再販キット

第1章

レジンキットって何?

CHAPTER

04

フィギュア販売イベントに行ってみよう

前ページでフィギュアが買える場所として紹介した「フィギュアの展示・即売イベント」ですが、どのようなイベントが、いつどこで行われているのか、どれくらいの規模かを紹介しようと思います。大きなイベントは首都圏での開催がほとんどで、地方からはなかなか簡単には行けないかもしれませんが、小規模なものなら、行われることもあるようです。お近くでの開催時はもちろんのこと、一念発起して上京しての参加などをおすすめします。これらのイベントは、レジンキャストキットの購入ができるのはもちろん、色を塗って組み立てられたレジンキットの完成品を実際に見ることのできる良い機会です。ぜひ、足を運んで欲しいものです。

01

ワンダーフェスティバル(ワンフェス)

開催時期:夏(7月)・冬(2月)の年2回
会場:幕張メッセ国際展示場/千葉県
出展者数:1,872(2016年夏開催時)
来場者数:52,141(同上)
主催:海洋堂

言わずと知れた世界最大のフィギュアの祭典。じっくり見て回るなら一日では回りきれないほど。初開催は1984年。ゼネラルプロダクツ大阪店を会場としてディーラー数約10という規模でスタート。1985年から東京都立産業貿易センターに会場を移し、その後、東京国際見本市会場、有明東京ビッグサイトを経て、現在の幕張メッセでの開催となりました。当初の主催はゼネラルプロダクツ。1992年夏の開催から海洋堂が主宰となりました。

02

トレジャーフェスタ(トレフェス)

開催時期:5月、10月、12月の年3回
会場:有明東京ビックサイト(5・12月)
神戸国際展示場(10月)/神戸
来場者数:3～4,000(2016年5月有明)
主催:グリフォンエンタープライズ

初開催は2009年2月、幕張メッセにて。その後は、有明・神戸でコンスタントに開催。神戸は、数少ない関西で開催されるイベントとして貴重。ゆったり見て回れ、あまり並ばずに購入できます。会場内の宝箱カード探しやフィギュア体験教室、地雷除去のためのチャリティオークションを開催しています。

過去にあったフィギュアイベント

かつては、この他に「ワールドホビーフェスティバル(以下WHF)」「ホビーコンプレックス(以下ホビコン)などのイベントもありました。WHFは1999年12月にスタートし2008年5月に終了しました。驚くべきは、東京のみでなく、札幌、横浜、名古屋、大阪、神戸、博多と各都市で開催されたこと。さらに、1年間に複数回、開催されていました。これは、主催のエスイーが同人誌即売会などのノウハウをフィードバックした結果だと考えられます。一方、ホビコンは2007年9月にスタート。東京、大阪、神戸で開催。こちらの主催はアート・ストーム。フィギュアメーカーで「スーパーフェスティバル(以下スーフェス)」も開催しています。スーフェスからガレージキットマーケットを分離する形で始まったのですが、2009年9月・12月に予定されていた回が中止となり2009年6月をもって終了しました。

03

ホビーラウンド

開催時期:春(5月)冬(12月)
会場:有明東京ビックサイト
出展者数:400(2016年5月開催時)
来場者数:10,000(同上)
主催:ボークス

初開催は2009年5月。秋葉原の廣瀬無線電機のイベントスペースにて。その後、池袋サンシャインシティ展示ホールや東京都立産業貿易センター浜松町館で開催。近年は東京ビックサイトではドールズパーティと合同で『ジョイントフェスティバル』として開催されています。ボークスの新製品の発表や先行発売、キャラグミン教室などを実施。販売コーナーも充実しており、既存のレジンキットの入手が容易です。アマチュアだけでなく、学校やメーカーの出展ブースもあります。

04

C3TOKYO(旧「キャラホビ」)

開催時期:8月下旬
会場:幕張メッセ国際展示場/千葉県
出展者数:248(2015年開催時)
来場者数:58,500(同上)
主催:C3TOKYO 実行委員会

バンダイ出版課とホビージャパンの共催「ジャパン・ファンタステック・コンベンション」と「ホビーEXPO」と、メディアワークス主催の「C3」が統合し現在の名称となりました。『機動戦士ガンダム』関連の当日版権が許諾される唯一のイベントですが、当日版権物の物販よりも、ステージイベントなどの催しのほうがメインといった感じです。開催期間は2日間ですが、ガレージキット販売はそのうちの一日のみ。

05

その他

■「ガレージワークスコミュニケーション」
ガレージキットを中心にクラフト・創作など「創る」をテーマにしたイベント。2004年初開催。現在は、難波御堂筋ホールにて年1回開催。

■「スーパーフェスティバル」
アート・ストームが主催する玩具の展示・即売イベント。1992年初開催。現在は東京の科学技術館にて年3回開催。輸入トイや怪獣ソフビなどがメインですがガレージキットも販売されます。

■「AK-GARDEN」
可動、小サイズ、領域横断、創作系の4テーマを軸にした立体系イベント。2011年初開催。東京都産業貿易センター台東館にて開催。

他に「CGMマーケットプレイス」や「クリエイターズカーニバル」(現在休止中)なども。

CHAPTER 05

レジンキャストキットのできるまで

レジンキャストキットは、一体どのように作られているのでしょう。シリコーンゴムで型を作り、そこにレジンキャストを流して作られています。メーカー製のキットも、規模や使う道具が異なるだけでおおむね同じように作られています。レジンキャストキットができるまでの工程を知らなくてもフィギュアを組み立てて塗装することはできますが、それらを知っておけば、パーツの整形やディテールアップの必要性の理解が深まることは間違いありません。

01

油土埋め

原型を半分だけ油粘土に埋めます。これは、型の分割ラインを理想的な位置にするためです。もちろん、埋める前に、どういう配置にするのか、どの向きで埋めるのかなどを決定しておきます。また型に樹脂を注ぎ込むための湯口や、樹脂の流れる流路を考えた上で型に配置します。

02

片面流し

原型を粘土に埋めたら、周りを枠で囲ってシリコーンゴムを流し入れます。シリコーンゴムは硬化剤と混ぜてから流し入れます。硬化までは6〜8時間程度かかります。

03

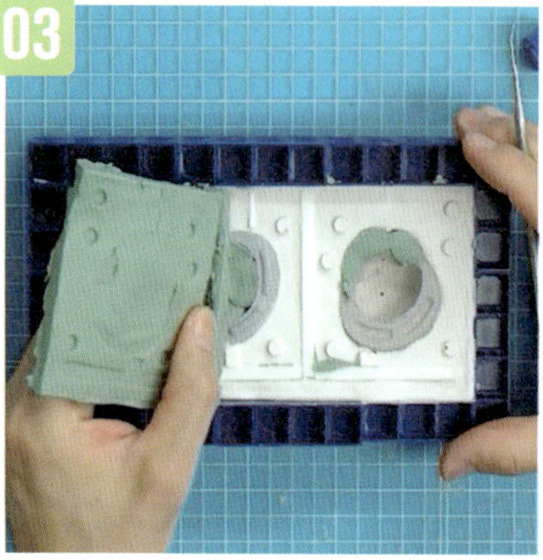

油土剥がし

流したシリコーンゴムが固まったら、ひっくり返して、油粘土を剥がします。原型がシリコーンゴムから外れないように注意して剥がし、隙間に残った粘土をヘラなどで丁寧に取り除きます。

04

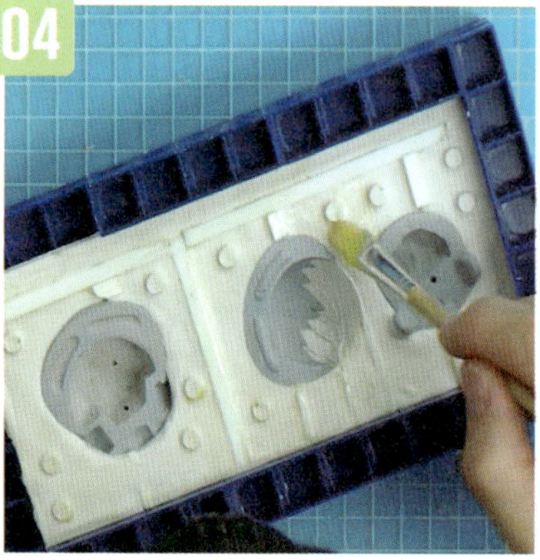

離型

シリコーンゴムの上にシリコーンゴムを流すと強固にくっつきます。そうなっては、わざわざ油粘土に埋めて分割面を作った意味がなくなってしまいます。そこで、離型剤を塗布し、付かないようにします。

原型制作

粘土やパテなどを利用してフィギュアを一から作ります。原型制作の方法は、たくさんの本が出ていますので、そちらを参考にしてください。制作の近年ではパソコンを利用して3Dデータとして制作したものを3Dプリンターで出力するという方法も普及してきています。余談ですが、フィギュアは複製をして初めて原型と呼べます。複製しないフィギュアは原型ではなく、ワンオフのフィギュアでしかありません。

05

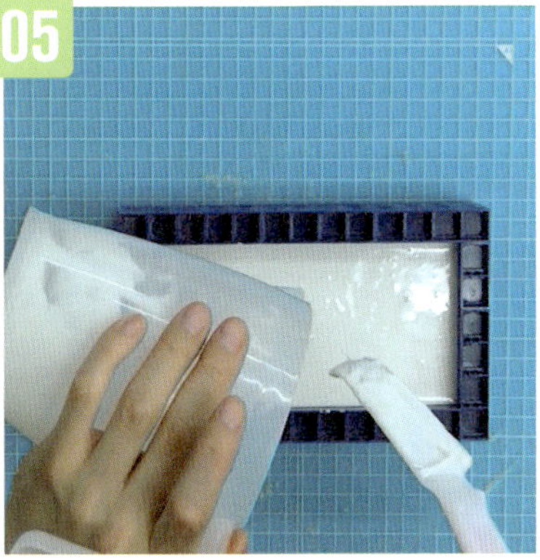

反面流し

離型剤を塗布したら、枠を追加で組み、反対側にシリコーンゴムを流します。流し終わったら硬化を待ちます。「裏面流し」とも言います。

06

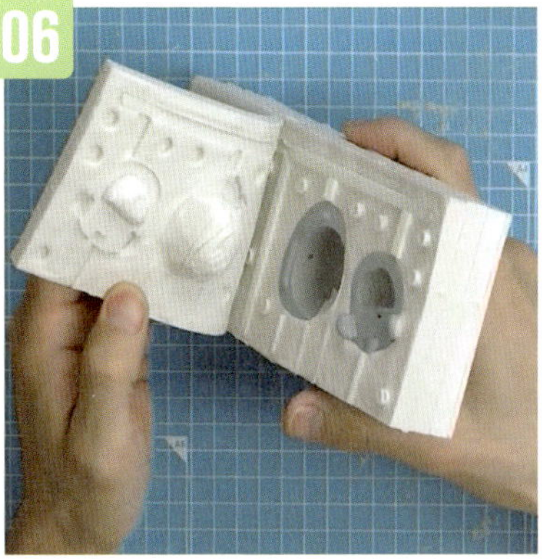

型割り

シリコーンが硬化したら、型枠を外し、ゆっくり型を割ります。離型がきちんとできていれば、きれいに割れます。このように作った型を「両面型」や「二面型」と言います。

07

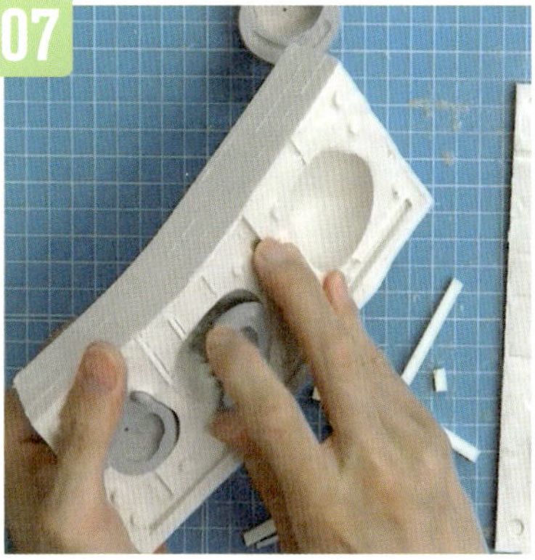

脱型

原型はシリコーン型のどちらかに付いています。原型を型から外します。流路や空気抜きを彫ったり繋いだりして型の完成です。

08

クランプ

型を合わせ、注型材が漏れないように輪ゴムやテープを巻いて固定します。これを「クランプする」と言います。

09

注型

レジンキャストのA液とB液を混合し、注ぎ口から流し込みます。混合してから硬化までの時間は意外と短いので手早く流し入れなくてはなりません。

10

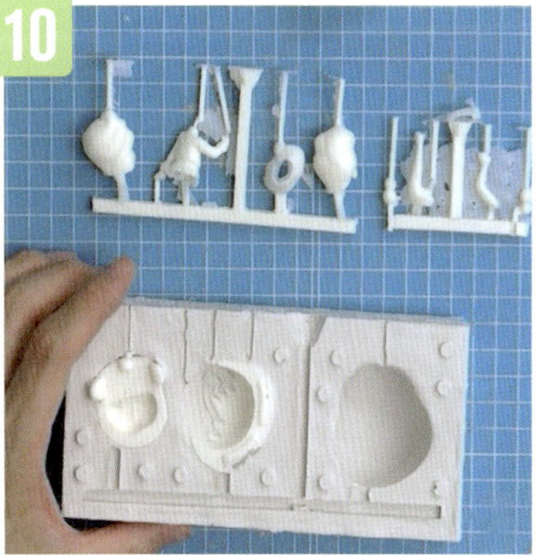

完成

混合したレジンキャストは、5〜20分で固まります。レジンが固まったら型から外します。この後、できあがったパーツを説明書などと一緒に、袋や箱に詰めたらレジンキャストキットの完成です。

COLUMN 01

ガレージキットとレジンキャストキットの関係

この本の説明の中で、ガレージキットという言葉が出てきます。「ガレージキットとはマニア向けの少数生産のレジンキャストキットである」というような主旨の説明を目にすることがありますが、これは間違いです。ただ、全くの見当違いかというと、そこまで間違いでないのが面倒臭いところですね。
ガレージキットというのが、マニア向けの少数生産のキットであることは間違っていません。しかし、レジンキャスト製のものに限らないのです。ソフトビニール製のものもあれば、ホワイトメタル製のものもありますし、プラ板をバキュームフォームで成型したものや紙製のペーパークラフトまでがガレージキットに含まれるのです。レジンキャストキットはガレージキットの1ジャンルであってイコールではないのです。右の図を見てもらうとわかりやすいと思います。
それから、もう一つ、これは精神的なものなのですが、一般の商品との違いです。ガレージキットは大手メーカーのマスプロダクツ製品へのカウンターとして誕生しました。「子供向けの商品しかない」とか「主要キャラクターしか商品化されていない」というような理由から、自分達で作り商品化したものがガレージキットなのです。ですから、その反骨精神のないものは、ガレージキットとは呼べないというわけです。ゆえに大手メーカーから発売されるキットは、レジンキャスト製のキットであってもガレージキットではないということなのです。
逆に、インジェクション成型(いわゆるプラスチックモデルキットと同様の生産方法)であっても、上記と同じ精神で造られたものならガレージキットなのです。しかし、近年では、かつてのガレージキットメーカーが、完成品やプラモデルを発売する大手メーカーへと成長したこともあり、ガレージキットの境界線は曖昧になっているのが現状です。

ガレージキット

バキュームフォームキット

熱して柔らかくなったプラスチックの板を型に押し付けます。この際に掃除機などで間の空気を吸い取り、きちんと密着させて成型します。余分な部分を切り取ってパーツとします。

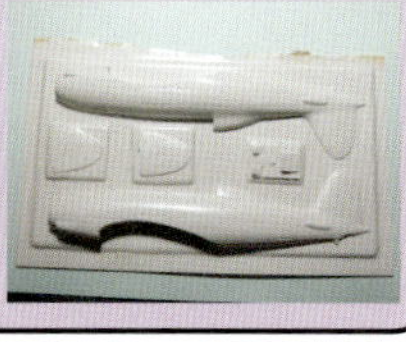

レジンキャストキット

シリコーンゴムの型にレジンキャスト(無発泡ポリウレタン樹脂)を流し込んで制作したパーツからなるキット。現在でもいちばん残っているガレージキットの形態です。

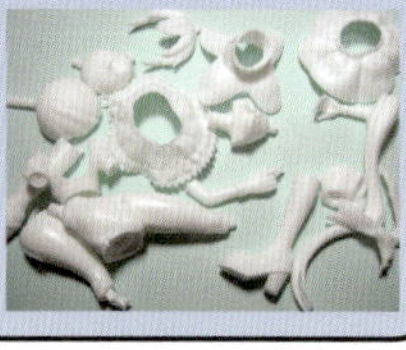

メタルキャストキット

耐熱性のシリコーンゴムに溶かしたホワイトメタル(亜鉛とスズの合金)を流し込んで制作したパーツからなるキット。現在でも自動車のキットやミリタリー系のミニチュアのキットとして残っています。

ソフトビニールキット

ソフトビニールというポリ塩化ビニール樹脂でできたパーツからなるキット。個人での生産はできませんが、比較的安価で開発できるため、黎明期のガレージキットを支えました。

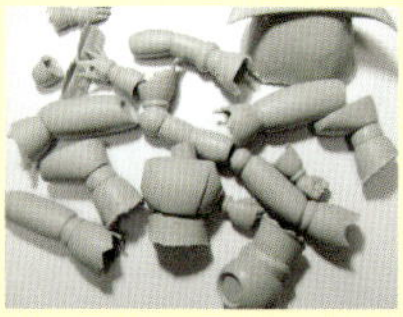

インジェクションキット

金属製の型に溶かしたスチロール樹脂を高温高圧で注入して制作する「射出成型」という手法でつくられたパーツによるキット。いわゆる普通のプラモデルです。

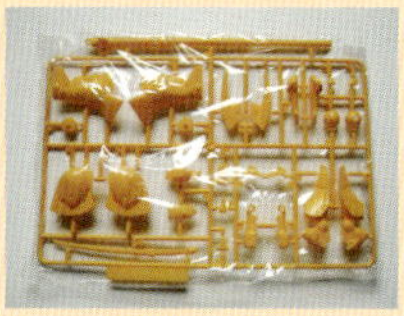

ペーパークラフトキット

文字通り、紙でできたキット。印刷所に発注しなくても家庭用プリンターで印刷して生産が可能。また、購入者も、はさみやカッターと糊(ボンド)があれば組み立てられるので敷居は低いです。

第2章

カラーレジンキットを作る

プラモデルを組み立てるようなものです！

さて、いよいよレジンキャストキットを組み立てます。第1章で説明したように、本格的なレジンキャストキットは、全面的に塗装をして仕上げなくてはならないという難易度の高いものです。そこで、この章では、カラーレジンキャストで成型されたフィギュアを組み立てます。カラーレジンキットは、最近のキャラクターもののプラモデルと同じく、色分けされたパーツで構成されたキットです。基本的なカラーリングは成型色を生かして、そこにシールを貼ったり、部分的に塗装をして仕上げます。

実際に作業をしてみると、パーツ数も少ないので、プラモデルよりも、簡単だと感じるのではないでしょうか。まぁ、最近はプラモデルを作ったことのない方もいらっしゃるので、比較ができないかもしれませんが……。ファーストレジンキャストキットとしてチャレンジしてみてください。

なお、タイトルでは「カラーレジンキット」と記載しています。「カラーレジンキャストキット」や「カラーレジンキャスト製キット」というのが正しいのでしょうが、フィギュア業界では「カラーレジンキット」で通っていますので、この名称で説明していきます。

第2章①

カラーレジンキットの制作準備

CHAPTER
01

作ってみよう！（キットの構成）

レジンキャストキットは、単色（白やアイボリー系）で成型されたパーツのみで構成されているものが多く、きちんとした完成品として仕上げるには、全てのパーツを塗り分けなくてはなりません。しかし、最近では、「少しでも簡単に組み立てられるように」というメーカーやディーラーの配慮からカラーレジン製のキットも発売されるようになりました。これはちょうど、「本格的なプラモデル」と「ガンプラなどの色プラ」の関係に似ています。この章では、入門編としてぴったりな「カラーレジン製のキット」を使用して、レジンキット制作の基本を学んでいきます。まずは、キットについて知りましょう。そして、作業を始める前にするべきことを確認しましょう。

01

今回使用するキット

ボークスから発売されている「キャラグミン」というシリーズのカラーレジンキットで、「ちびかんたんタン」というオリジナルキャラクターです。「キャラグミン」には、版権キャラクターも多数ラインナップされていますので、その中から、ファーストレジンキットを選んでも良いでしょう。

02

キットの内容物

「ちびかんたんタン」の内容物を、机の上に広げてみたところです。組み立て説明書、パーツ、シールやデカールなどの付属品から構成されています。ランナー（枠）のないプラモデルといった感じです。メーカーやキットによって若干の違いはあるものの、おおむねこういった構成になっています。

03

組み立て説明書

メーカー製でありカラーレジン製のキットということもあって、丁寧に書かれています。必要な工具や用具の紹介、基本工作ガイドなども記載されているほどです。ただ、写真やイラストによるパーツリストがなかったのが残念なところでした。組み立て図を順に追ってパーツの確認をしました。

04

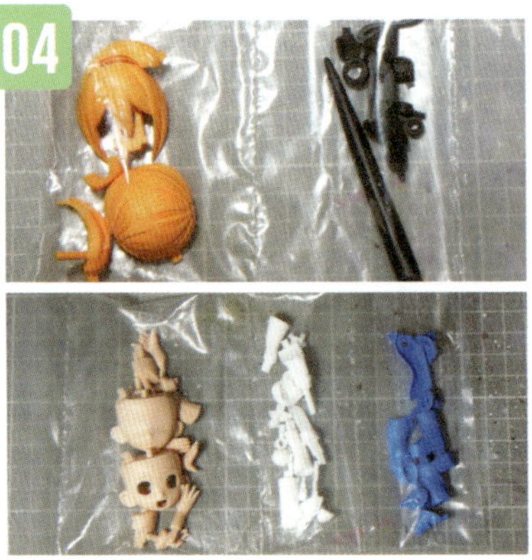

パーツ

同じ色のパーツごとにまとめられて、それぞれの袋に入っています。このキットは、白、黒、青、オレンジ、肌色の5色のパーツから構成されています。余談ですが、最近は色鉛筆やクレヨンなどでは肌色ではなく「うすだいだい」や「ペールオレンジ」という表記に変わっています。

もしも、内容物に不足や不良があった場合は

パーツはもちろん、内容物に不足や不良があった場合は、問い合わせをして対応してもらうことになります。メーカーにはアフターサービス係があるし、アマチュアディーラーもE-mailなどの連絡先を組み立て説明書やパッケージに記載しているはずです。ただし、購入後、2週間以内などパーツ請求への対応に期限を切られている場合があるので要注意。特に、買ってきてから作るまでに、しばらく積んでおくような人は気を付けてください。作るのがしばらく先の場合でも、購入後、すぐに確認することをおすすめします。

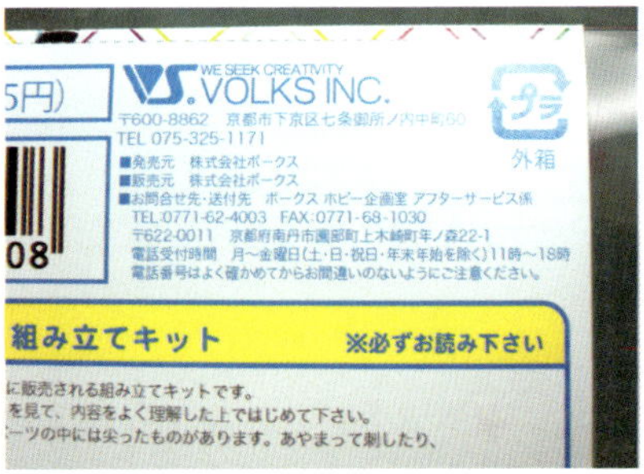

05

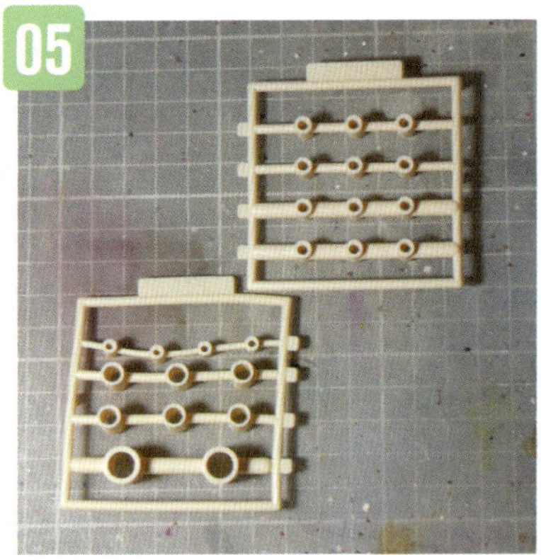

ポリキャップ

ポリエチレン製のパーツで磨耗に強いため、プラモデルなどの可動部分に使用されています。可動式のレジンキャスト製キットにも付属することがありますが、ポーズ固定式のキットには、普通は付属しません。このキットは腕などの差し替え用に付いています。

06

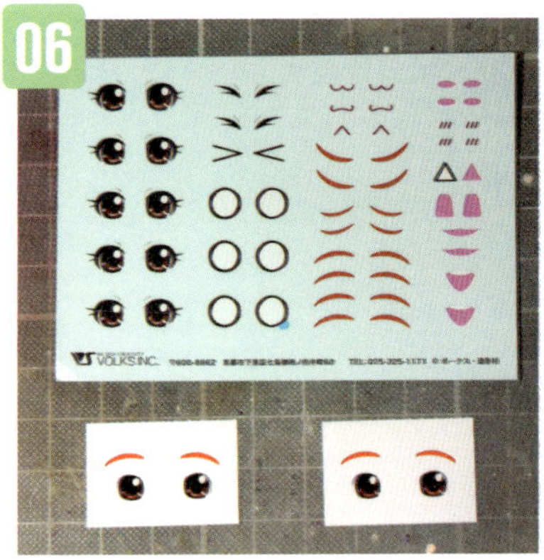

デカール、シール

デカールもシールも、透明なフィルムに絵柄や文字、マークが印刷されたものです。フィギュアでは目の部分など塗り分けの難しいところに使用されます。シールは、めくってそのまま貼れますが、デカールは水に浸けて台紙から剥離させてから貼ります。スライドマークとも呼ばれます。

07

組み立てただけの状態

もともと、ある程度色分けされたキットなので、組み上げてシールを貼れば、この仕上がりです。これだけでも、それなりのできばえですが、せっかくなので、もっと完成度を高めたいものです。なお、写真ではわかりづらいですが、ゲートという余分な部分を切り取った跡なども処理していないので対処したいところです。

08

部分的に色を塗って仕上げた状態

首の部分の鈴やデザインナイフの金属部分、口の中に色を塗っています。また、もともと色が付いている部分のツヤを整えることで、より完成度が高まっています。まずは、この仕上がりを目指します。

第2章①

カラーレジンキットの制作準備

CHAPTER

02

工作に必要な道具

レジンキャストキットを組み立てるのに必要な道具は、アートナイフやニッパーといった、プラモデルを組み立てる際に使用する道具とほとんど同じです。これらの道具は、家電量販店のホビーコーナー、模型専門店の他、東急ハンズやホームセンター、画材屋などでも購入できます。安く購入したいなら家電量販店のホビーコーナーが一番です。その次がホームセンターや画材店。それらで売っていないものを模型専門店や東急ハンズで揃えると良いでしょう。100円均一ショップで手に入るものもありますが、専門的な道具の購入はおすすめできません。なお、色を塗るのに必要な道具は、062ページで紹介しています。

01

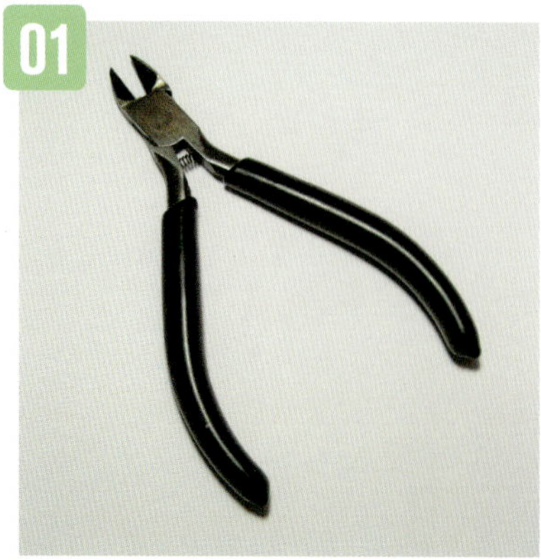

ニッパー

ゲートと呼ばれる不要部分をカットするのに使用します。金属線用のものではなく、プラモデルに使用するもので十分です。ただし、レジンキャストキットのゲートはプラモデルのものに比べて太いので、ゲートカット用のニッパーではなく通常のもののほうが良いでしょう。

02

アートナイフ

デザインナイフとも呼ばれます(厳密に言うと刃の小さなものがデザインナイフなので間違いではありますが)。パーツの不要部分を削ったり切ったりするのに使用する他、マスキングテープやデカールのカットにも使います。付属する直線刃以外に曲線刃(写真下)も用意しておくことをおすすめします。

03

カッティングマット

パーツの加工やデカールをカットする際に、机の上を傷付けないように敷きます。マスキングテープを直接、マットに貼り付けてからカットすることもあります。塗装中にも机上を汚さないように敷いておくと良いでしょう。写真は100円均一ショップで購入した小ぶりのもの。下敷きとは別に持っておくと便利です。

04

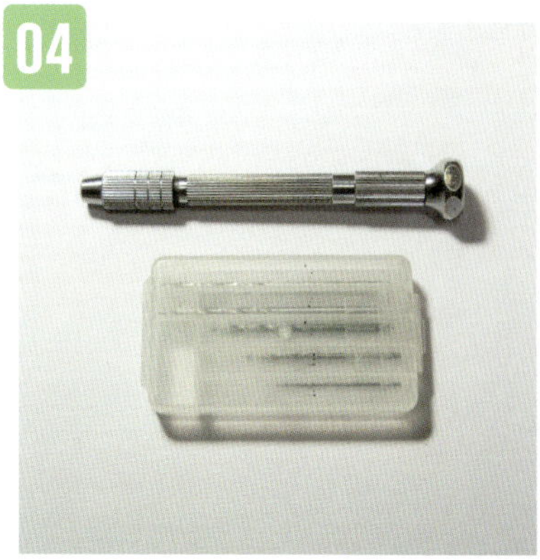

ピンバイス

手動式のドリルで、穴を開ける際に使用します。ドリル刃は交換が可能なので必要に応じた太さのものを使用します。キャップを回して緩め、チャック(コレットとも言う)にドリル刃を差し込み、キャップを閉めてドリル刃を固定します。

アートナイフの刃の交換

切れ味が鈍ると余計な力がかかって危険です。アートナイフの刃は早めに交換するようにしましょう。交換するときは、まずグリップ部分を回して緩めます。グリップを取り外す必要はありません。緩めたら先端のミゾに刃を差し込みます。刃の先端で指を傷付けないように注意してください。曲線刃を取り付ける場合(写真参照)も同様ですが、製品ムラがあり、小さいほうのナイフにははまらないものがあるようです。

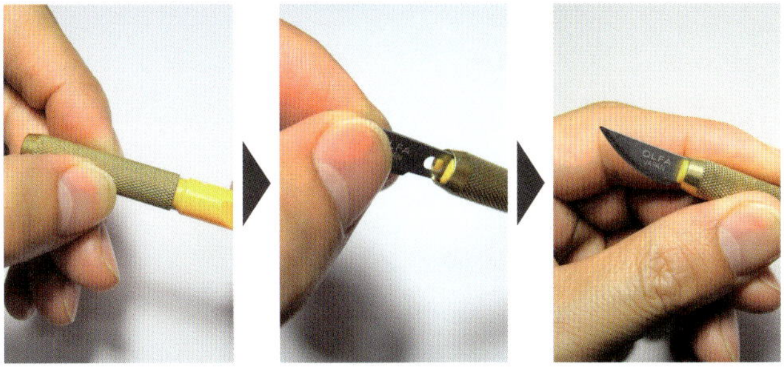

05

金属ヤスリ

パーツの凹凸をならすのに使用します。様々な用途のものがあるので、プラモデル用のヤスリを用意します。まずは、平と半丸、丸のベーシックな形状の3本セットがあれば良いでしょう。もし、余裕があるのなら、5～10本組の精密ヤスリセットを購入しておくと良いでしょう。

06

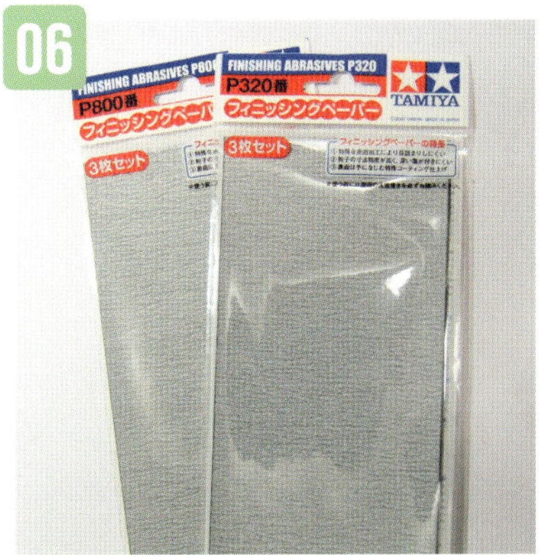

紙ヤスリ、耐水ペーパー

金属ヤスリでできた傷をならすのに使用します。また、金属ヤスリが入らないような隙間や逆エッジ部分を磨くのに重宝します。適当な大きさにカットして使用します。なお、水に浸けてヤスリがけができるものを耐水ペーパーと言います。耐水でも、耐水でなくてもどちらでも構いません。

07

スポンジヤスリ

スポンジの表面にヤスリを付けたものです。紙ヤスリ同様、金属ヤスリでできた傷をならすのに使用します。こちらも紙ヤスリ同様、カットして使用します。紙ヤスリ以上に曲面に馴染みやすいのが特徴です。また、スポンジヤスリは、耐水ペーパーと同様に水を浸けて磨けます。

08

マスキングテープ

本来は塗装の際に塗料が着かないように貼り付けるものです。塗装面を侵さないように粘着力が弱めなので、パーツを仮止めする際などに使用します。幅は6㎜と10㎜を用意しました。写真のようにケース入りのものは、ゴミの付着も防げるのでおすすめです。

09

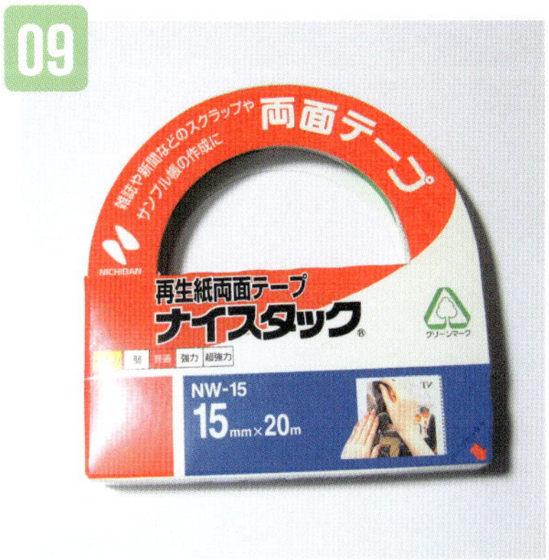

両面テープ

パーツの固定や、紙ヤスリを治具に固定するのに使用します。メーカーは問わないので100円均一ショップのものでも問題ありません。ただし、糊がパーツなどに残ると後の処理が面倒なので、残りにくいタイプのものにしてください。

10

プラ棒、プラ板

スチロール樹脂でできた棒や板です。太さや厚さは様々で、プラ棒には断面が丸い丸棒と四角い角棒があります。どちらも適当な長さや大きさに切って、紙ヤスリを使う際の当て木として使用します。

CHAPTER 03

組み立てのその前に

初めてのレジンキャストキット。「早く組み立てたい、早く完成させたい」という、はやる心と「うまく組み立てられるだろうか、完成させられるだろうか」という不安が半々といったところでしょうか。スポーツをする前には準備運動が必要ですし、試合をする前にルールを把握することも必要です。この項目では、作業を始める前に行うことを説明しています。細かいことですがやっておいて損はありません。パーツの確認をしなかったときに限って不良や不足があるもの。ぜひ、面倒がらずに実践してください。

01

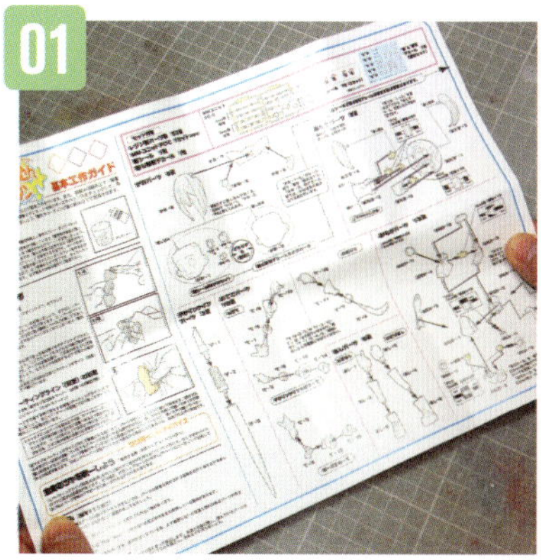

まずは、説明書を熟読

パッケージから内容物を取り出したら、まずは組み立て説明書を熟読します。どんなパーツがあるのか、それをどんな手順で組み立てていくのか、頭の中でシミュレーションします。実際に組み立てたり色を塗る場合に、変更する部分もあるでしょうが、まずは、全体的な流れを知り、イメージをつかんでおきます。

02

袋の口を開ける

組み立て説明書に目を通したらパーツを確認します。そのためには、袋からパーツを取り出さなくてはなりません。ビニール袋を引きちぎって取り出したりするとパーツが破損したり、飛び散ったりするかもしれません。袋の下方にパーツを寄せ、傷付けないよう、はさみなどで袋の端を切り取ります。

03

パーツを袋から出す

袋の口が開いたら、パーツを取り出します。落とさないように注意してください。パーツを取り出した後の袋は捨ててしまって構いませんが、中に細かなパーツが残っていないかよく確認してから捨てましょう。

04

出し終えたパーツ

紛失や破損に気を付けて袋から出したパーツは、カラーごとに集めて置きます。こうしておくと、説明書を見ながらパーツの確認を行う際にやりやすくなります。写真ではカッティングマットの上に直接、置いていますが、高さの低い箱やトレイの上に出すのも紛失を防ぐ上で効果的です。

カッターナイフでもOK

パーツが入っている袋を切るのに、はさみではなくカッターナイフを使用しても問題ありません。ただし、机を傷付けないようカッティングマットの上などで行いましょう。また、パーツを傷付けないようにするのは、はさみのときと同様です。袋の片側にパーツを寄せ、空いたほうをカッターナイフで切って開封します。写真では通常のカッターナイフを使っています。直線を切るにはアートナイフより、こういった通常のカッターナイフのほうが真っ直ぐに切れるからですが、真っ直ぐ切れるならアートナイフを使っても問題ありません。

05

パーツ点数の確認

基本的に組み立て説明書にパーツリストが付いているので、それと照らし合わせて全てのパーツが揃っているか確認します。このキットには内訳のリストがありませんので、説明書を組み立て順に見ていきながら書かれているパーツがあるか確認しました。

06

ブロックごとに確認

まずは、顔の部分のパーツのみ集めました。顔は2種類あり差し替えできるようになっています。目の部分は白いパーツだろうと思い込んで探していたので、まさかのパーツ不足かと思いましたが、黒いパーツでした。

07

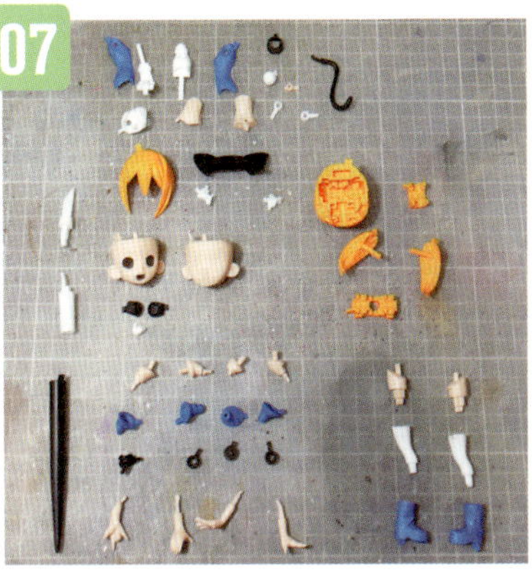

確認完了

組み立て図に従って工程ごとにパーツを並べてみました。全部で52点あるし、とりあえず、不足はないようですが、ちょっと不安なところがあります。それが、どこかと言うと腕や脚のパーツです。

08

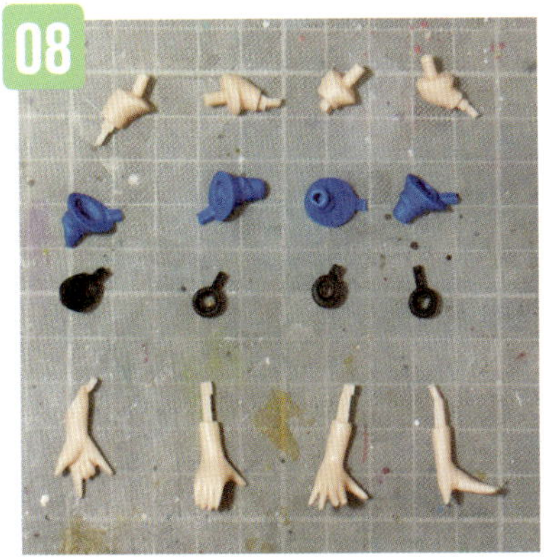

どれがどれやら

たとえば、このキットは腕のパーツがとても多いのです。左手は1種ですが、右手は伸ばしたものと、曲げたもの、そしてデザインナイフを持った手の3種あります。そのため、似たような形のパーツが4つずつあるという状態……。はめ込み部分の形状が違うようなので、組み立てながら確認することにします。

09

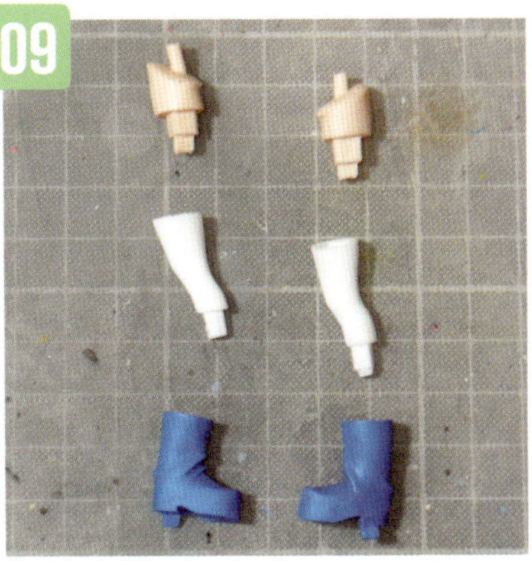

不足や重複の確認！

右手と左手の見分けはすぐに付きますが、左右で似た形のパーツは判断が付きにくいものです。左右対称や相似形のパーツは要注意。同じ側のパーツが二つ入っていて反対側が入っていないというケースがありがちです。そうした場合は、アフターサービス係に連絡して対処してもらいます。

10

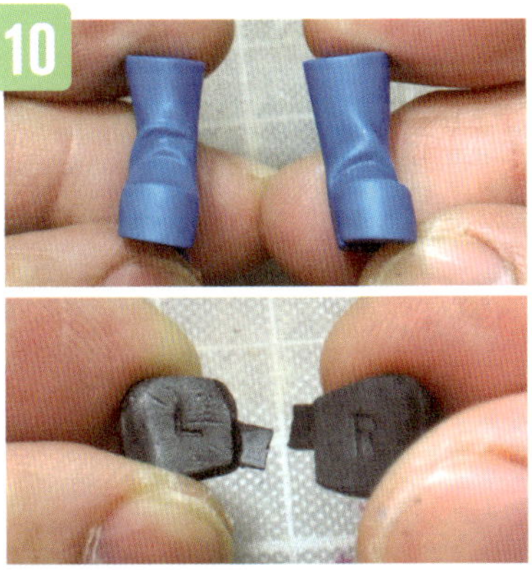

刻印も参考に

ブーツなどのパーツは、よく確認しましょう。しわの形が明らかに違うので大丈夫そうですね。写真下のパーツは目のパーツですが裏側にL、Rの刻印があり、左右の区別が付くようになっています。このように、左右を分別しやすくするために刻印がされている場合もあるので参考にしてください。

CHAPTER

04

パーツについての基礎知識

パーツの不足がないか確認できたら、次はパーツの状態を確認していきます。そのためには、まず、パーツの各部の名称や働きについて知りましょう。そして、それらがどのような状態であれば正常なのかを知ることで、修正や加工の目安とします。どうしても対応できない場合は、不良パーツとして交換してもらうことも必要になってきます。ここで出てくる名称のいくつかは、プラモデルに使われるものと共通の言葉です。プラモデルも型に樹脂を流して作られているので、ゲートやランナー、パーティングライン、バリなどが存在するのです。

01

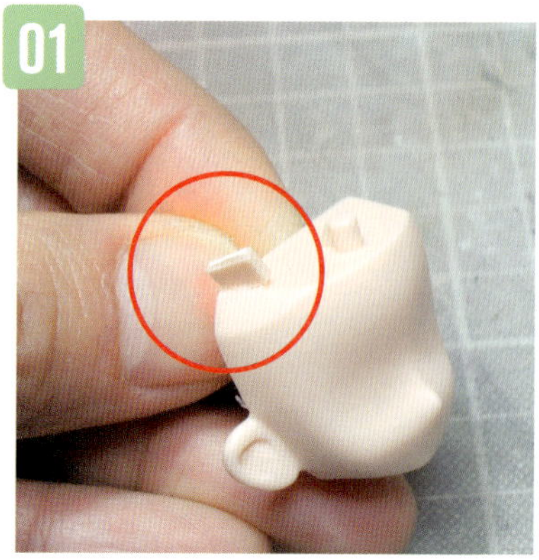

ゲート

○で囲ったところの突起は、パーツを成型するときにパーツに樹脂が流れ込む入口の部分です。これを「ゲート」と言います。完成状態では不要な部分なので切り取る必要があります。

02

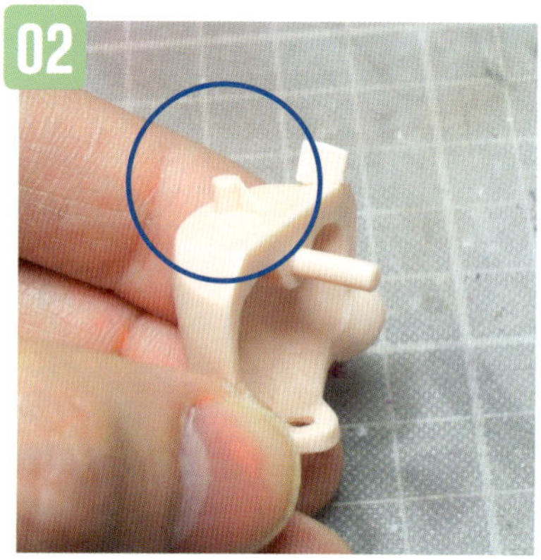

湯逃げ

○の部分、三角形の板状部分は、流し込んだ樹脂がピンや髪の毛の先端部分まで行き渡るように付けられたもので「湯逃げ」と呼ばれます。この湯逃げも、パーツ本来の形にはない不要な部分です。ゲート同様、切り取ります。

03

パーティングライン

パーツの表面には「型の合わせ目」が細いライン状の突起として残っています。この型の合わせ目を「パーティングライン」と言います。これも、パーツ本来にはない部分なのでアートナイフやヤスリを使って平らになるよう処理します。

04

※写真は別のキットのものです。

型ずれ

型のはめ合わせの仕方が悪かったり、型が長期の使用などで歪んでくると、パーティングライン部分に段差ができる場合があります。この段差を「型ずれ」と言います。修正する必要がありますが、あまりにもひどい場合は、メーカーやディーラーに連絡し、交換してもらいましょう。

ダボとホゾはどちらも突起

ダボもホゾも接合部分の突起を指す言葉です。以前、何かで「ダボが突起でホゾがくぼみ」だと聞いたことがあり、ずっとそう思って来たのですが、調べてみると、ホゾも突起部分を指す言葉で、その証拠にホゾ穴という言葉がありました。パーツを加工して突起を作り、もう一方の穴に繋ぐ場合、加工した突起部分をホゾと言うのです。厳密なことを言うと、ダボは突起を指すのではありません。パーツの両方に穴を開け、それをジョイントで繋ぐ際、そのジョイントのことをダボと言うのです。そして、ダボがはまるくぼみがダボ穴です。フィギュア用語としては、接合部の突起をダボやホゾというくらいで良いと思います。ただし、ホゾ=ダボ穴ではないというのは覚えておいてください。

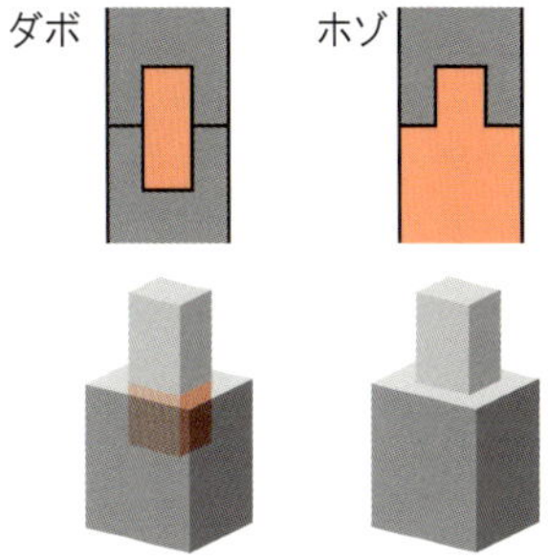

05

※写真は別のキットのものです。

バリ

型の合わせ目に大きな隙間がある場合は、そこに樹脂が流れ込み、薄い板状のはみ出しができてしまいます。このはみ出し部分を「バリ」と呼びます。型の合わせ目の部分にできるのでパーティングライン上にあります。ナイフやニッパーで切り取り、切り取った跡は、パーティングラインと同時に処理します。

06

ダボ、ダボ穴

パーツを組み立てる際の位置や向きのガイドとなる突起を「ダボ(太枘、駄枘)」と言います。ダボが差し込まれるくぼみのほうは「ダボ穴」と呼ばれます。写真のダボは単なる長方形の断面ですが、決まった角度以外にはまらないように台形など多角形やL字型になっているものも存在します。

07

ピン

ダボと同様、差し込むための突起部分です。ダボよりも細く長いものが多いです。運送中にピンが折れてしまっていることもあります。道具や材料を使って、自分で修理することもできます。難しい場合は、交換してもらいましょう。修理の方法は041ページを参照してください。

08

※写真は別のキットのものです。

ランナー

パーツが付いている枝や枠のような形の部分で、注型材(樹脂)が流れる道のことです。多くのキットでは、このランナーから外した状態で袋に詰めて商品とされていますが、小さいパーツや細いパーツなどは紛失や破損の防止のために、ランナーから外さない状態で封入されているケースもあります。

09

※写真は別のキットのものです。

湯口

ゲートと同じ意味で使われる場合もありますが、型に注型材を流し込む部分を指す言葉です。注型材はそこからランナーを通ってパーツに流れ込むので、パーツに直接、湯口は付いていませんが、パーツの上部から注型材を流し込む「トップゲート」という種類の型にはパーツに湯口が接していることもあります。

10

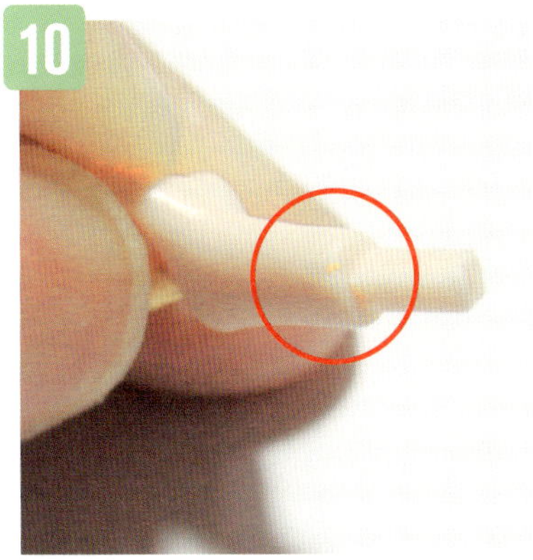

気泡

パーツの表面にディテールとは別の小さな穴がある場合があります。これは、注型した樹脂の中に混入した空気が表面に現れたもので、気泡と呼ばれます。レジンキャストキットの成型では細かな気泡はどうしても避けることができません。よほどのことがない限り不良とは呼べないので、自分で対処します。

CHAPTER 05

まずは、ゲートの処理

前ページの「パーツについての基礎知識」でも説明しましたが、パーツには、ゲートという不要な部分が付いています。パーツは、樹脂がうまく流れるような向きで型の中に配置されています。そのため、組み立てる際に邪魔になる部分にゲートが存在する場合もあり、そのままの状態ではうまく組み立てられません。まずは、この不要なゲートを取り除き、きちんと合わさるように加工します。本文中にもありますが、完成後に露出しないゲートは、最初からギリギリのところで切ってしまって大丈夫です。ただ、はじめのうちは仮組みをした後でないとどこが露出するのかわからないでしょうから、慣れるまでは全てのゲートを慎重に作業するのが無難かもしれません。

ゲートはニッパーで切り取る

パーツの不要部分であるゲート。まずはこの部分を切り取ります。ここでは頭部(髪)の頂点部分にあるゲートを例に処理の方法を見ていきます。切り取った部分は完成後も見える部分なので慎重に行う必要があります。

ニッパーの向きに注意

刃の平らな面がパーツ側に向くように当てて切ります。ニッパーは、ゲートの薄いほうの側を挟むようにして切り取ると、刃やパーツへの負担が少なく、きれいに切り取れます。

厚い側で切り取るのはNG

これは不適切なニッパーの当て方です。この向きでは、刃先が大きく開くことになります。わざわざ、ゲートの厚いほうから力を入れて切り取ることになり、ニッパーにもゲートにも負担がかかってしまいます。その結果、パーツがえぐれたり、割れてしまうことにもなりかねません。

ゲートは少し残して切り取る

組み立てた際に見えなくなる部分に付けられたゲートは、さほど気を遣わずに切り取っても大丈夫です。表面に露出する部分にあるゲートを切り取る際は、あまりパーツのギリギリでカットすると、えぐってしまう恐れがあるので少し残してカットします。この写真のように、少し残して切り取ります。

押し切りもOK！

このパーツのようにゲートが平らな面にある場合は、ニッパーでカットした後、カッティングマットの上にパーツを置き、動かないように固定した状態で残ったゲート部分に上からナイフの刃を当て、押し切るように削っても大丈夫です。もちろん、この場合でも少しずつ削るようにします。

05

ニッパーで切った後はナイフで

残った部分は、アートナイフで少しずつ削ぐようにして整形します。奥から手前に向かってナイフを動かして削いでいきます。ナイフの持ち方、動かし方はこのページの写真07～09を参考にしてください。ケガをしないように作業してください。

06

ナイフはやりやすい方向に動かす

また、手前から奥に動かして削ぐやり方もあります。各自のやりやすさやゲートの位置などによって使い分けましょう。この方法も07の持ち方、08～09の動かし方を参考にしてください。

07

ナイフの持ち方

ナイフは鉛筆と同じように持ちます。右手(利き手)の親指、人差し指、中指の3本で固定します。パーツは、左手(利き手と反対の手)でしっかりと持ちます。ナイフを持った手の薬指は立てて、削ろうとするパーツか、パーツを保持する手に当てます。

08

ナイフの動かし方

薬指を当てた状態でナイフを動かします。こうすることでナイフの動きが制限されるので、刃先が滑って指を切るというようなケガをしにくくなるでしょう。また、両ひじをついたり、持ち手の手のひらの側面を机などに付けるなどして、安定を良くして作業すると良いですよ。

09

持ち手の親指で押しても

手前から奥へ削る場合には、ナイフの刃の背を持ち手の親指で押して削ることも可能です。人によっては、ナイフを押すよりパーツを引いてくる感じで動かすほうがうまくいくかもしれません。

10

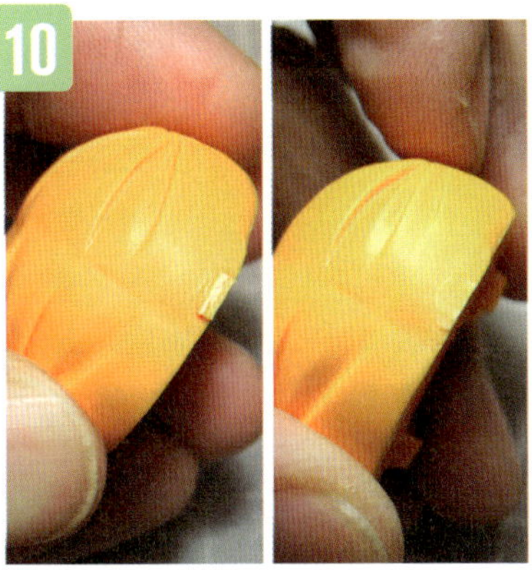

まずはここまで！

ニッパーで切って、ナイフで削ぐ。これで、ゲート処理の第一歩は終了です。もちろん、組み立てた際に表面に露出する部分にあるゲートは、ヤスリによる仕上げなど、さらに、磨いたりする必要がありますが、仮組み時はここまでで大丈夫です。

CHAPTER
06

前髪と猫耳の組み立て

前ページに続き、ゲートの処理を進めていきます。はじめのうちは、一度に全てのパーツを行うのではなく、組み立て説明書に従って進めていくと良いでしょう。慣れないうちは、どれがゲートかわかりづらいものです。接続ピンやダボと見分けが付きにくいため、間違って必要な部分まで切ってしまったということや、ゲートだと思って削ってしまってから四角い出っ張り状のディテールだったと気付く場合もあります。迷ったら、実際に組み合わせて確認しながら進めたほうが良いでしょう。

01

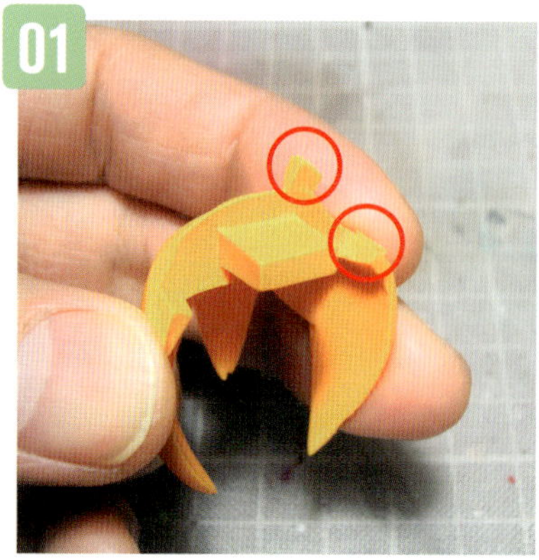

前髪のパーツ

○で囲ったところがゲートです。右下の○の大きなものはわかりやすいのですが、左上の○で囲った部分、耳の付く切り欠きのところにもゲートが存在します。

02

まず、はめてみる

このパーツには大きな四角いダボがあり、そこに黒い耳のパーツを通すようになっています。一見、うまくはまっているようですが、しっかり根元まではまっていません。

03

問題はゲート

別の角度から見るとこのような感じです。耳の下部に位置するゲートが邪魔をしているのです。前髪の上部に位置するゲートは、意外にも当たっていないようですので、切り取るのを後回しにしています。

04

ひと足お先に

また、前髪と猫耳は、同じダボで、後頭部にはめ込むようになっています。組み立て手順では、後頭部と組み合わせるのは最後ですが、確認のため、この段階ではめてみました。

切り取ったゲートは取っておこう！

ニッパーで切り取った不要部分ですが、気泡を埋めたり欠けた部分を補修するのに使えます。特にカラーレジン製のキットは、パテなどの他の素材で補修すると色の違いで非常に目立ってしまいます。108ページで紹介する方法で利用できるので、チャック付きのビニール袋などに入れて保管しておきましょう。

05

やっぱり、問題はゲート

ここでも、同じ部分のゲートが当たってぴったりとはまらないのがわかります。前髪部分より顕著ですね。これで、耳のアウトラインの形に切り取って大丈夫だとわかりました。

06

ゲートをカット

不要な部分がわかったので、ニッパーを使って切り取ります。くどいようですがギリギリで切らずに余裕を持ってカットします。

07

ゲートの整形

ニッパーで切った後は、アートナイフできれいにします。ニッパーで、ゲートを少し残して切り、アートナイフで削ぐ、ゲート処理は基本的にこの繰り返しです。

08

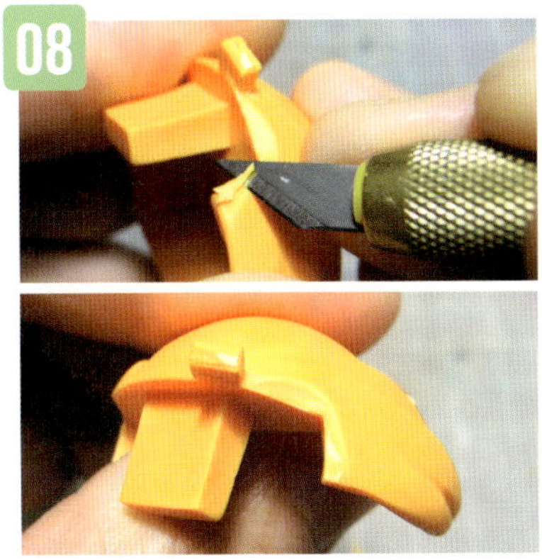

前髪側も……

前髪側の出っ張りはさほど大きくないので、ニッパーではなく最初からナイフで削ぎます。前髪上部のゲートは、ぴったりと合うようにするための加工には関係ないのでそのままですが、実際にはこのタイミングでカット処理してもOKです。

09

これで大丈夫

整形後に、前髪と耳パーツを合わせてみるとぴったりです。03の写真と見比べてみてください。角度は90°違っていますが、隙間がなくなっているのがわかるでしょう。

10

後ろも大丈夫

後頭部とも合わせてみました。こちらも問題ないようです。同じように前髪上部のゲートや反対側の耳のゲートも処理しておきます。

第2章②

カラーレジンキットの
ゲート処理と仮組み

CHAPTER

07

顔の組み立て

髪に続いて作業をするのは顔のパーツです。このキットには顔のパーツが二つ入っていて、差し替えられるようになっています。一つは目・口が別パーツになっていて、はめ込むタイプ。もう一つは目・口のディテールはなく、デカールを貼って表情を付けるタイプです。ここではパーツ数が多い前者を使って解説していますが、後者で使う、のっぺらぼうの顔も同様にゲートや湯逃げの処理をしておきます。

01

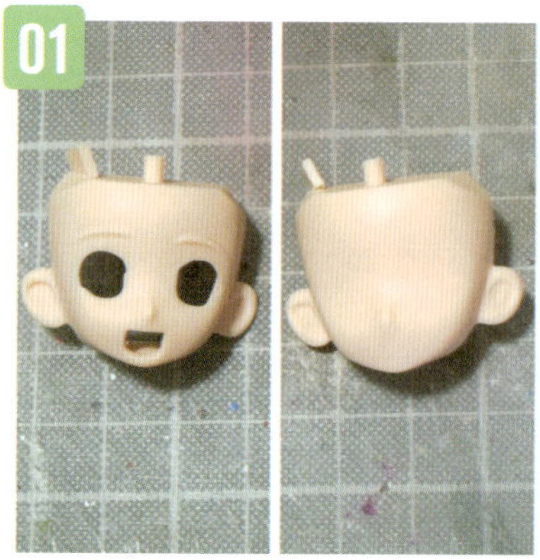

同じ部分にゲート

目と口の穴以外は共通の形状なので、両方とも同じ部分にゲートがあります。同じように切り取ってください。

02

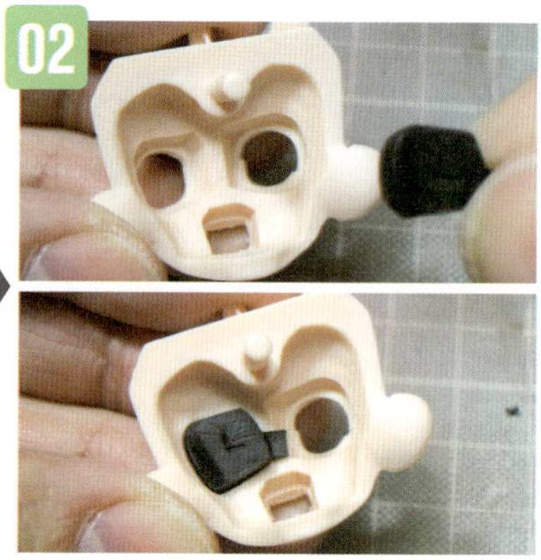

目のパーツをはめる

目のパーツは顔パーツの裏からはめるようになっています。L、Rの刻印を参考にはめ込みます。

03

両目をはめてみると

Lの刻印のある左目だけはきちんとはまりましたが、Rの刻印の右目をはめようとすると、うまく入りません。中央部分にはみ出している部分が当たっているためです。この部分はゲートなので切り取ります。

04

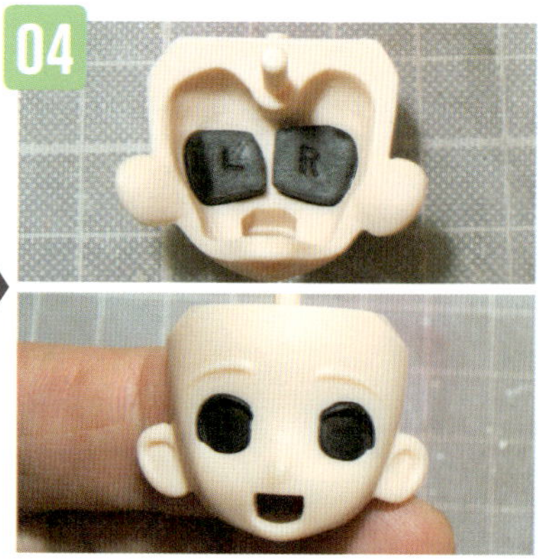

うまくはまった！

ゲートを切り取ったことによってぶつかる部分がなくなり、ぴったりはまるようになりました。前から見てもきれいにはまっています。

薄皮状のバリ

穴の開いた部分のふちにパーティングラインがある場合、薄い膜状のバリができやすいです。手でペリペリと剥がすことができるくらい薄いものがほとんどですが、中には薄皮が繋がって穴をふさいでいる場合もあります。厚めのものは、取り除く際にナイフを使用し、その後ヤスリがけできれいに処理します。

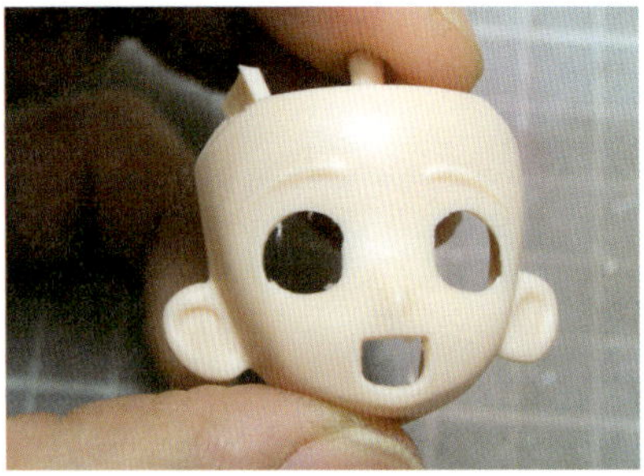

05

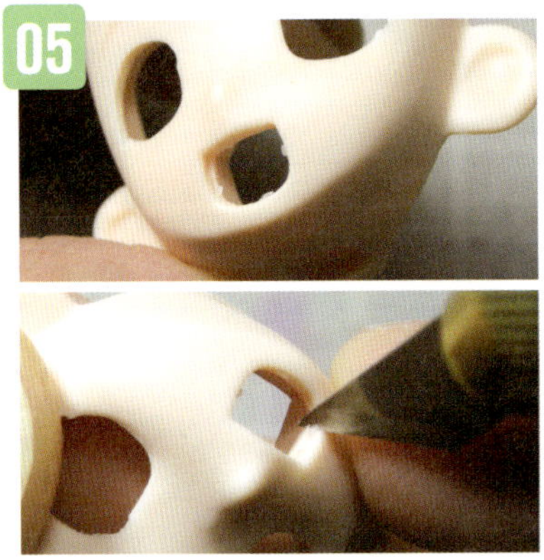

バリを発見

口の中のパーツがはまる部分の穴ですが、ふちにバリがあるのを発見しました。パーツをはめる際に邪魔になりそうなので、アートナイフで削いで取り除きます。

06

あまりきれいではないが……

バリは取れました。ヤスリがけをしてきれいにすることもできますが、仮組みをするのが目的なので、きれいにするのは次の工程でまとめて行うことにします。口のパーツをはめてみたところ問題なさそうです。

07

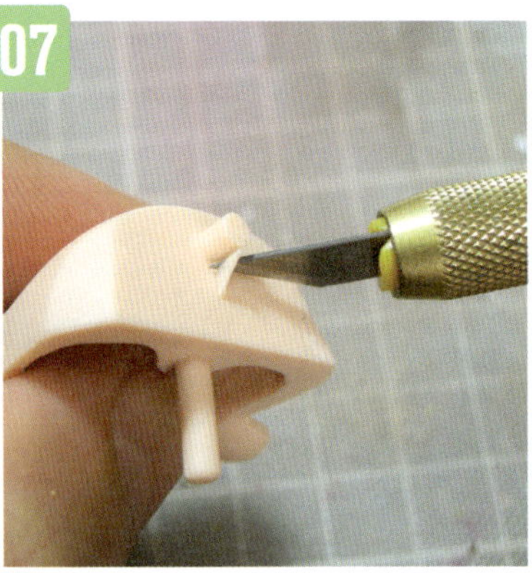

湯逃げの処理

ピンの横にある湯逃げも、ピンを差し込む際の邪魔になるので切除します。ピンを折ってしまわないように、ピンと平行な向きにナイフを入れます。

08

2段階でカット

ナイフで切れ込みを入れた部分に対して、今度は垂直に刃を入れます。先に入れた切れ込みの部分まで刃が届くと切り取れます。切り取れない場合は、07のように、もう一度ピンと平行な向きにナイフを入れます。

09

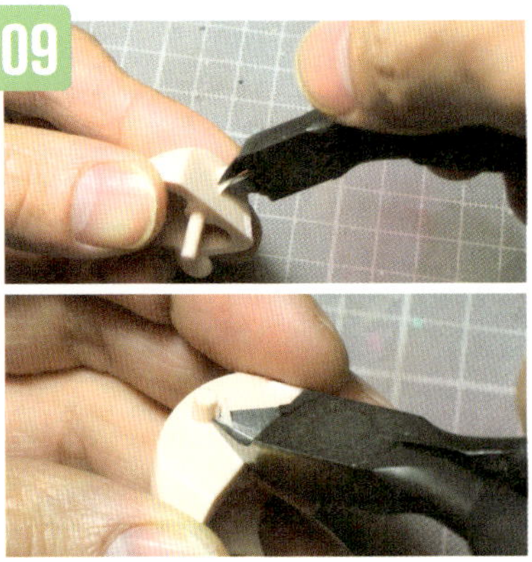

ニッパーでも2段階で

湯逃げは、ニッパーで切り取っても構いません。ナイフの場合と同様、ピンと平行に切ってから、ピンに対して垂直に刃を入れて切り取ります。

10

カット完了

どちらの方法でも、問題なく切り離せました。少し残っている部分はナイフで切り取ったりヤスリで削って整えます。ただ、このピンは差し込みピンなので、あまり削ってしまうと緩くなってしまうと思い、このままにしています。

CHAPTER 08

後頭部の組み立て

前髪と顔の次は後頭部です。後頭部には顔のパーツやツインテール、そして首を接続することになります。顔と後頭部の接続は、接着ではなく差し込みとすることで、二つの顔パーツを取り替えることが可能になっています。また、首(胴体)と頭部の接続も接着ではなく、回転させられる仕様になっています。さらに、脱着や回転をスムーズに行えるように軸受けの部分にポリキャップが埋め込まれた構造になっています。ここでは、ポリキャップの加工の方法などを見ていきます。

01

後頭部には大きなくぼみがある

一番上の長方形の穴は前髪のはまるダボ穴です。その下の大きなくぼみは、ツインテール用のポリキャップを挟み込んで固定するパーツを差し込むためのくぼみです。

02

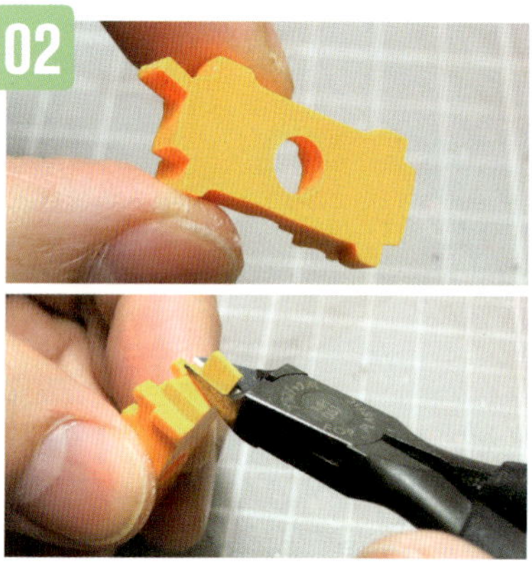

ポリキャップ固定パーツ

この写真のパーツにポリキャップをはめ込んだ後、後頭部のくぼみに差し込み、ポリキャップを固定します。そのままでは入らないのでゲートをカットします。

03

ポリキャップを切り出す

まずは、指定されたサイズのポリキャップをランナーから切り出します。ポリキャップのギリギリのところで切らず、軸を残して切り出します。

04

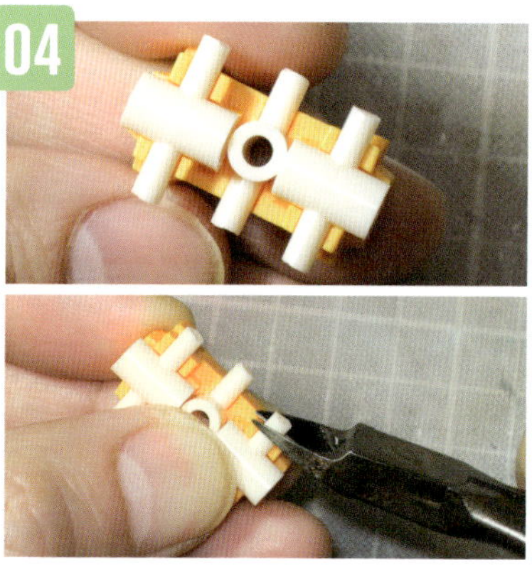

軸をサイズに合わせてカット

切り取ったポリキャップをパーツにはめ込みます。はみ出した軸部分をニッパーで切り取ります。真ん中のポリキャップは顔のパーツを差し込むためのものです。

ドリル刃とチャックのサイズが合わない場合は

ドリル刃のサイズに合ったチャックを使用しないと、きちんとドリル刃は固定されません。ミゾが狭くてドリル刃がはまらない、ネジを締めてもドリル刃が固定されない場合は、チャックが適正ではないのです。先端部分を取り外してチャックを取り出し、前後を逆にしてはめるか、ピンバイスの後部に収納されている別のチャックを使い、ドリル刃をきちんと固定してください。ちなみに、全てのピンバイスがこのような構造になっているわけではありません。チャックが1種しか付属していないタイプもあります。

05 ナイフも使用して

ニッパーで切り取った後に、残ってしまった場合はアートナイフで切り取ります。最初からナイフで切っても構いませんが、長いとしなって切りづらいと思います。

06 ぴったりはまった！

首の付け根にもポリキャップが入りますが、同様に加工してはめ込んであります。ポリキャップ固定パーツのゲート部分は完全に見えなくなっています。こういったところのゲートは、カットする際に気を使わなくても大丈夫です。

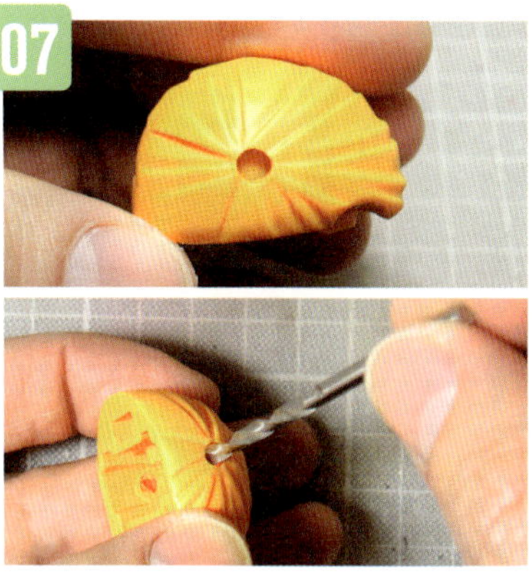

07 ふさがっている穴はピンバイスで開口

ツインテールの付く穴の片方がふさがっていました。このままでは差し込むことができません。手持ちのドリル刃を当ててみると直径3㎜のものがちょうど良さそうです。

08 ピンバイスにドリル刃をセット

先端部分を反時計回りに回して緩めます。緩んだらチャックにドリル刃を差し込みます。ドリル刃がきちんと差し込めたら、先端部分を時計回りにねじって締め、固定します。

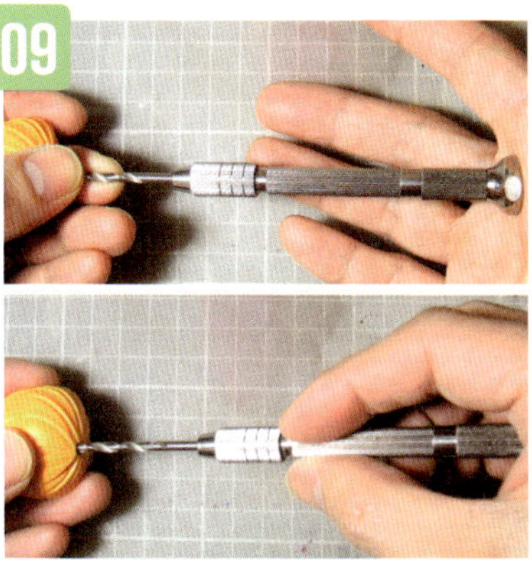

09 ピンバイスの持ち方

ピンバイスの後端の円盤状の部分は回るようになっています。このお皿の部分を手のひらの人差し指と中指の付け根あたりに当ててから、ピンバイスを包み込むように指を曲げます。親指、人差し指、中指の3本でピンバイスの本体を支えるように持ちます。

10 開口完了！

穴を開ける部分にドリルの先端を当て、軽く押しながら、親指、人差し指、中指で矢印の方向にピンバイス本体を回転させます。パーツはしっかり保持し、指の付け根のピンバイスのお皿の部分がずれないようにするのが、ドリルを左右にぶれさせずに回転させるコツです。

第2章②

カラーレジンキットのゲート処理と仮組み

CHAPTER

09

腕と脚の組み立て

腕と脚の部分を組み立てていきます。このキットは差し替え分の腕が3本あるので間違えないように組み立てたいところです。通常のキットでも腕と脚は同じようなパーツが左右分あるので注意が必要です。ここまでは、確認のためにに組み合わせただけでしたが、ここからはゲート処理などの加工を行った後に、ブロックとして組んでいきます。ダボをはめ合わせるだけでしっかりはまる部分は良いのですが、緩い場合はテープなどで固定する他ありません。しかし、あまり表面に貼ってしまうのと完成状態のイメージをつかむのに問題がありそうです。そこで露出しないダボ部分にマスキングテープを貼ってはめ合わせを調節する方法を使います。この方法は仮組みだけではなく、完成品の接着したくない部分にも使用できます。

01

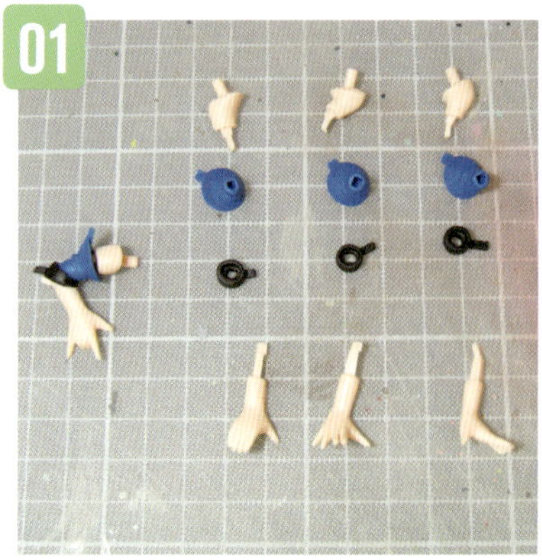

似たようなパーツは組み合わせて確認

パーツの確認の際に、数は合っているけれども組み合わせが見ただけでわからなかった腕の部分です。曲げた右手(写真の一番左側)だけはダボのところにゲートがないので組み合わせることができました。

02

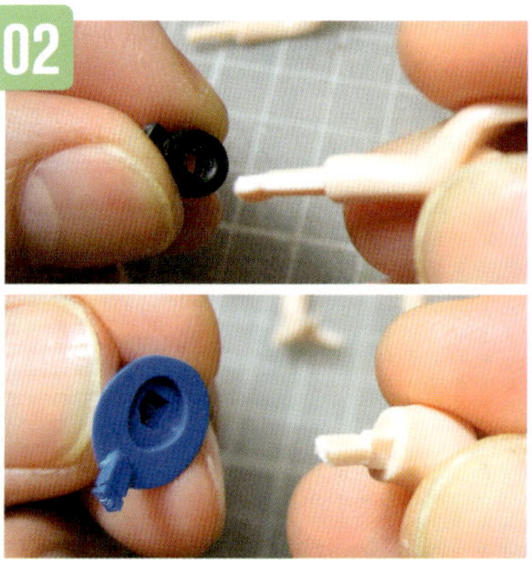

ダボの先端にゲートが！

パーツ先端にゲートが付いていて、切り取らないとダボ穴にはまりません。ただ、ゲートとダボの境目はわかりやすいので迷わずカットできます。

03

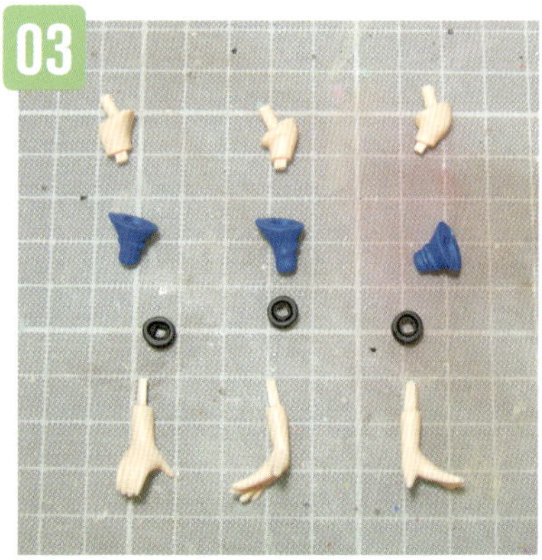

ゲートカット完了

全てのパーツのゲートをカットし終えて並べたところです。ついでにダボ以外の袖の部分のゲートもカットしています。どのパーツとどのパーツが組み合わさるかはダボの形状で判断できました。というのも3つとも太さや形状が違う形のダボだったからです。さすがはメーカー製といったところですね。

04

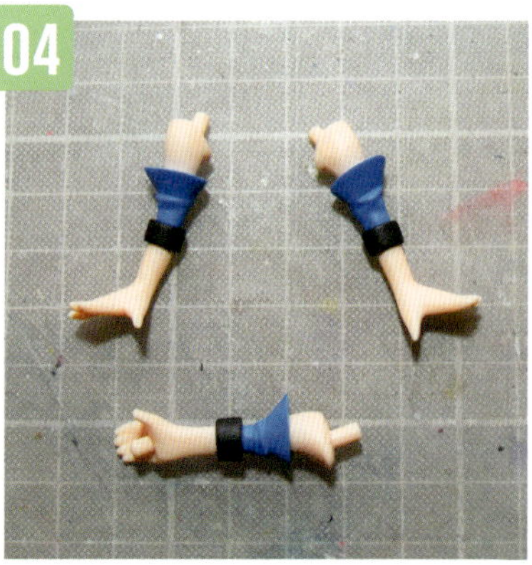

後はパズルのように

ゲートの処理をしてしまえば、きちんとダボ穴に通せます。ダボの形はそれぞれ違っていますので、ぴったり合うもの同士を組み合わせれば、このように、きちんと3本の腕に組み合わせることができます。パーツの過不足もなかったようです。

接合部を瞬間接着剤で太くする

瞬間接着剤をダボに塗りつけて太くし、はめ込みを調節する方法もあります。この方法の欠点は、ダボに塗った瞬間接着剤が完全に固まっていない状態で差し込んでしまうと、接着されて取れなくなってしまうことがある点です。そうならないためにも、瞬間接着剤用の硬化促進スプレーなどを使用します。なお、本格的な塗装をするときは、ダボの部分にもサーフェイサーや塗料がかかります。そうすると塗膜で太くなり入らなくなってしまうことがあるのです。それらを考えると仮組みの際に瞬間接着剤で調節するのはあまりおすすめできません。また、瞬間接着剤の付いている部分を再度接着しようとするとうまく接着できないことが多く、一度取り除いてから接着する必要があったりするので、最終的に接着する接合部分のはめ込み調節に瞬間接着剤を使うのはおすすめできません。

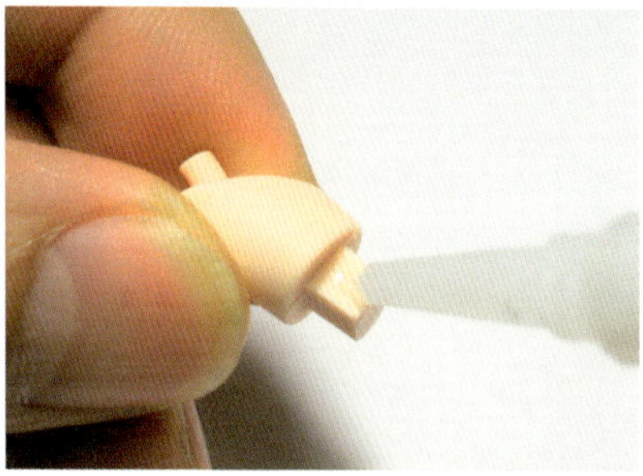

05

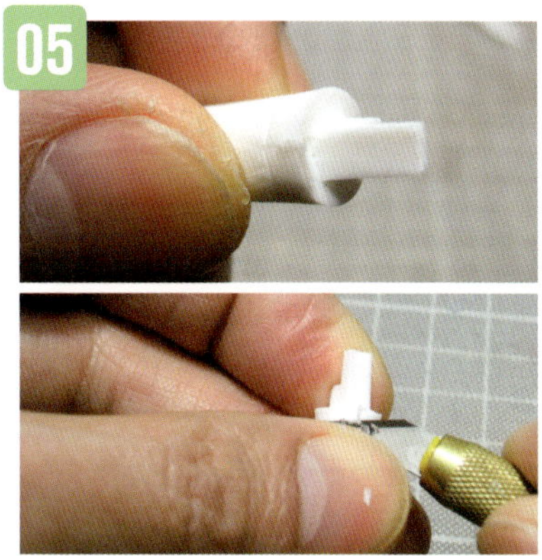

デザインナイフのパーツ

このパーツもダボの先端にゲートがあります。はめ合わせると隙間ができてしまうので、他のパーツ同様、ニッパーとアートナイフで切り取りきちんと合うようにしました。柄の部分にバリがあったのでここもナイフでカットしました。

06

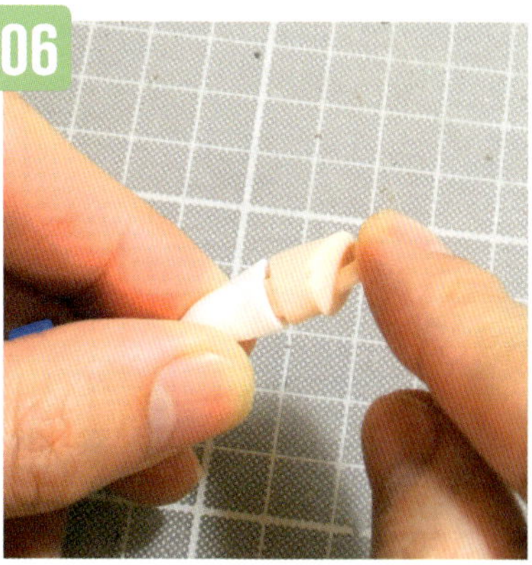

はめてはみたものの……

脚のパーツのダボをはめ込んだのですが、緩くてグラつくところがありました。すぐに抜けてしまっては不便ですが、仮組み後は、再び外して作業をするので接着するわけにもいきません。そこで、接続部分を太くして抜け落ちないようにします。

07

使うのはマスキングテープ

マスキングテープを適当に出し、カッティングマットに貼り付けます。マスキングテープは、本来、塗装の際に塗料がかからないようにマスクするためのテープです。しかし、粘着力が弱く、糊が表面に残りにくいため、パーツの仮止めなどの作業にも使用します。

08

マスキングテープを切り出す

適当な長さにナイフで切り、ナイフの先を使ってマットから剥がします。ピンセットを使用しても構いません。マスキングテープの細切りを接続部のダボに貼り付けて太さを調節するのです。

09

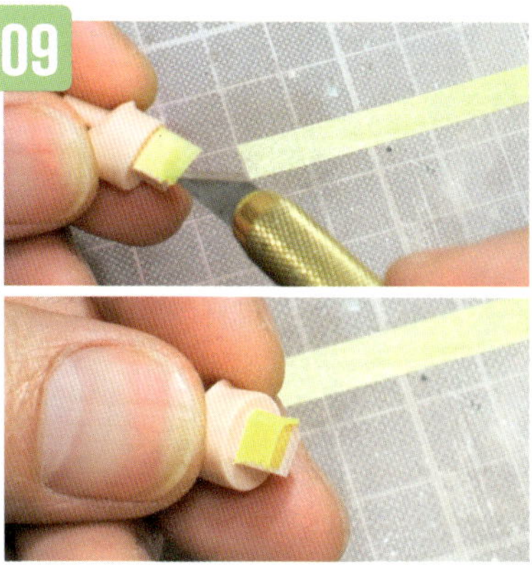

マスキングテープをダボに貼り付ける

ナイフの刃先に付いたマスキングテープを貼りたいダボの部分に持って行きます。指でマスキングテープを押さえて刃を引き抜いたら、指でさらにテープを圧着させせます。

10

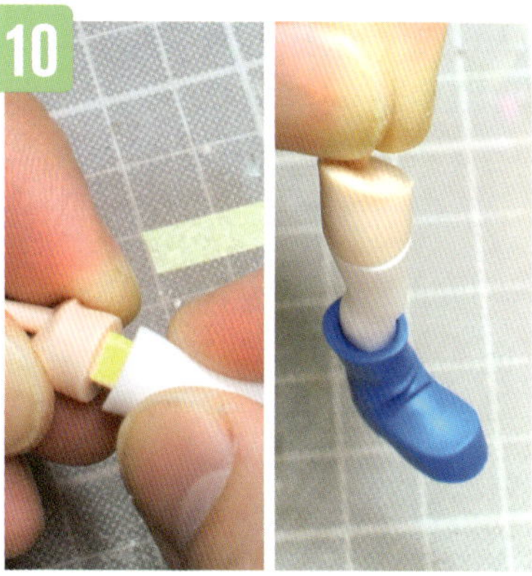

マスキングテープを貼ったダボをはめ込む

マスキングテープの厚み分、隙間がなくなるのでグラつきがなくなります。マスキングテープを貼っても、まだ隙間が大きくてグラついたり、すぐに抜けてしまう場合は、さらに追加でマスキングテープを貼り付けます。下を向けても抜け落ちなければOKです。

第2章②

カラーレジンキットのゲート処理と仮組み

CHAPTER

10

胴体の組み立て①

腕や脚、首が付く胴体部分。頭部と同様、接続のためのポリキャップを加工して組み込むようになっています。また、肌、パンツ、服、装飾など、色分けも多い部分です。必然的に、たくさんのパーツの組み合わせとなっています。にもかかわらず、頭身の低いディフォルメフィギュアなので、非常に小さなパーツばかり。紛失しないよう慎重に作業しましょう。パーツ数が多いので続きの工程は次のページに続きます。

01

どこまでがパーツ?

ダボとゲートの部分の境目にミゾや段差が設けてあり、わかりやすくなっている場合がありますが、このパーツはラインが2本あり、どこまでがパーツかわかりません。

02

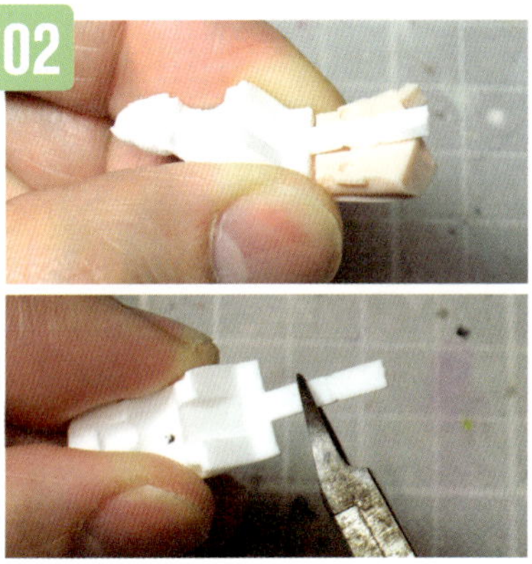

確かめてからカット

写真のように、組み合わさるパーツを当ててみると、どこまでが不要部分かがわかります。2本あるミゾのうちパーツに近いほうのミゾまでが必要な部分だとわかりました。ということで、ここで切り取りました。

03

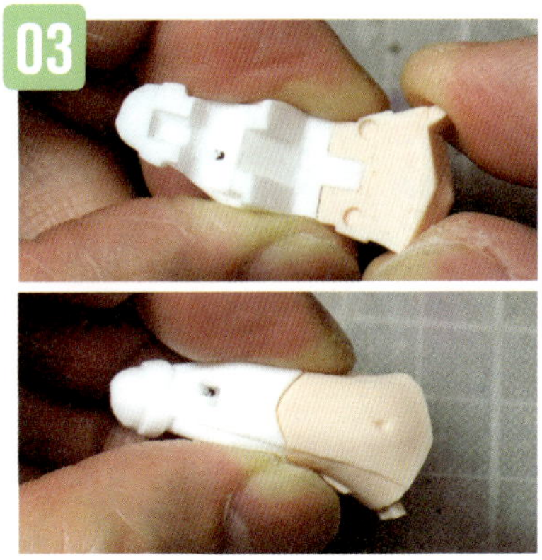

ぴったり合わさりました!

合わせてから切り取ったので、切り過ぎたり余らせたりせずに済みました。パーツの表から見てもぴったり合っています。

04

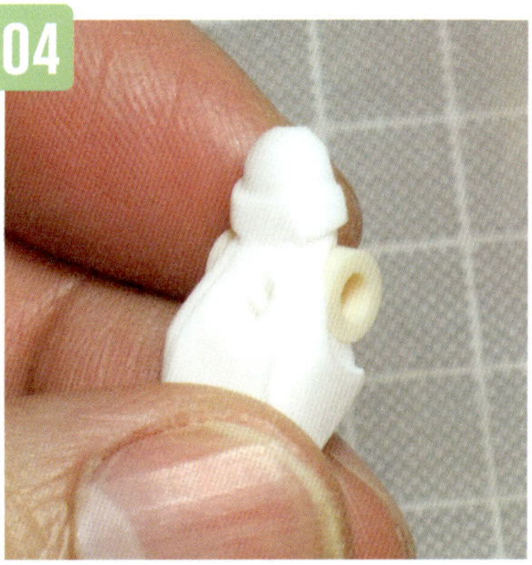

腕のはめ込み部分

胴体のパーツに腕をはめ込むためのポリキャップをはめたところです。上部に向かって狭くなっているので、ポリキャップがはみ出しています。

塗装も接着もできません

このキットで接続部分に使われているポリキャップ。弾力があって柔らかいポリエチレン製のパーツです。ポリエチレンは、可動するレジンキャストキットの関節部分のジョイントパーツ(右の写真)などにも使用されています。ポリキャップと違って、これらのジョイントパーツは、完成後も露出する部分に使用されています。当然、塗装したい場合もあるでしょう。しかし、その柔軟性が災いして、塗料が剥げてしまうのです。また、接着剤で接着することもできませんので、切り過ぎたり、力をかけて割ってしまったり、ピンを折らないように注意が必要です。キットに付属するポリエチレン製のパーツには大抵予備があるので安心ですが、万が一の場合は別売りのものを購入したり、パーツ請求をすれば良いでしょう。

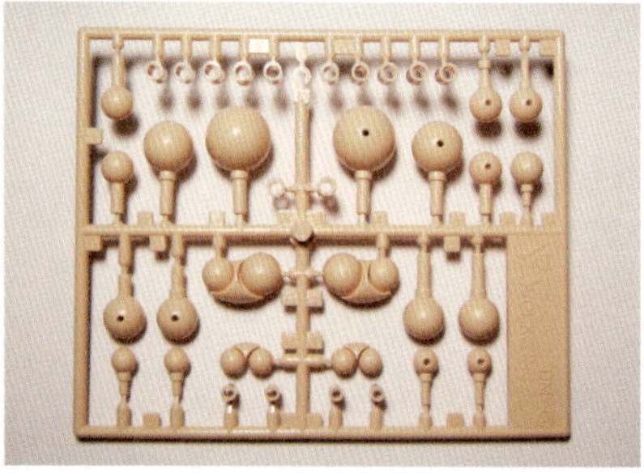

05

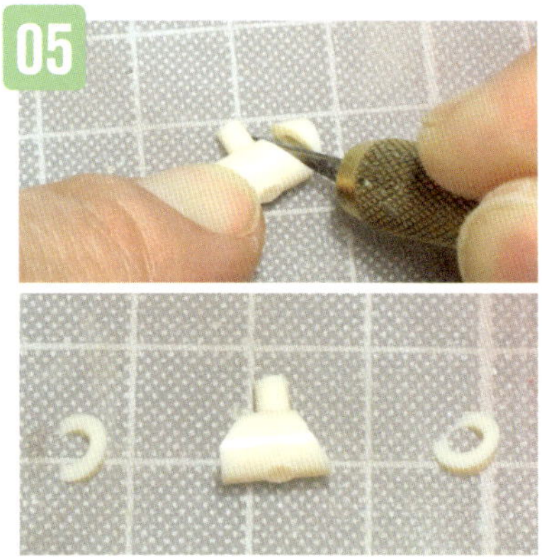

ハの字型に切り取る

組み立て説明書には切り取るように指示があります。カッティングマットに置いてアートナイフで押し切ります。下の写真は切り取り終わったところ。真ん中が使用するパーツ、左右にあるのがカットした余分な部分です。

06

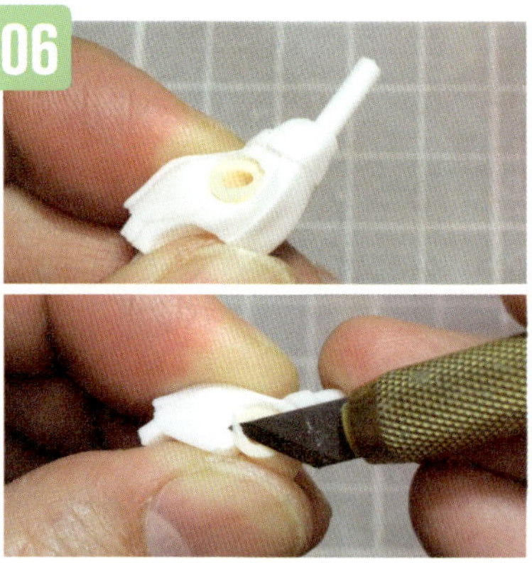

はみ出しはナイフで

カットしたポリキャップをはめ込んで、胴体の前後のパーツを合わせてみたところ、少しはみ出していました。このままでは、左右に付くパーツが浮いてしまうので、後ろ側のパーツを外して、ナイフではみ出し部分を削ぎ落としました。

07

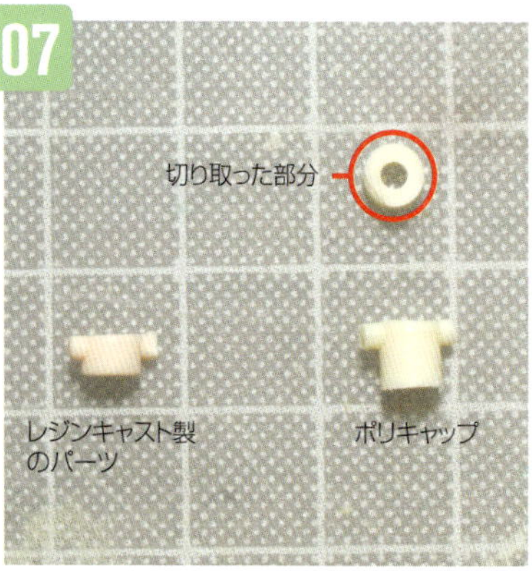

ポリキャップとレジンパーツ

これは、しっぽの差し込み口に使用するポリキャップです。組み立て説明書の通りに加工したのが右です。上にあるのが切り取った部分。左は、ポリキャップを使わない場合に使用するレジンキャスト製のパーツです。

08

何ということでしょう！

ポリキャップが飛び出しており、加工したそのままでは入りませんでした。おなか側のパーツはへこみがなく平らなので、この背中側のパーツにポリキャップが全て収まらなくてはなりません。

09

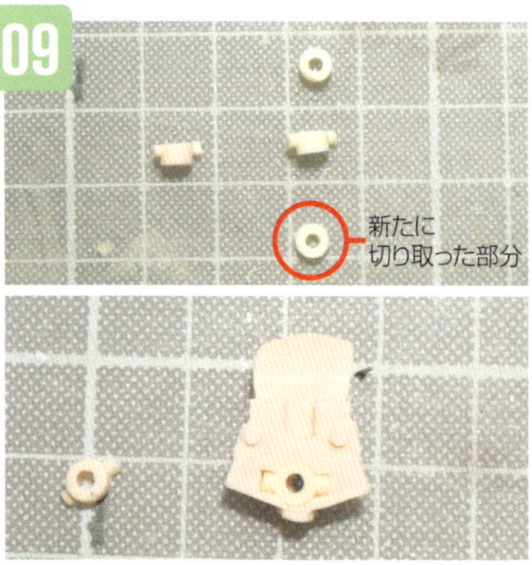

現物合わせで

そこで、レジンキャスト製のパーツに合わせて下部も切り取ったところ、きちんとはまりました。ときには組み立て説明書を離れて、現物合わせで対応する必要も出てきます。

10

レジンパーツを選択

これは脚の付け根、いわゆるパンツの部分のパーツです。ここもポリキャップとレジンキャスト製のパーツの選択式となっています。脚は差し替えパーツではなく固定してしまう部分なのでポリキャップではなくレジンキャスト製のパーツを選択しました。

第2章②

カラーレジンキットのゲート処理と仮組み

CHAPTER

11

胴体の組み立て②

ポリキャップの加工が終わったら、胴体のパーツを組み付けていきます。ぴったりはまらない場合は、ゲート跡やバリなどの処理不足が原因です。そうした箇所は、これまでと同様に追加で処理すれば大丈夫です。ぴったり合うようになったらはめ込み、固定できないところはマスキングテープで貼って固定します。今回はお手軽に、マスキングテープを使用していますが、両サイドの青いパーツの組み付けには両面テープを使うとマスキングテープが露出せず、すっきりした状態で組み上げられます。じつは019ページの比較用の組み立てただけの無塗装完成品は両面テープを使用して仕上げています。

01

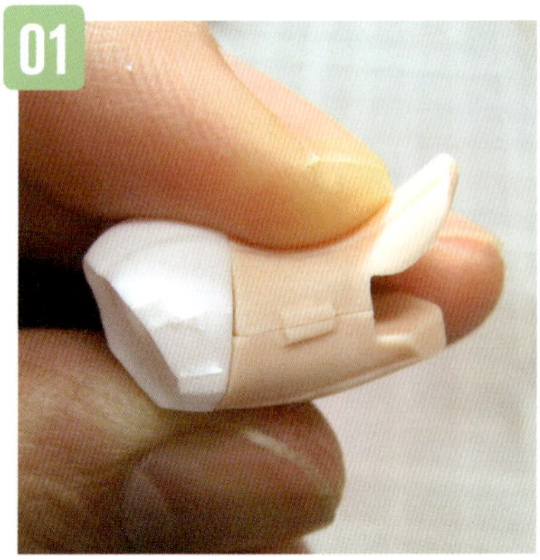

ゲートではない

おなかのパーツにポリキャップを挟み込んでから、パンツのパーツに差し込んだところです。肌色のパーツの合わさった面にある四角い部分は、側面部分に付く服との位置合わせ用のダボです。このような薄いダボは、ゲートと間違って削り取らないようにしましょう。

02

服のパーツをはめてみる

レオタードのような衣装の青いパーツが左右の側面に付きます。ところが右側面のパーツの下部、白いパンツとの間に隙間ができてしまっています。

03

下から見ると

脚の付け根側から見るとパンツのパーツにあった出っ張り部分が当たっているのがわかります。今回は違いましたが、薄い板状のパーツの場合はパーツが反っているということも考えられます。その場合は、熱湯や熱風で温めて直すという方法が使用できます。095ページを参考にしてください。

04

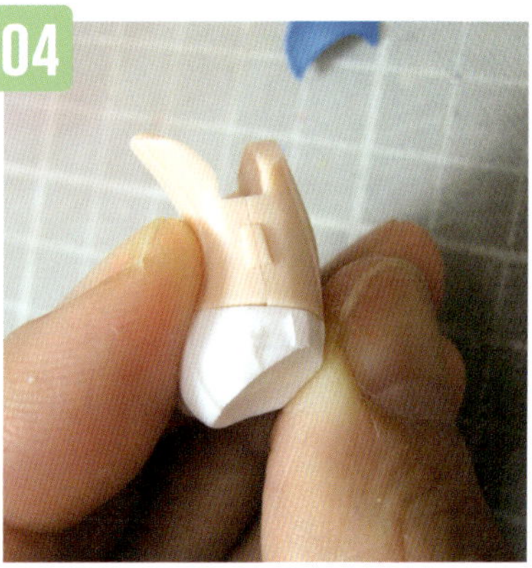

ダボじゃなかった

じつはこの白い出っ張り、肌の部分と同様、服との位置合わせ用ダボだと思って削り取らずに残しておいたのですが、ゲート跡だったようです。購入した段階である程度、ギリギリのところまでカットしてあったので、ゲートとは思わなかったのです。

セロハンテープや両面テープでの固定はどうなの？

セロハンテープや両面テープで仮組みをしても問題はありません。ただ、セロハンテープの場合、糊が残ったり、パーツの表面の油分で接着力が低くなることがあり、おすすめできません。さらに、仮組みしたものを確認する際、テープの表面に光が当たって光ってしまうのもデメリット。ものの形がよくわからなくなってしまいます。両面テープは接合部にうまく貼れば露出もせず良い状態で組み上がりを確認できるのですが、パーツに貼ってから剥離紙を剥がしてもう片方のパーツを貼るというのは、結構手間がかかります。さっと組んで確認したいときには不向きです。

05

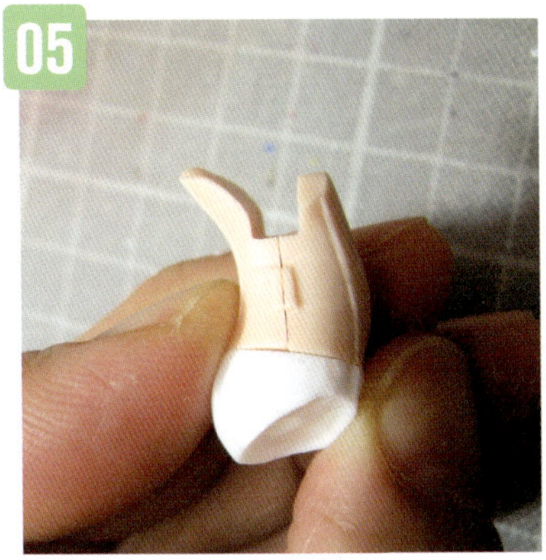

見落としくらいがちょうど良い

不要部分だと判明したので遠慮なくカットしました。このように処理し忘れたゲートなどの不要部分は、組み合わせた際に気が付き、処理できます。必要な部分をカットしてしまっては、修正やその後の処理が大変です。

06

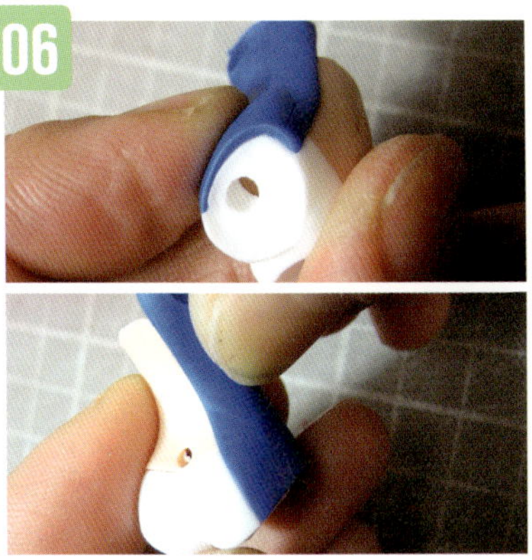

臨機応変に

下から見ても背中から見ても隙間がなくなりました。ここに限らず、勘違いや見落としは、これからもあるでしょうが見つけたそのときに処理すれば大丈夫です。

07

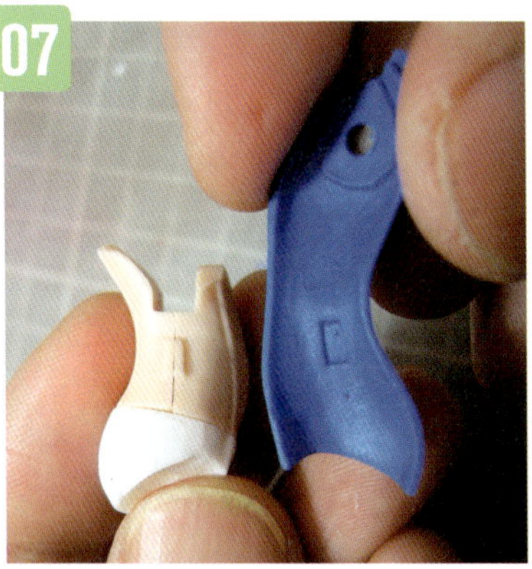

固定できないパーツは

さて、加工してぴったりはまるようにはなったものの、ダボは薄くダボ穴も浅いのでしっかりはめ込むことはできません。こういったところは、マスキングテープを貼って固定します。

08

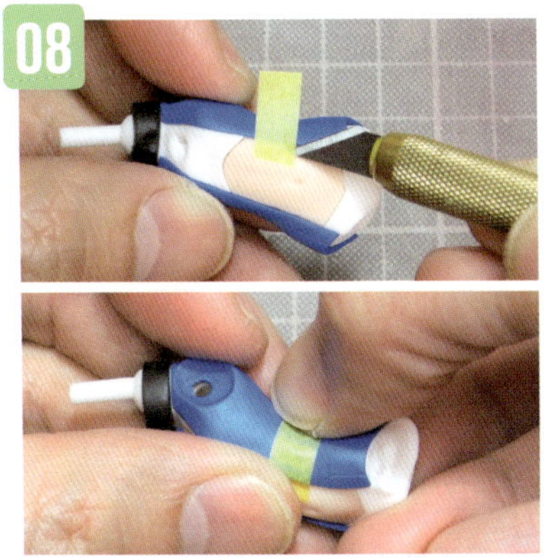

貼るのは必要最小限で

手で持っていないとばらばらになってしまう左右の青いパーツは、適当な長さに切り出したマスキングテープをパーツの境目をまたぐように貼り、固定します。指で押さえてしっかりと貼ります。

09

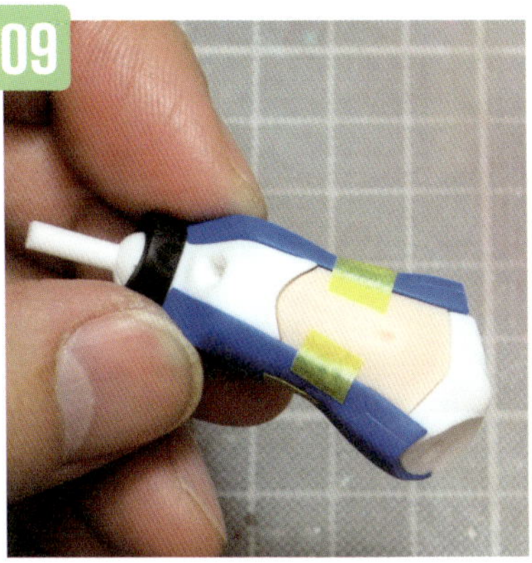

固定完了

他の部分にもマスキングテープを貼って青いパーツを固定しました。前の部分は、左右別々に貼っています。おなか部分のディテールなどを覆い隠してしまうと、完成時の雰囲気や形状が確認しづらくなるかもと考えてのことです。

10

左右を1枚で

後ろはそんなに気を遣わなくて良いかなと考え、1枚で貼っています。隣の09の写真、前の部分はマスキングテープを左右に分けて固定しているので比較してみてください。どちらも変わらないと思う方は、前も1枚で止めて構いません。

第2章②

カラーレジンキットのゲート処理と仮組み

CHAPTER

12

各部の組み付け！

これまでに組んできた各部を、組み立て説明書に従って組み合わせていきます。いよいよ仮組み状態が完成することになります。完成までに行わなくてはならない作業はまだたくさんありますが、ひと通り形になるのは楽しいものです。仮組みだけで満足せず、次に進みましょう！ 仮組み状態で確認しなくてはならないことは次のページで説明します。

01

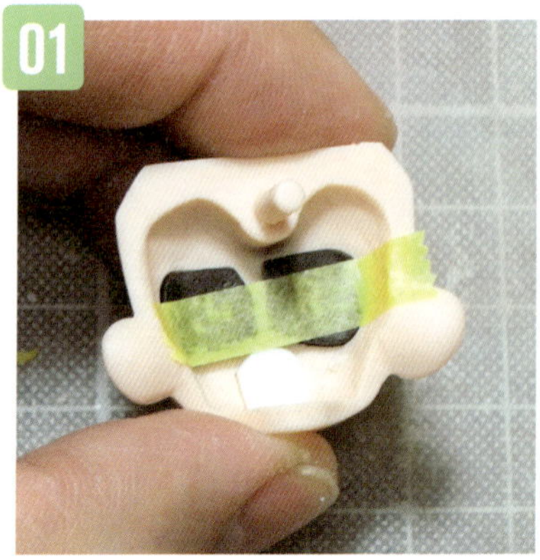

目と口の固定

ゲートを切った目と口のパーツをはめ込んであった顔のパーツですが、まだ、固定していませんでした。このままでは、少し傾けただけで外れてしまいます。他のパーツと同様、この部分の固定にもマスキングテープを使用します。

02

前髪と顔の接合

前髪のパーツに顔のパーツを差し込みました。白い耳毛のパーツをはめ込んだ猫耳のパーツも前髪にはめてあります。

03

順番が大事

前髪と顔を後頭部にはめ込みます。顔のパーツは、前髪のパーツに下から差し込むようになっています。前髪を付けずに先に顔を後頭部にはめ込むと、前髪をはめ込むことができません。

04

顔と後頭部を固定

前髪と後頭部のはめ合わせが緩いので、前後をマスキングテープで固定しました。完成後、実際に組み立てる際にはしっかり固定されます。この段階では顔のピンを差し込むポリキャップを固定するパーツ(ツインテールを固定するパーツと同じパーツ)が接着されていないため、動いてしまうのが原因です。

接続ピンが折れた場合は

レジンキャスト製のパーツは意外ともろく、接続ピンなど細くて長いものは根元で折れやすかったりします。折れてしまった場合は、折れた面の両側にピンバイスで穴を開け、アルミや真鍮などの金属線を差し込んで接着し、接続します。あらかじめ折れそうなところに穴を貫通させて金属線を差し込んでおくという予防策もあります。

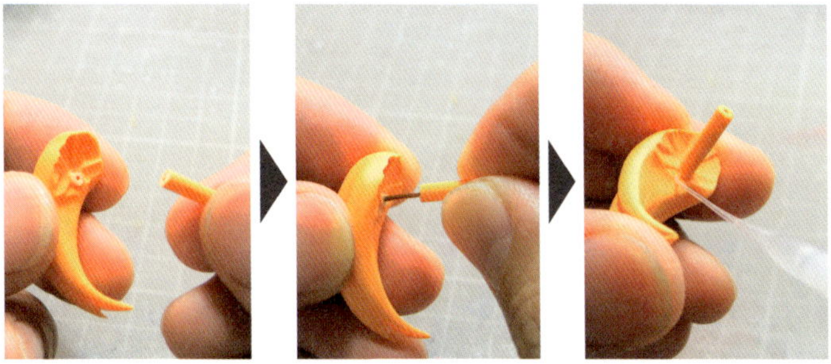

05

ツインテールの差し込み

後頭部の中に埋め込まれたポリキャップにツインテールの接続ピンを差し込みます。レジンキャスト製のピンは折れやすいので注意して差し込みます。左右ともに同じ太さのピンなので、パーツの凹凸を見て間違えないように差し込みます。

06

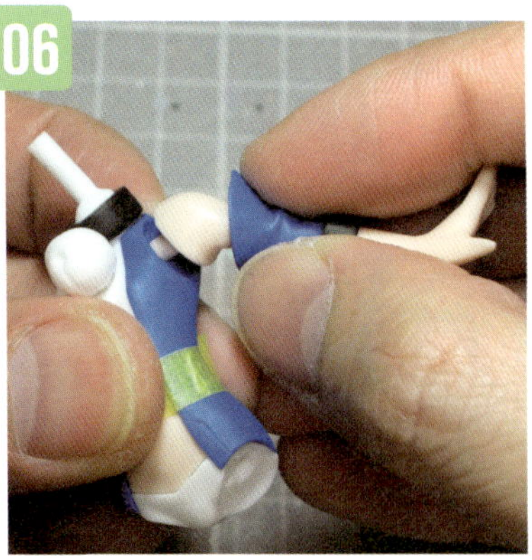

胴体に腕を接合

組み上げた胴体に腕をはめ込みます。左手は1種類しかありませんが、右手は3種類のうちのいずれかを選んで取り付けます。ポリキャップなので、しっかり差し込んで固定できます。

07

胴体に脚を接合

腕に続いて脚をはめ込みます。脚の付け根はポリキャップではなくレジンキャスト製のパーツを使用しているので、緩いかと思ったらしっかりはめ込むことができました。

08

ボディの完成

両手・両脚が差し込まれ、ボディが組み上がりました。このキットでは大丈夫でしたが、緩い場合はピンを太らせるしかありません。脚の付け根は完成時には接着しますのでマスキングテープで調整するのが良いでしょう。腕は差し替え式ですので瞬間接着剤を塗って太らせます。

09

ボディと頭部の接合

最後に頭と胴を合わせます。ここもポリキャップを使った接続なのでスムーズにはめ込むことができます。ただ、首の接続ピンは長いので、折らないように注意しましょう。

10

仮組み完成です！

これで全身のパーツが組み上がりました。完成時のフォルムやボリュームを確認することができます。じつはこの後、しっぽを付け忘れていたことに気が付き、付けました。

第2章②

カラーレジンキットのゲート処理と仮組み

CHAPTER

13

仮組み完了！

仮組みが完成しました。この状態で、パーティングラインや気泡、ゲート跡など処理が必要な箇所を確認します。もちろん、全てのパーティングラインやゲート跡、気泡を処理しても良いのですが、完成した際に見えなくなるところまでやる必要はないでしょう。仮組みをしたことで完成時に見えなくなる部分がわかります。その部分の作業をしないことで、手間を省くことができるわけです。

01

〈正面〉 〈後面〉 〈側面〉

〈斜め後ろ〉 〈ナイフを持ったバージョン〉 〈ポーズ決めバージョン〉

仮組みしてみて

組み上がったら、正面、側面、後ろと様々な角度から確認しましょう。パーツのかみ合わせが悪い部分もなく、問題なさそうです。腕のパーツが差し替えられ3つの状態が楽しめますが、その分処理するパーツが多くなっています。塗り分けのプランも考えましょう。色分けされているので組み上げただけでもカラフルで、完成状態も想像しやすいですね。目の部分にシールを貼り、口の中と首元の鈴を塗れば、塗り分け的にはOKでしょう。ナイフを持ったバージョンでは、ナイフの刃や握りの部分も金属色で塗ったほうが完成度が高まりそうです。

自立はするけれど……

組み上げたこのフィギュア。平らな机の上でなら、バランスが取れていてきちんと自立するのですが、ちょっとしたことで転倒してしまいます。ディフォルメフィギュアは、頭が大きく重いので仕方のないところです。こうしたフィギュアを完成させ展示するためには、ベースに固定することが必至です。適当なサイズのベースを購入し、配置を決めたら、足裏の設置面にピンバイスで穴を開けて金属線で固定します。できれば両足とも固定しましょう。(058ページ参照)

02

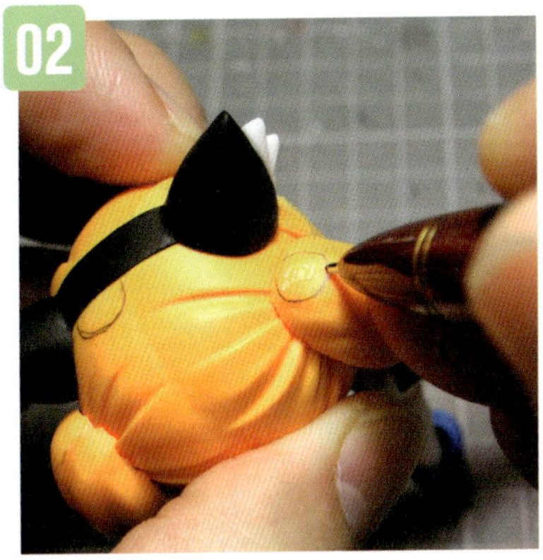

ゲート跡のチェック

切り取ったゲート跡が表面に露出する部分を確認します。処理が必要な部分はシャープペンシルや鉛筆などで丸く囲って印を付けておくと良いでしょう。

03

パーティングラインも

同じく、パーティングラインも確認します。こちらも印を書き入れておくと、処理のし忘れを防ぐことができます。

04

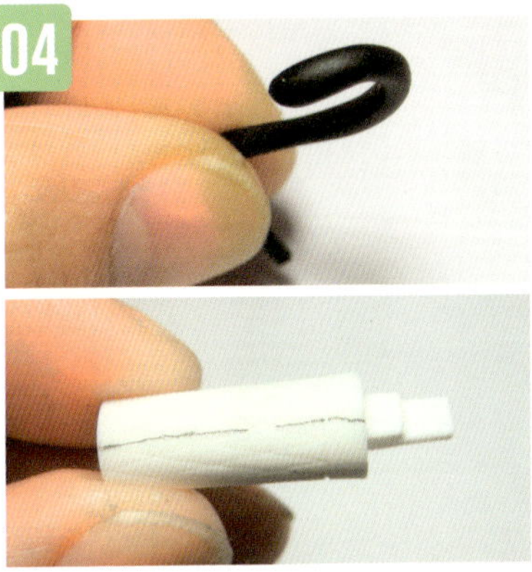

黒や白は要注意！

このキットは5色のパーツで構成されています。色によっては表面の状態が見づらいので注意してください。白や黒は意外と見落としやすいので、よく確認します。

05

パーツを外して

ゲートやパーティングラインの処理する部分に印を付ける際、脚の間など印を付けにくい箇所はパーツを外して書き込みます。

06

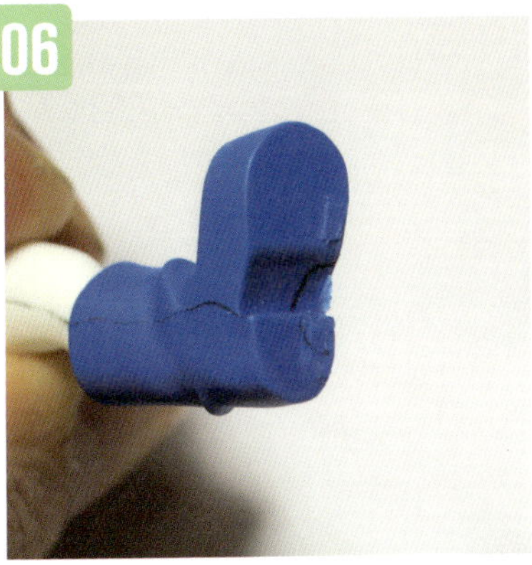

バリが残っていた

仮組み前にゲートや湯逃げの処理をしました。その際に見つけたバリは一緒に処理しましたが、気が付かず見落とした部分もありました。ここも印を付けておき、この後の作業で一緒に処理します。

07

角度によっては見えるので

普通に見ている分には目立たないけれど、角度を変えると見えるパーティングラインもあります。首の付け根、後頭部の根元などがそうです。様々な角度から見て処理すべき箇所を確認しておきましょう。

第2章③

カラーレジンキットのパーツ整形

CHAPTER

14

ゲートとパーティングラインの処理①

いよいよ、ゲートやパーティングラインを処理していきます。ここで使用するのはナイフと各種のヤスリです。ヤスリでパーツの表面を削ることを「ヤスリをかける」と言い、この作業を「ヤスリがけ」と言います。色々な種類のヤスリがありますが、基本的には金属ヤスリ→紙ヤスリ→スポンジヤスリという順でかけていきます。まずは金属ヤスリの基本的な使い方を説明します。金属ヤスリは、目の粗い順に荒目(粗目)、中目、細目、油目に分かれますが、フィギュアや模型制作では、中目、細目のヤスリを使用します。目の種類や断面の形状については045ページ上の金属ヤスリの種類のところで解説しています。

01

押して削る

平らな部分にある出っ張りを削るには平(ひら)と呼ばれる金属ヤスリを使用します。この平に限らず、金属ヤスリは押したときに削れるようにできています。削りたい部分にぴったり当て矢印の方向へ押します。

02

引くときは浮かせて

ヤスリの目がない部分(持ち手)の手前まで動かしたら、ヤスリを浮かせて引いて戻し、ヤスリの先端が削りたい部分にくるようにします。金属ヤスリの目は引く際には削れないので力を入れて戻してもむだだからです。

03

後は繰り返し

01と02の繰り返しで削っていきます。シュッ、シュッ、シュッ……という感じです。慣れてきたら、いちいち持ち上げて戻さずに、軽く滑らせてヤスリを戻してもOKです。

04

平行に動かす

平らな面を削る際、削る面に対して平行に動かすことが大切です。ヤスリが斜めに当たっていると平らな面に角度が付いてしまったり、端の部分だけが削れて平らではなくなってしまいます。

金属ヤスリの種類

金属ヤスリは表面に凹凸やミゾがあり、これを目と呼びます。目の細かさの違いが性能の差になり、用途に応じて使い分けます。また、同じ目のヤスリでも、断面や上から見た形状が何種類かあり、切削する場所によって使い分けられています。フィギュアや模型制作に使われるものは比較的小さなもので、複目が多いようです。断面形状は平、半丸(甲丸)、丸、楕円、両半丸(両甲)、三角、四角、刀刃などがあります。先細は、断面形は平と同じですが先に行くほど細くなったヤスリです。ちなみに右の図の断面形状の呼び名は、平(ひら)、半丸(はんまる)、甲丸(こうまる)、三角(さんかく)、楕円(だえん)、両半丸(りょうはんまる)、両甲(りょうこう)、丸(まる)、四角(しかく)、刀刃(かたなば)、鎬(しのぎ)、菱(ひし)です。先細は「さきぼそ」と読みます。

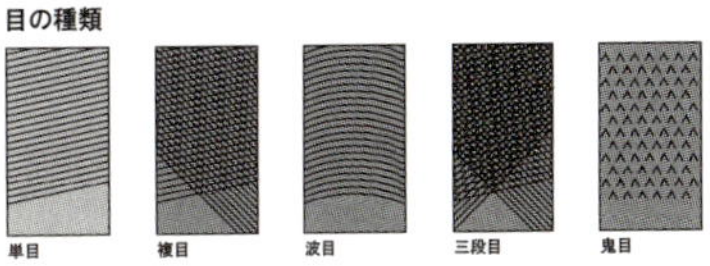

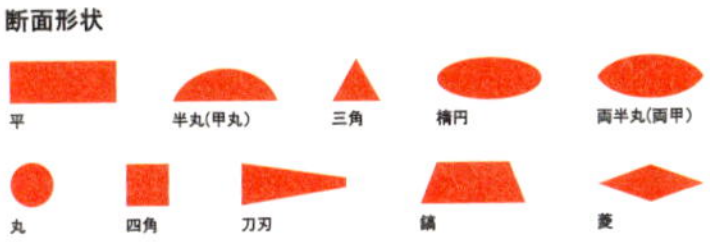

作業前後を比較

上がニッパーでカットしナイフで削って整えたゲート部分で、下はヤスリがけが終了したゲート部分です。少し白っぽくなっている部分がヤスリで削られた部分。中央部分が少しへこんでいるため削られていませんが、接合部分なので、周囲が平らになっていれば問題ありません。

曲面へのヤスリがけ

円柱の表面のような丸みのある部分にあるゲートやパーティングラインも平で削ります。ヤスリはパーティングラインに対して垂直に当てます。押して削るのは平面のときと同様です。

平行ではダメ

平面のときは削る面に対して平行に動かしましたが、円柱の側面に対して平行に当て、パーティングラインの部分だけを削ると、そこだけ平らに削れてしまいます(この平らに削れた部分を「フラットスポット」と言います)。上の図のようにならないように注意してください。

角度を変えながらかける

パーティグラインは、曲面に合わせてヤスリの角度を変えながら削っていきます。先端を上げた場合は、パーティングラインより少しこちら側(手前)を削る感じになります。

周囲を削る

先端を下げた場合は、パーティングラインの向こう側(奥)を削る感じになります。パーティングラインの前後を削ることで、円柱の丸みを残しつつ整形できるのです。わかりやすくヤスリの角度を変えましたが、パーツのほうを回転させて削る部分を変えてもOKです。

ヤスリの幅が狭いので

このパーツは長いので、06～09の作業をパーティングラインに沿って横方向にもやらなくてはなりません。ここでも凸凹にならないよう、一度に一部を削るのではなく、まんべんなく削るようにしましょう。

第2章③

カラーレジンキットの パーツ整形

CHAPTER

15

ゲートとパーティングラインの処理②

金属ヤスリでの整形後は、紙ヤスリ(サンドペーパー)や、スポンジヤスリを使って表面を仕上げていきます。金属ヤスリで削った部分には細かな傷ができているので、この傷を消すためにサンドペーパーで表面を磨くのです。この作業を「ペーパーがけ」や「サンディング」と言います。道具のところで説明したように、紙ヤスリは、耐水性のものと、そうでないものの2種類ありますが、ここでの作業では水に浸けない空研ぎで行うのでどちらを使っても構いません。

01

適当な大きさに切って

様々なサイズの紙ヤスリが売られています。適当なサイズにカットして使います。模型用の金属ヤスリで削った直後は、320番から始めます。ただし、金属ヤスリの種類によって傷の深さ、荒さが異なるので、かけてみて消えないようなら、番手を粗いものに変えます。今回の場合なら320番→240番という具合です。

02

二つ折りにして

このパーツのように円柱状のものには、紙ヤスリをぐるっと巻きつけて使用することもできますが、それだと全面を削ることになります。磨きたいのはパーティングラインの部分だけなので、二つ折りにして使用しました。二つ折りにすることで、紙ヤスリに適度なコシが出て使いやすいです。

03

どの方向に動かしても

金属ヤスリと違い、紙ヤスリは、どの方向に動かしても削れます。ですが、闇雲に削っても仕方がありません。まずは、円柱の丸みに沿って上下方向に動かして削りましょう。

04

スライドさせて

続いて、幅や長さに沿って左右方向にも削ります。指の腹の弾力で密着させて動かすのが、うまく磨くコツです。ここでも、金属ヤスリのとき同様、一部分だけ削って平らな部分ができないように注意してください。

紙ヤスリの管理

紙ヤスリを使いやすい大きさに切り揃えたら、同じ番手のものだけクリップでまとめておくと良いでしょう。紙ヤスリの裏側にある番手は、カットしたことで数字が読めなくなる部分もできてしまいます。できれば全てに番手を記入しておくと良いのですが、数字を書くのが面倒な場合は、マーカーなどで番手ごとに違う色の印を付けておくのも良いでしょう。また、近年では、はじめから切ってあるものが付箋のような束の状態で売られているものもあります。そちらを使うのも良いでしょう。

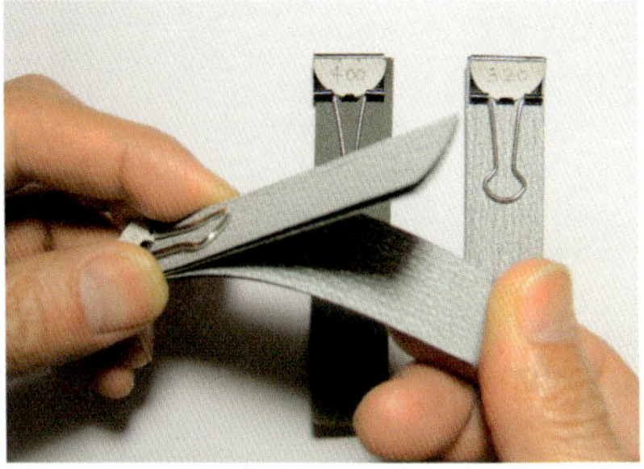

05

金属ヤスリの傷は消えて

320番の紙ヤスリでパーティングラインを削り終え、削りカスを払ったところです。金属ヤスリの深い傷は消えて、紙ヤスリでできた細かな傷になっています。この後は、より細かな紙ヤスリで同様に磨きます。次は400番、さらに600番で磨きます。通常は600番くらいまでで良いでしょう。

06

紙ヤスリに替えて

次の作業は400番の紙ヤスリで磨くのですが、ここで、紙ヤスリに替えてスポンジヤスリを使用します。使うのは、320〜600番相当のスポンジヤスリです。これ1枚で400番と600番の2枚の働きをするので時間の短縮にもなります。

07

使い方は

スポンジヤスリも、どの方向に動かしても削れます。紙ヤスリと同様、丸みに沿って動かしたり、スライドさせたりして削ります。ぴったりと曲面に良く馴染み、非常に使いやすいです。

08

力加減の変更で

はじめは強く押して削り、徐々に力を抜いていくことで、番手を替えたのと同じ効果があります。このような曲面を磨くのに便利なスポンジヤスリですが、平らな面や隙間を磨くのは苦手なので、紙ヤスリとの併用が必須です。

09

まだ傷はある……

このくらいの状態になるまで磨けばOKです。もちろん、紙ヤスリだけでも同じような状態まで持っていけます。なお、ヤスリがけした部分とそうでない部分では表面の状態(ツヤ)に差がありますが、それは今後の作業で処理できるので気にしなくて構いません。

10

ヤスリの番手と用途

紙ヤスリ	スポンジヤスリ	用途
180		ゲート処理 パーティングライン 処理
240	240〜320	ゲート処理 パーティングライン 処理
320	240〜320	ゲート処理 パーティングライン 処理
400	320〜600	金属ヤスリの傷消し
600	320〜600	金属ヤスリの傷消し
800	800〜1000	表面処理
1000	800〜1000	表面処理
1200	1200〜1500	磨き
1500	1200〜1500	磨き
2000		磨き

番手について

紙ヤスリの番手は40番くらいから2000番くらいまでが一般的ですが、その中でも、フィギュア制作で使用するのは、180〜1000番といったところ。とりあえずは、320、400、600の3種類があれば良いでしょう。余裕があれば、より粗い240番と、細かい800番を足して5種類揃えておきます。

第2章③

**カラーレジンキットの
パーツ整形**

CHAPTER 16

ナイフによるパーティングラインの処理

金属ヤスリで削ってパーティングラインを処理する方法の他に、アートナイフを立ててカンナのように使い、処理する方法があります。この方法は、あまり段差がなく、細いスジ状の出っ張りのようなパーティングラインに適しています。というのも、この方法では意外と削れるので、段差のある部分で使用すると、削れ過ぎて平らな部分(フラットスポット)ができてしまうからです。また、金属ヤスリが入らないようなくぼんだところも処理できるのも良い点ですが、曲線刃に付け替えるのを忘れずに。

01

カンナがけのように

刃先をパーティングラインに対して垂直に当てます。円筒形の側面にあるようなパーティングラインを削るには、先端が真っ直ぐになっているナイフの刃を使います。

02

一度だけでなく

パーティングラインに対して平行に移動させます。あまり力を入れず軽く行ってください。この場合もヤスリがけのとき同様、同じところばかりを削って平らな部分ができないように注意してください。

03

処理終了

この後は、金属ヤスリで処理した後と同様に、ペーパーがけをして仕上げます。もちろんスポンジヤスリで仕上げても問題ありません。

04

端の部分は残りやすい

削り始めや削り終わりの部分は、力が入りにくいので、きれいに削れずに残る場合があります。このようなときは、金属ヤスリで端の部分のみを削ってあげましょう。

もったいなくてもこまめに取り替える

アートナイフの刃は、徐々に切れ味が鈍ってきます。切れなくなってくるとパーツに負荷がかかってきれいに削り取れず、割れたり変色してしまうこともあります。また、作業中に余計な力が入るようになるのでケガをしやすくなります。徐々に切れ味が鈍ってくるというのが曲者で、慣れないうちは、なかなか換えどきがわかりません。意識して、定期的に新しいものに換えるようにしましょう！　右の写真では、曲線刃も直線刃も左側が使用済み、右側が新品です。使用済みの刃は先端が欠けているのがわかるでしょうか。このようにすぐわかる状態なら良いのですが、先端が欠けていなくても切れ味が鈍っている場合が多々あります。ある程度使ったら、新品の刃と付け替えて切れ味の違いを体感してみてください。

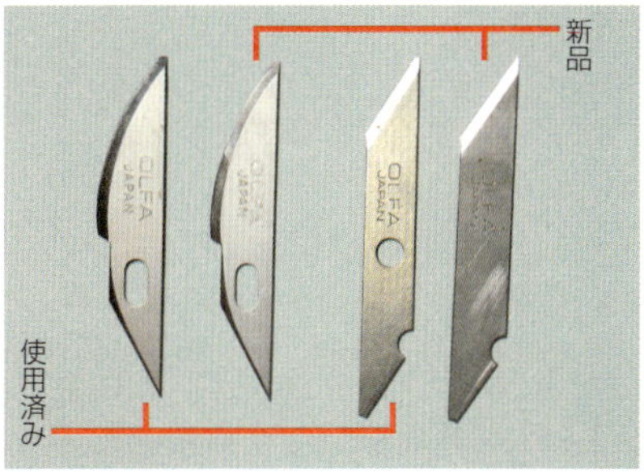

ツインテールのパーツ

あまり見えない部分ですが、裏側の中央部にパーティングラインがあります。後頭部に取り付けるため中央部がくぼんだ形になっています。金属ヤスリでは周りに当たってしまい、パーティングラインに届かず、紙ヤスリを折ったものなら何とかなるかもといった感じです。

くぼんだところは

アートナイフの刃先ならば届きそうですが、普通の直線刃では、くぼみの中央まで届かず、うまく削ることができません。こういった部分こそ、曲刃が有効です。写真のように、先端部分のみがパーティングラインに当たっているのがわかります。

処理後

ナイフで削っただけですが、ほぼ、わからなくなりました。時間的にもさほどかかっていません。こういった部分にアートナイフ(曲線刃)によるカンナがけが有効なのがおわかりいただけたでしょう。

パーティングライン処理のコツ①

仮組みの段階で露出するパーティングラインをチェック。鉛筆で印を付けておきました。こうしておくと削れたところがわかるのと、処理のし忘れを防げます。特に表面の状態がわかりづらい白いパーツは有効です。

パーティングライン処理のコツ②

金属ヤスリにしろ、ナイフによるカンナがけにしろ、削りカスが表面に付着します。そうすると表面の状態が確認でないので、払い落とす必要があります。このパーツのように表面にミゾがある場合などは、そのミゾに削りカスが溜まってしまいます。こうした場合は歯ブラシを使うと簡単に取り除けます。

パーティングライン処理のコツ③

パーティングラインもゲートも型の合わせ目にできるものです。ゲートはわかりやすいので、そこからパーティングラインを追っていくと見落とさずに済むでしょう。また、処理する際にはゲートと同時に行うと効率的です。

第2章③

カラーレジンキットの
パーツ整形

CHAPTER 17

パーツ整形の実際①
髪パーツ

金属ヤスリや紙ヤスリを使ったパーティングラインやゲートの基本的な処理の仕方がわかったところで、実際に、このキットのパーツを処理する際のポイントを見ていきましょう。もちろん、他のキットでも、同じような部分には応用できるはずです。どの部分でどのように気を付ければ良いのかを見ていきます。

01

パーティングラインはエッジに多い

細くて薄い前髪のパーツ。こういったパーツは、表面と裏面のキワの部分にパーティングラインが設けられていることが多いです。どうしてこういう部分に設けられているかは自分で型取りを体験してみるとよくわかります。

02

仮組み状態で確認

完全に裏側にあれば組み立てると見えなくなるので問題ありませんが、側面にある場合、角度によって見えてしまいます。右側も左側も斜め前からの角度だと見えています。

03

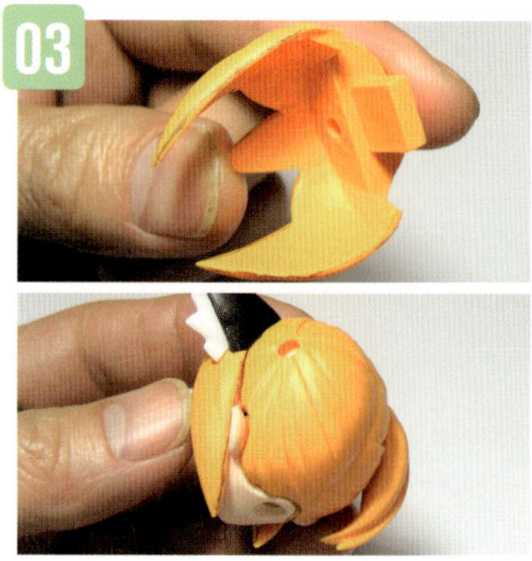

前髪というより横の髪

耳の前にくる房などは、長いと先端部分が後ろから見えるので処理が必須です。ロングヘアーの場合などは組み立てると見えなくなる部分だったりするため、意外と見落としやすいところです。髪型で見えるかどうかが決まるので、後頭部と組み合わせてよく確認しなくてはなりません。

04

平ヤスリで

キワの部分のパーティングラインは、セオリー通り、平の金属ヤスリで削ります。または、半丸の平らな面を使って削っても大丈夫です。もし、半丸を使用していれば、次の05のような部分を作業する際に持ち替えなくて済むといったメリットも。

金属ヤスリの手入れについて

ヤスリの目にカスが詰まると、研磨力が著しく低下するので歯ブラシで取り除きましょう。ワイヤーブラシ(金属ブラシ)でも取り除くことができ、そちらのほうが速いのですが、ヤスリの目を磨耗させてしまいます。磨耗すると削りにくくなってしまうため、ヤスリを長持ちさせるには、歯ブラシの使用をおすすめします(写真左が手入れ前、写真右が手入れ後)。なお、水洗いする人がいますが、金属製のため、すぐに錆びてしまうので絶対にしないようにしましょう。ツールクリーナーに浸けて洗う人もいますが、こちらはすぐに揮発し錆びませんのでOKです。

05

半丸も使って

髪の重なる部分など、平の金属ヤスリが入らないところは、半丸などの先が細く薄いヤスリで削ります。三角や刀刃、菱といった形のヤスリでもOKです。

06

紙ヤスリのエッジは

金属ヤスリで削った後は紙ヤスリに替えてさらに磨きます。二つ折りした折り目の角の部分は、コシがあり細かい部分を磨くのに適しています。ミゾやL字型の片方の面のみを磨くことができます。

07

隙間にも

紙ヤスリは薄いので、房と房との谷間の隙間の部分などを磨くのにも重宝します。二つ折り、または折らずにそのまま挿して磨きます。

08

作業終了

パーティングラインがきちんと消せました。01の写真と比較してみてください。パーティングラインの処理をしたおかげで髪のエッジのラインや先端もシャープになっています。

09

猫耳パーツ

猫耳パーツのふちのところにパーティングラインがあります。外側のエッジではなく一段入ったところで見落としやすいので気を付けてください。左が処理前、右が処理後です。

10

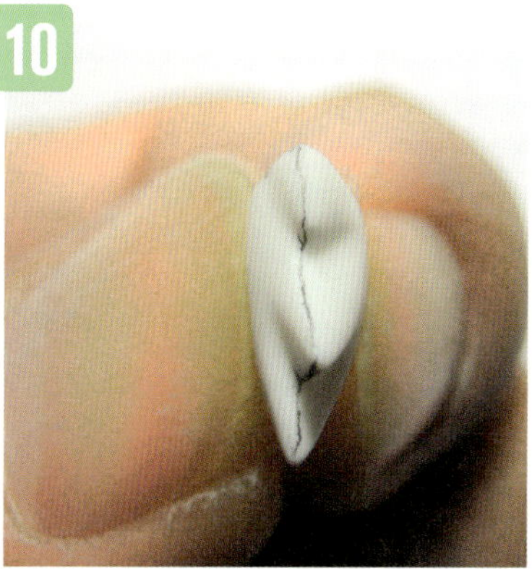

耳の内側の毛

猫耳パーツの内側に付く毛のパーツです。目立たないエッジ部分にパーティングラインがあることが多いのですが、このパーツは突起部分の中央にパーティングラインがあります。パーツが白く見落としやすいので気を付けてください。

CHAPTER

18

パーツ整形の実際②
顔パーツ

引き続き、このキットのパーツを処理する際のポイントを見ていきましょう。金属ヤスリの選択や紙ヤスリの使用法についても説明しています。丸や半丸のヤスリの使いどころ、そして紙ヤスリを丸や四角の金属ヤスリと同じように使用する方法などを紹介しています。また、パーティングラインやゲートの処理以外でも気になった部分には手を入れています。細かな作業をするには、平、半丸、丸、の3本に加えて三角などもあると便利です。必要に応じて買い足していってください。

01

顔のパーツ

顔のパーツも、エッジ部分にパーティングラインがあるのですが、こちらは後頭部との接合面ですし、前髪が付いて隠れるので、処理の必要はありません。

02

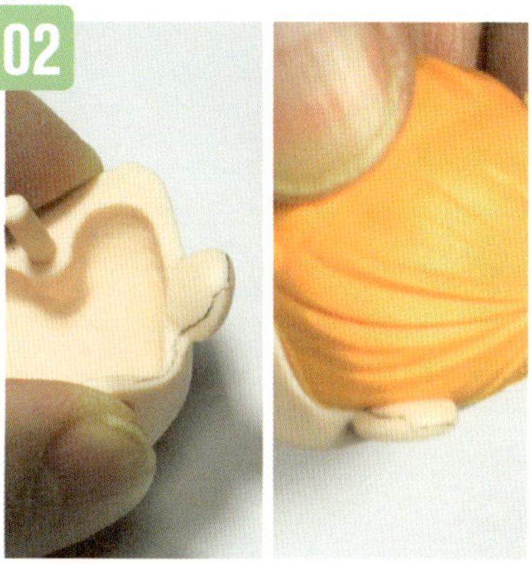

耳の裏側は

ただ、耳の後ろの鉛筆で線を描いた部分のパーティングラインだけは、後頭部と組み合わせると見えてしまうので、処理が必要です。

03

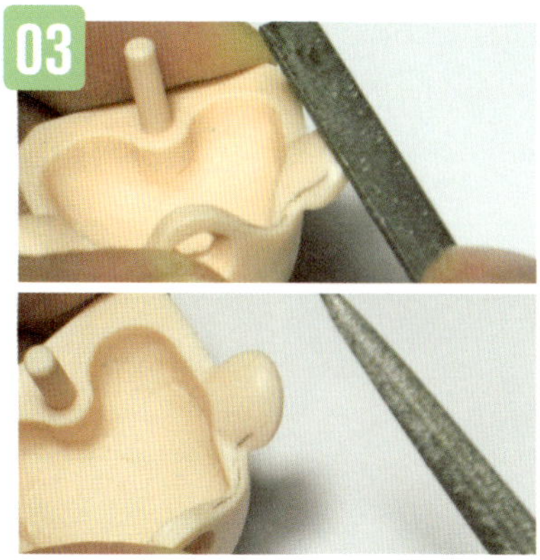

適材適所

耳の裏の出っ張っている部分はセオリー通り、平の金属ヤスリで削ります。耳たぶの裏側あたり、首へと向かうあたりはくぼみになっています。このようなところは平の金属ヤスリでは削れないので半丸の金属ヤスリを使用します。

04

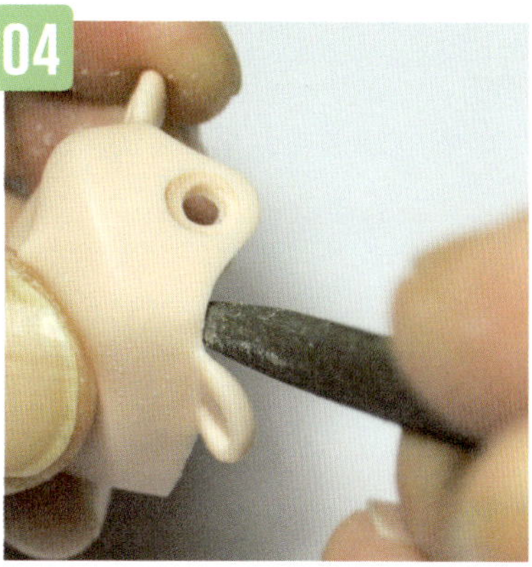

丸みをくぼみに当てて

半丸のヤスリは両面に目があり、どちらの面でも削れるようになっています。この場合、当てるのは丸みのある側です。この角度から見るとくぼみの部分にぴったり当たっているのがわかります。

表面の凹凸が気になって

写真は口の中にはめ込むパーツです。造形的には舌がデフォルメされたものと言えます。左がキットのままのパーツ。表面が若干凸凹しているのが影の具合でわかります。そこで、表面に軽くペーパーがけを行ったのが右のパーツです。表面にヤスリを当て上下左右あらゆる方向に動かし、ときには円を描くように動かすのも効果的です。そうすることによって表面の凹凸がならされ、凹凸のない曲面にすることができます。

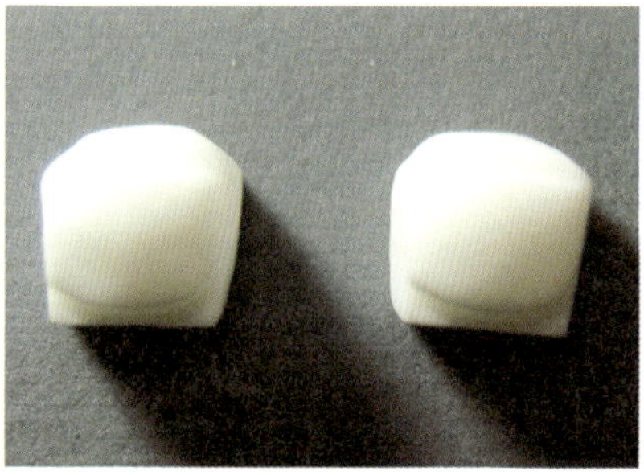

05

きちんと消せた

パーティングラインのところに引いてあった鉛筆のラインが消えています。このようにくぼんだところに最適なのが半丸です。じつはこの部分、組んでみると見えなくなるので実際には作業しなくても大丈夫でした。

06

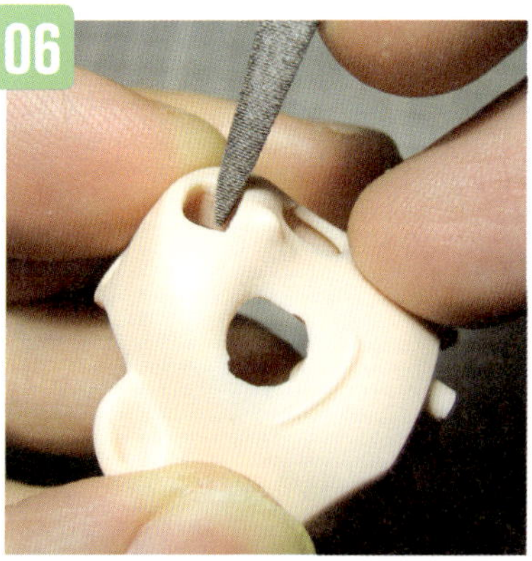

半丸は穴の内壁にも

口の中のバリはナイフで取ってありますが、こういった部分も、半丸の金属ヤスリを使って整形します。もし、穴が狭くて入らない場合は、丸や楕円の金属ヤスリを使って削ります。

07

口角の部分のエッジには

開いた口は下向きの半円のような形をしています。口の両端、上端の部分は直角に近いエッジがあります。この部分を半丸の金属ヤスリできれいに削るのはなかなか難しいです。三角形のヤスリを、うまく使って処理しましょう。

08

紙ヤスリは加工して

金属ヤスリの後は、紙ヤスリで処理しますが、そのままでは使用できません。そこで、ちょうど良い太さの角棒や丸棒に両面テープなどで紙ヤスリを貼り付けたものを使用して磨きます。

09

回転させるのではなく

円形の穴ならば、ヤスリを貼り付けた棒を回転させて削っても問題ないのですが、半円形の口では前後に動かして削ります。カーブの部分には丸棒、エッジの部分には角棒に貼った紙ヤスリを使用します。

10

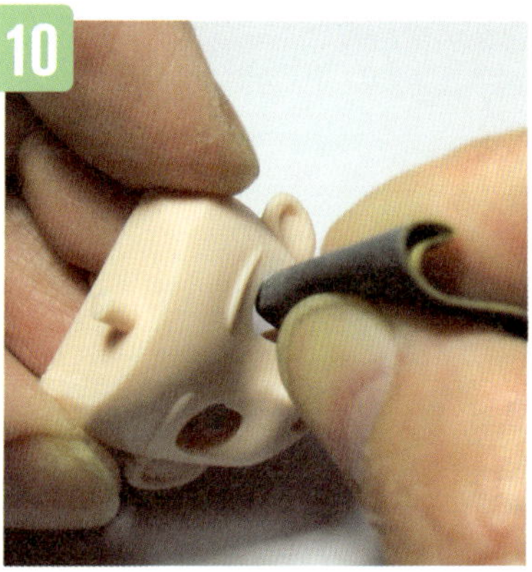

大きな穴なら

目の穴のように大きな部分なら、丸めた紙ヤスリの先端を使用して磨くこともできます。

第2章③

カラーレジンキットの
パーツ整形

CHAPTER
19

パーツ整形の実際③ 後頭部など

ここでは後頭部やツインテール、手のパーツを整形します。引き続き気になるポイントやヤスリの使い分けなどを見ていきますので、参考にしてください。ヤスリの選択のコツは削りたいところにフィットするものを選ぶこと。そして、もともとあるモールドを損なわないようにかけられる形状のものを選ぶことです。

01

後頭部のパーツ

鉛筆で書いた部分がパーティングラインです。例によってエッジ部分に存在しています。写真左下が襟足の部分になります。首の後ろのパーティングラインは後ろからではあまり目立たないのですがローアングルからだと見えるのできちんと処理します。

02

見えなくなるけれど……

耳の形のくぼみの中にパーティングラインがあります。ここは顔のパーツをはめ込むと見えなくなるのですが、パーティングラインの出っ張りのせいで少し浮いてしまうようなので、曲刃のアートナイフを使用して削っておきました。ヤスリで磨く必要はありません。

03

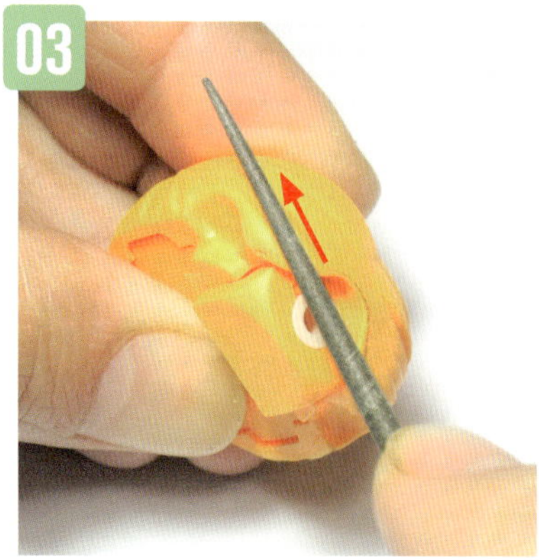

ミゾに合わせて

後頭部の下部、首との付け根。襟足の部分にパーティングラインがあります。ここは、髪の流れを表現するミゾが何本もあります。そこで、そのミゾに沿って丸の金属ヤスリを当てて削ります。

04

ツインテールの裏側

アートナイフでカンナがけをして削り取ったパーティングラインの跡に紙ヤスリをかけます。へこんだ部分なので、二つ折りにした紙ヤスリをさらに折り、山の部分でヤスリがけをします。

紙ヤスリが削れなくなったら

紙ヤスリは二つ折りして磨きます。磨いているうちに削りカスが目に詰まり、削れなくなってきます。短冊状に切ったものを真ん中で二つ折りしているので、削れなくなった面と逆の面に裏返せば、しばらくは削れます。二つ折りした紙ヤスリの両面が削れなくなったら、別の場所で折ります。先端を使用して削っている場合、それ以外の部分は新品同様ですので、新しく折った部分の両面が新たに使用できます。そして、そこが削れなくなったら、また別の部分を折って使い、全面的に使用したら新しいものに換えます。

05

毛先

ツインテールの先端部分には尖った枝分かれ部分があります。それを傷付けないようにヤスリがけしなくてはなりません。平ではなく半丸や刀刃を使用します。

06

穴の内側の整形

後頭部のパーツは、バリがあったのでピンバイスで開口しています。このような穴の内側を整形したいときには丸の金属ヤスリが適しています。また、ピンバイスで開けた穴を広げたい場合にも利用できます。整形時は写真のように親指、人差し指、中指の3本で持ち、上下に動かして削ります。

07

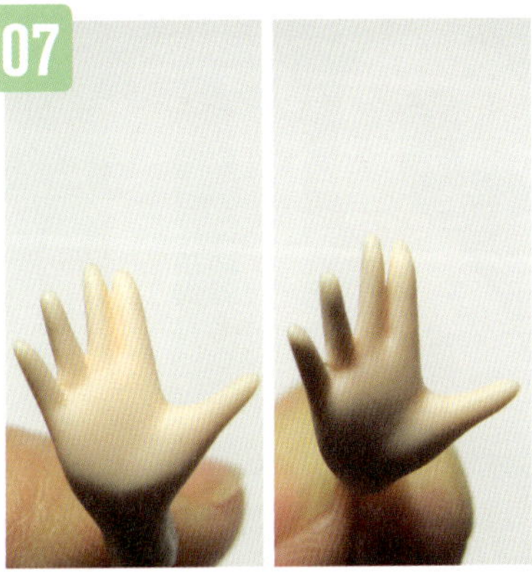

開いた右手

パーティングラインが指の厚みの真ん中を通っています。人差し指と中指は根元がくっついているので隙間にバリがありました。ナイフでV字に切れ込みを入れカットしました。

08

小さなパーツは

袖の部分のパーツです。非常に小さく持ちづらいので、手のパーツにはめた状態でヤスリがけしました。ダボが多角形なので回転もせず、側面にあるゲートは非常に処理しやすかったです。

09

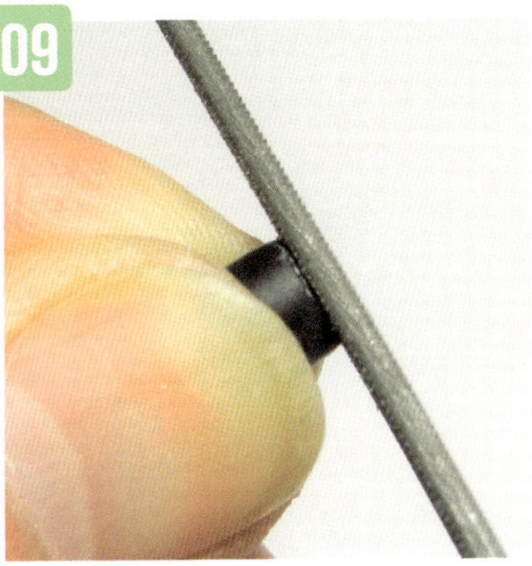

しっかり保持して

手のダボが突き出ている面にパーティングラインがあります。ここは手のパーツを外した状態で作業するしかありませんでした。飛ばしたり、落としたりしないように注意して作業します。

10

一筋縄ではいかない

青いパーツの平らな面のエッジ部分に走っているパーティングラインですが、途中から側面にずれています。こういったところは見落としやすいので気を付けてください。

CHAPTER 20

パーツ整形の実際④ 脚と胴体パーツ

いよいよ、パーツの整形も終了です。ゲートやパーティングラインの加工の後は「洗浄」を行います。しかし洗浄前にやってほしい作業があります。缶スプレーやエアーブラシで塗装する際には、パーツを持ち手に取り付けます。ダボやピンなどクリップで挟む部分があるパーツや、穴に棒を差し込んで固定できるパーツは良いのですが、それ以外のパーツは、完成後に見えなくなる部分などに固定用の穴を開ける作業が必要です。その加工を洗浄後にすると、またカスや汚れが付いてしまう恐れがあるので、パーツ整形の最後にやっておきます。

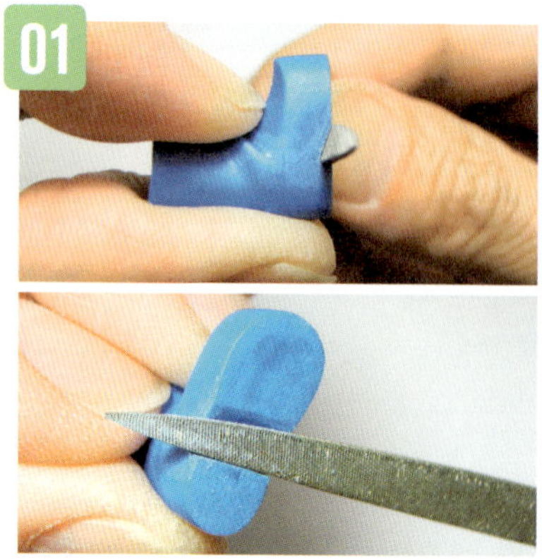

ブーツの裏

ヒールのところにL字状の切り欠きがあります。半丸のヤスリでも良いのですが、刀刃のほうが適しています。底を磨くときはヤスリを寝かせて削ります。背の部分の目のない面をヒールのほうに向けて磨けば、傷が付きません。

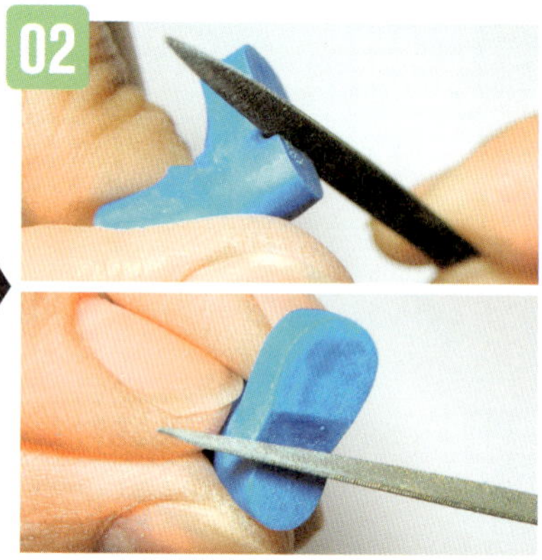

ヤスリを立てて

ヒールの前面を磨く際には、ヤスリを立てて磨きます。ヤスリの背の部分は、足裏のほうを向けています。

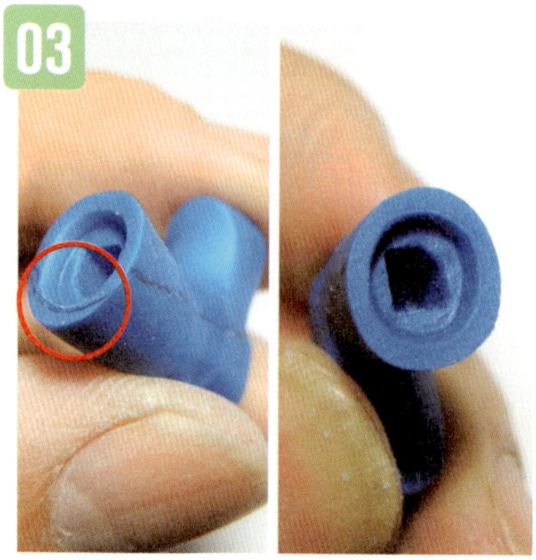

ブーツの上面

ブーツの側面にあるパーティングラインは目立つので見落とさないでしょうが、ブーツの上面の部分にもパーティングラインがあります。忘れず、平の金属ヤスリで削って処理します。なお、ブーツの厚みがない場合はエッジの部分にパーティングラインができるので見落とさないようにしなくてはなりません。

服のパーツ

服のモールド(スジ彫り)近くにパーティングラインがあります。エッジから少し入った部分なので見落とさないようにしましょう。

処理のし忘れを防ぐ

ゲートやパーティングラインの処理は、なかなか面倒です。仮組みのときと違い、どのパーツから行っても問題はありません。しかし、数が多く似たようなパーツがあるので、処理済みのものとそうでないものを分けておくことが必要です。私の場合は、箱を二つ用意して片方に全てのパーツを入れておき、そこから取り出して作業をします。作業が終わったら、もう一方の箱に入れます。こうすれば、後どれくらい処理すべきパーツが残っているかもわかるし、途中で作業を中断した場合でも、処理のし忘れを防ぐことができるでしょう。

05

首輪

首輪の断面にもパーティングラインがあります。下を向く面なのであまり目立ちませんが処理しておくに越したことはありません。写真左が処理前、右が処理後です。

06

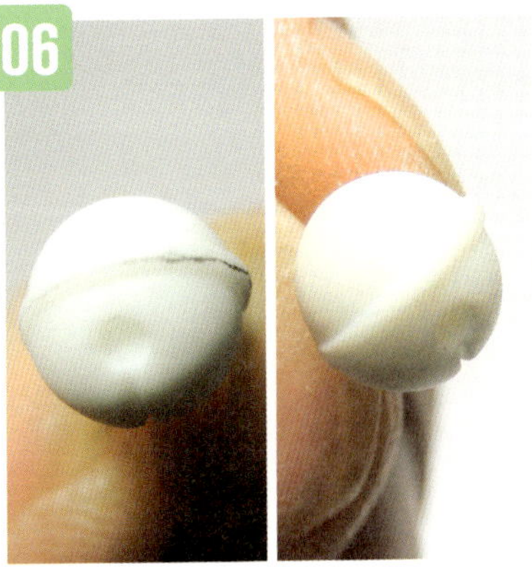

鈴

ライン状の真ん中にパーティングラインが走っています。白いパーツなのでわかりづらいですが、忘れずに処理してください。ここは金色に塗る部分ですが、金属色を塗るとパーツ凹凸が非常に目立ちます。塗ってから気が付くことのないようにしたいものです。

07

エッジの処理

ライン状の出っ張り部分のメリハリを付けようと思い、谷間の部分を削ってシャープにしました。刀刃の金属ヤスリのエッジを使うと、このようなこともできるのです。

08

保持位置の確認

塗装の際はパーツを手で直接持つのではなく、持ち手を使用します。完成時に見えなくなるダボやピンがあるパーツは、そこをクリップで挟み保持することが可能です。

09

保持するための加工

ダボやピンがなく保持することのできないパーツは、ひと工夫必要です。完成後、見えなくなるパーツの裏面などに保持用の穴を開けるのです。

10

パーツに応じて

開けた穴に金属線を差し込んで固定します。パーツによって、穴を開ける位置や太さを考えます。大きなパーツには太い穴を開け、太い金属線を挿すとしっかり保持できます。

CHAPTER 21

ベースの準備

仮組みの際に自立はするもののベースに固定したほうが良いだろうと確認しています。ベースを用意し、足の裏とベースの両方に穴を開け、金属線で固定します。完成後にこの作業を行っても良いのですが、塗装した後だと、塗装面を傷付けてしまうことも考えられます。できれば塗装前、それも洗浄前にやっておくと良いでしょう。ベースは、ここではデコパージュと呼ばれる木製のものを使用しました。東急ハンズやホームセンターで購入できます。もちろん、フィギュア用に売られている専用のベースを使用しても良いでしょう。また、円形や四角に切ったプラスチックやアクリルの板でも構いません。好きなものをチョイスしてください。ただし、ある程度の重さと大きさがあり安定しなくてはベースとしての意味がありません。

01

位置決め

整形したパーツを仮組みして、固定する位置や方向を検討します。重心がベースの真ん中に来るようにするのが望ましいです。

02

アタリを取る

位置が決まったら鉛筆やシャープペンシルなどで足の裏の輪郭をベースに書き込みます。ずれないようにしっかり押さえて書きます。

03

穴の位置を決める

両足分のアタリをベースに書き込みました。斜線部は接地していない部分なのでそこを避けて穴を開けます。基本は穴を深く開けても問題のないかかと側に穴を開けるのが良いのですが……。

04

ピンバイスで開口

右足はつま先に、左足はかかとに穴を開けることにしました。両足ともかかとに穴を開けても問題はないのですが、対角線にしたほうがぐらつきが少ないのではないかと考えてのことです。穴はベースの裏側まで貫通させて開けます。ドリルの径は2㎜にしました。

穴の深さの目安

今回のように、つま先に穴を開ける場合などは、あまり深く穴を開けると足の甲に貫通してしまう恐れがあります。かと言って、あまり浅い穴では金属線がしっかり固定できず、意味のないものになってしまいます。そこでおすすめなのが、ドリル刃の刺さっている根元を爪で押さえてドリル刃を抜く方法です。爪から先の部分が中に入っていた部分なので、穴の深さのおおよそがわかります。そして、それを側面に置いてみればどのあたりまで穴が開いているかもわかります。あまり厚みのない部分に貫通させずに、なるべく深い穴を開けたい場合などに利用できるでしょう。

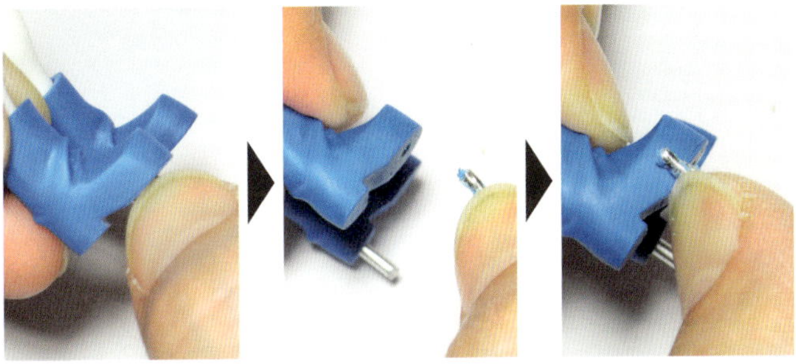

05

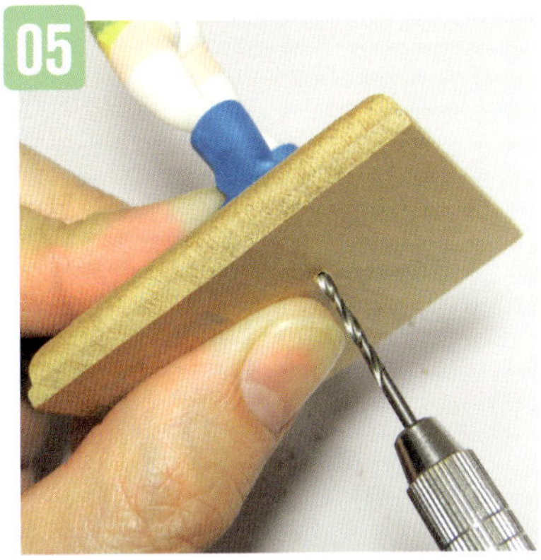

穴に合わせて足裏に開口

ベースの表に書いた足裏のアタリにぴったり合わせてフィギュアを持ち、ベースの裏側の穴からドリル刃を差し込み、ピンバイスを回します。これで、アタリの位置からずらさずに足裏に穴を開けられます。

06

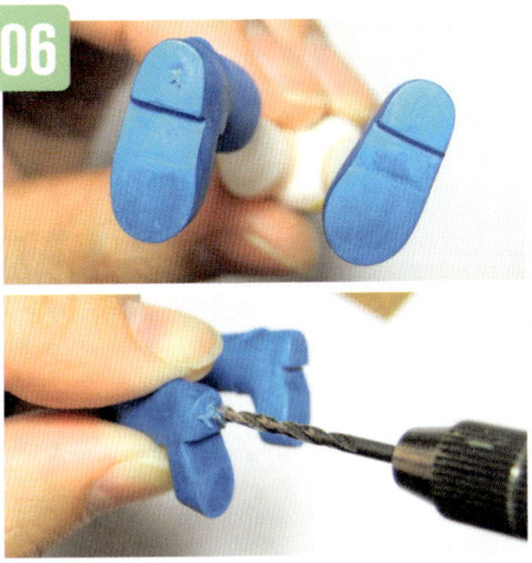

アタリを頼りに

ある程度ピンバイスを回すと足底にアタリが付きます。そうしたらベースを外し、アタリをもとにピンバイスでさらに穴を深くします。

07

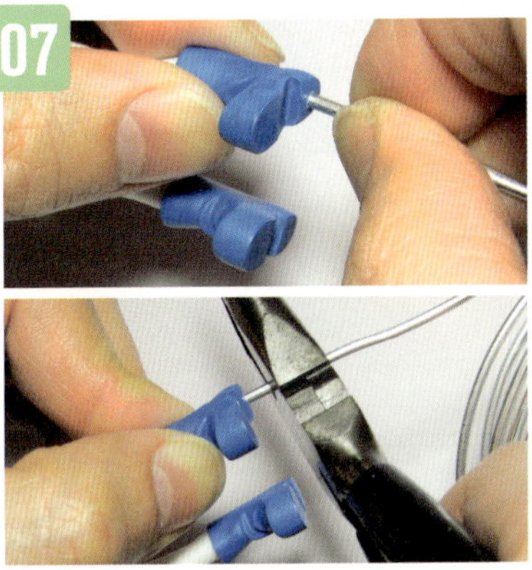

針金を挿してカット

開いた穴にアルミの針金を挿し、ペンチの根元の刃を使って適当な長さで切断しました。足から出ている針金の長さはベースの厚み以下にします。

08

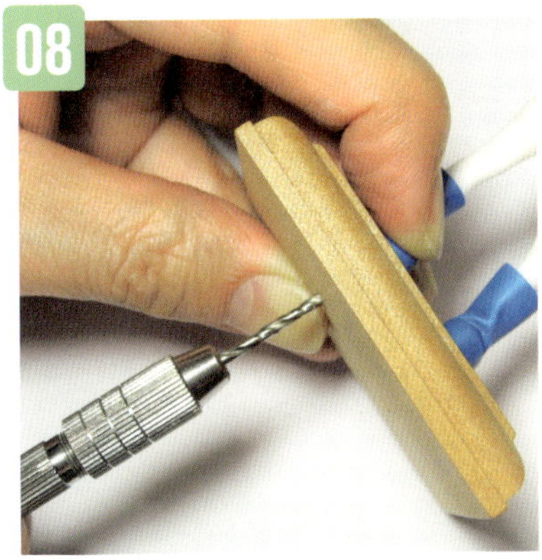

片足ができたので

接続用のアルミ線を埋め込んだ左足をベースに差し込みます。そして右足をアタリに合わせてしっかり固定したら、左足同様ベースの裏側からドリル刃を差し込みピンバイスを回して足裏に穴の位置のアタリを付けます。

09

貫通しないように

そのまま穴を深くしても良いのですが、アタリが付いたら一度ベースから外して穴を開けるほうが良いでしょう。左足と違って甲の部分の厚みは限られていますので、足裏に穴を開けたとき、貫通してしまわないように注意が必要です。

10

固定用の穴とピンの完成

両足に挿したアルミ線を、ベースの穴にはめ込むことで固定できるようになりました。これで、塗装後に穴を開けたり加工しなくても大丈夫です。

第2章④

カラーレジンキットの塗装

CHAPTER

22

パーツの洗浄

ここまでの作業で、パーツには、削りカスや手垢などの汚れが付いています。また、パーツにはあらかじめ離型剤が付着しています。離型剤というのは、量産の際にパーツをシリコーン型から外れやすくするため、型の表面に塗られているものです。これが表面に付着したままだと、せっかく塗った塗料が簡単に剥離してしまうのです。それらを除去するのが洗浄作業です。洗浄方法にはいくつかありますので、予算や時間に応じてチョイスしてください。

01

スプレー式の離型剤落とし

様々な商品があります。写真はボークスの「造形村キャストクリンスプレー」という商品です。

02

いちばん簡単な洗浄法

ポリビーカーなどに入れてスプレーするだけです。拭き取りも必要ありません。容器を軽く振りながらスプレーすると、まんべんなくパーツに成分が行き渡ります。

03

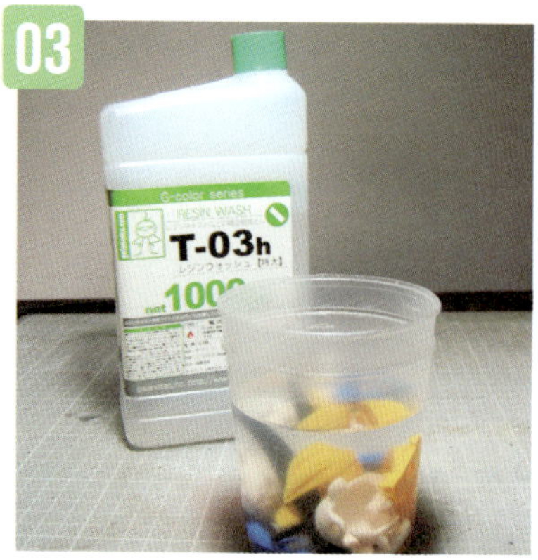

液体タイプの離型剤落とし

レジンウォッシュというような名称で売られています(写真はガイアノーツの「T-03 レジンウォッシュ」)。容器にパーツを入れ、パーツ全体が浸るように液体を注いで使います。

04

パーツの端まで浸かるように

細長いパーツの先端が液から出てしまっている場合があるので注意しましょう。なお、写真では、ポリビーカーに入れていますが、揮発性溶剤なのでふたをしておくように注意書きがあります。ふた付きの容器に入れるかラップをしておくべきでした。

パーツの洗浄のタイミング

購入したキットを開封してパーツの確認をした後、最初に行うこととして、「パーツを洗浄する」と書かれている技法書や制作記事などがあります。昔のキットには、触るとベタつくくらいたっぷり離型剤が付き、滑って作業しづらかったものもあったので、最初に洗浄することが必須だったのです。近年、シリコーンゴムの耐久性や離型剤の改良によって、レジンキャストの表面にあまり残らない離型剤や、離型剤を全く使わず量産されることなどもあり、最初に洗浄しなくても良い場合が増えてきました。もちろん、塗装前には、手垢や削りカスなどを除去するために洗浄するという工程が必要です。右の写真は昔のキットのパーツで、表面が離型剤で光っているのがわかります。

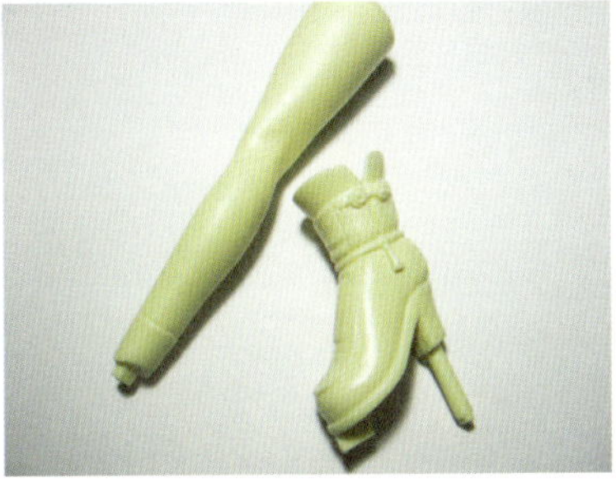

05

パーツを取り出す

一定の時間(この商品は10分程度)、レジンウォッシュに浸け込んだパーツを、ピンセットで取り出し洗面器に移します。使用後のレジンウォッシュは5回程度繰り返し使用可能なので容器に戻すか、別の容器に移して保管します。最終的な処分時は流しなどに流さず、オイルパックなどに吸わせて処理します。

06

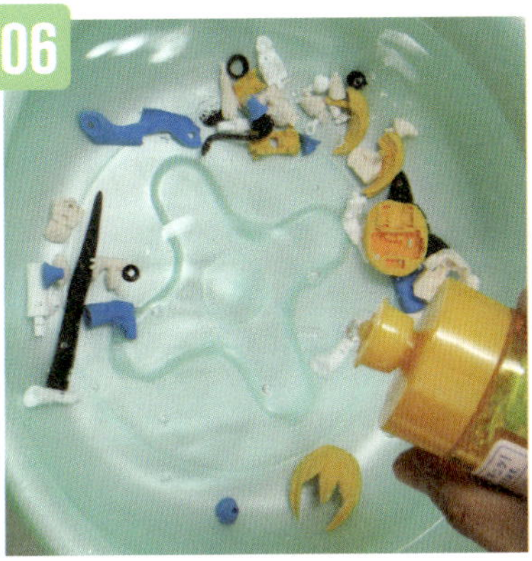

パーツを水で洗う

パーツの入った洗面器に水を入れ、中性洗剤を少し入れます。レジンウォッシュに浸け込まずに、ここから始める人もいます。昔は、レジンウォッシュがなかったので、ここから始めるのが普通でした。

07

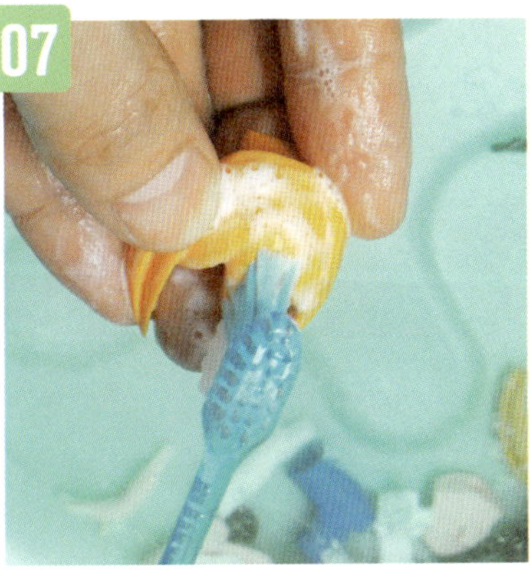

パーツを歯ブラシで磨く

中性洗剤を少し付けた歯ブラシで磨きます。中性洗剤に研磨剤入りのクレンザーを混ぜて磨くという方法もあります。最近のキットはさほど離型剤が強くないので、そこまでしなくても良いように感じますが……。

08

パーツを濯ぐ

洗面器の水を捨て、新しい水に換えて濯ぎます。水を捨てる際は、手で受けるなどして小さなパーツを流してしまわないように注意します。心配な場合は、目の細かいザルの上に流したり、排水口にネットを着けておくと紛失を防ぐことができるでしょう。

09

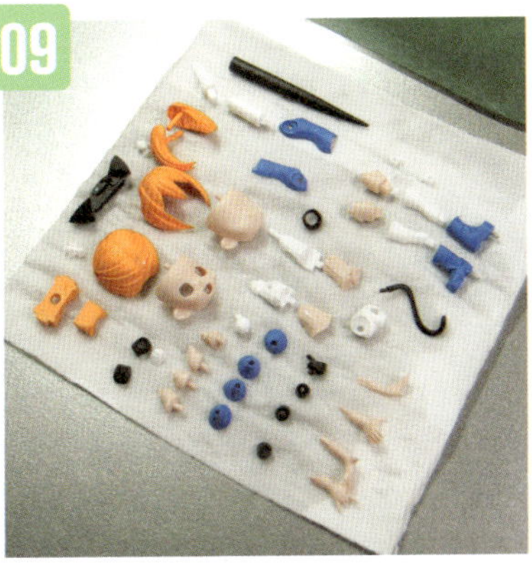

パーツを水から出す

きれいに並べて、全てのパーツがあるか確認しましょう。このとき、キッチンペーパーなどの上に並べれば水をきることもできて一石二鳥です。さらに、濡れたキッチンペーパーは乾かして、塗装用具の拭き取りに使えます。

10

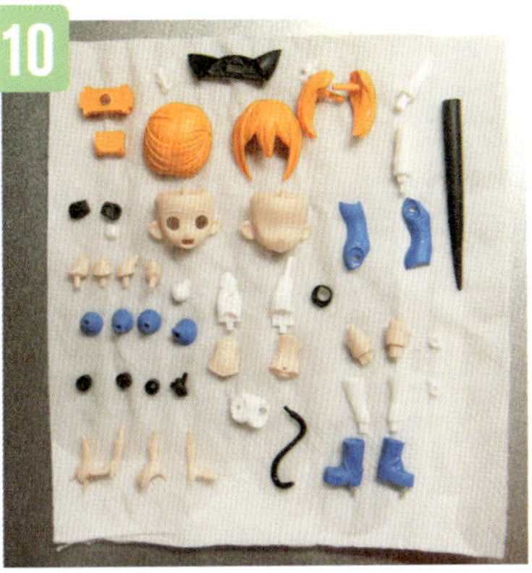

パーツを乾かす

自然乾燥で水分をきります。急ぐ場合は、布やキッチンペーパーで水気を拭き取ります。ダボ穴やへこみの中に入った水もきちんと拭き取ってください。繊維が付着するので、ティッシュペーパーで拭き取るのはおすすめしません。

CHAPTER 23

塗装に必要な道具

レジンキャストキットを塗るのに使用する筆や絵の具(塗料)は、ほとんどがプラモデルを組み立てる際に使用するものと同じです。エアーブラシやコンプレッサーといった本格的な道具もありますが、ここではシンプルに絵の具と筆だけで行ってみましょう。これらの道具も家電量販店のホビーコーナーや模型専門店、ホームセンターや画材屋などで入手できます。

01

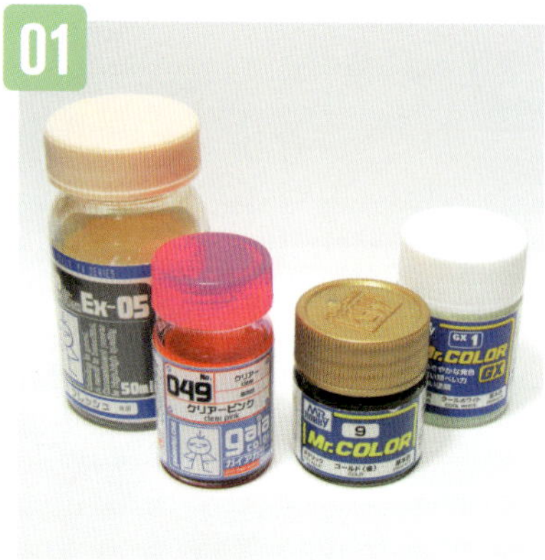

ラッカー系塗料

写真左2点がガイアノーツの「ガイアカラー」、写真右2点がGSIクレオス製「Mr.カラー」。これらはラッカー系塗料です。乾燥が速く、塗膜が強いのが特長です。両銘柄とも、通常サイズのビンの他によく使う色には徳用の大ビンがあります。

02

水性アクリル系塗料

写真左から、GSIクレオスの「水性ホビーカラー」、タミヤの「タミヤカラー アクリル塗料」、輸入販売元ボークス「ファレホカラー」。これらは水性アクリル系塗料です。乾燥は遅いのですが、筆ムラになりにくいのが特長です。匂いがマイルドなので、有機溶剤が苦手な人向きです。

03

エナメル系塗料

写真左から、タミヤの「タミヤカラーエナメル塗料」、ガイアノーツの「ガイアエナメルカラー」。他の塗料の上に重ね塗りやスミ入れする際に使用します。なお、前述のようにタミヤカラーにはアクリル塗料が、ガイアノーツにはラッカー系塗料(ガイアカラー)があるので混同しないように注意してください。

04

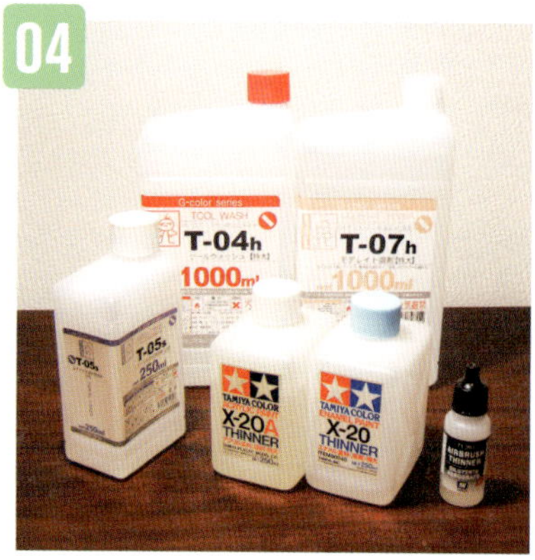

薄め液、ツールクリーナー

薄め液(溶剤とも言う)はそれぞれ専用のものがあり、それ以外は使用できません。ただし、同じラッカー系であれば、「ガイアカラー」と「Mr.カラー」は互換性があります。ツールクリーナーは強力で下位互換がありますので全ての塗料を溶かします。

塗料の重ね塗りについて

上に色を塗ったら下地の色が溶け出してきた……。こんな経験はないでしょうか。これは、塗料に含まれる溶剤分の問題です。ポスターカラーを重ね塗りすると下の色が溶け出してくるのは、ポスターカラーが乾燥してからも水で溶け出す性質を持っているからです。ところがアクリルガッシュは、一度乾燥すると水に浸けても溶け出してきません。これと同じようなことが模型用塗料にも言えます。ラッカー系塗料は専用の薄め液には溶けますが、アクリルやエナメルの薄め液では溶けません。この関係はスミ入れ(068ページ参照)などの技法にも応用できます。なお、こうした力関係を右の表にしましたので、参考にしてください。

重ね塗り対応表

上塗り ＼ 下塗り	ラッカー ・Mr.カラー ・ガイアカラー	水性アクリル ・水性ホビーカラー ・タミヤカラー アクリル塗料 ・ファレホ	エナメル ・タミヤカラー ・ガイア エナメルカラー
ラッカー	△	○	○
水性アクリル	×	△	○
エナメル	×	○	△

○重ね塗り可能
△重ね塗り可能だが、溶け出してくる可能性があり
×重ね塗りできない

05

塗料皿、紙パレット

塗料を混色したり、塗りやすい濃度に調整するには、塗料皿が便利です。混色しながら塗る場合は紙パレットが便利です。

06

筆

細かい部分を塗る(描く)面相筆(写真中央、右)、広い部分を塗る平筆(写真左)などがあります。価格もまちまちです。安いものをこまめに取り替えて使うか、高価なものを長く使うかはお好みで。

07

撹拌棒

塗料は、溶剤分と別れて沈殿します。使用前にはよく撹拌する必要があります。撹拌するときは平たいほうを使います。スプーン状の先端は、混色のときに塗料をすくうのに使用します。写真はタミヤの「調色スティック」。

08

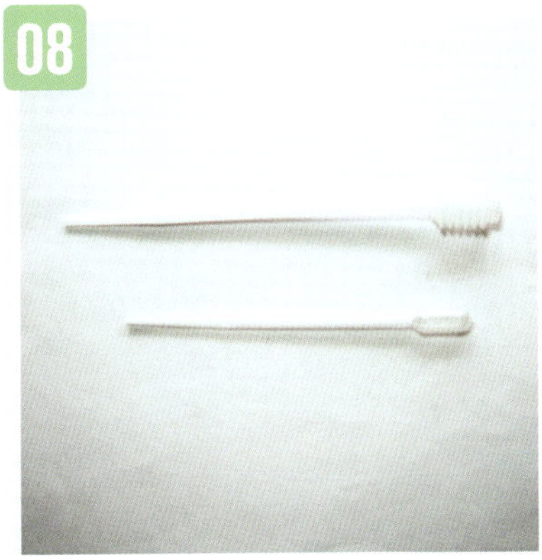

スポイト

塗料を薄める際に、薄め液を少しずつ滴下することができます。薄め液ごとに用意しておくと良いでしょう。薄め液やツールクリーナーの大容量ボトルを使用する場合は、大きめのものを購入してください。上は市販品ですが、下はシリコーンに付属していたスポイト。未使用のものをストックしてあります。

09

キッチンペーパー

筆先に付いた絵の具や溶剤、使用した皿などを拭き取るのに使用します。ティッシュペーパーは、細かな繊維が皿などに残ってしまうのでキッチンペーパーがおすすめです。日本製紙クレシアの「キムワイプ」という専用のものもありますが、キッチンペーパーは価格が安く入手がしやすいのがメリットです。

10

トップコート

できあがったフィギュアに吹きかけて、表面の保護とツヤの状態を整えるスプレー式の塗料です。光沢(ツヤあり)、ツヤ消しの他、半光沢というものもあり、好みによって使い分けます。写真はGSIクレオスの「トップコート 光沢」「同 つや消し」。

第2章④
カラーレジンキットの塗装

CHAPTER
24
筆塗り塗装①

このキットで塗装が必要な部分は、口の中と首元の鈴、そして手に持っているデザインナイフの刃の部分とチャック部分です。さほど多くないので、筆と塗料でお手軽に塗ってみましょう。筆塗りに適しているのはノビが良い、水性アクリル系塗料やエナメル系塗料です。今回は、スミ入れという技法を使用したいのでベースカラーには水性アクリルをチョイスしました。本格的な塗装ではベースカラーにラッカー系塗料を使用しますが、臭いや用具の手入れなどでなかなかハードルの高いもの。今回使用した水性アクリルは臭いのなさが特徴です。さらにファレホカラーは出してすぐに使える手軽さで、シンナー臭の苦手な人や初心者にはぴったりです。

01

ファレホカラー

今回、使用するのは「ファレホカラー」です。水性アクリル系塗料で臭いもほとんどなく、容器から出すだけで塗れるという手軽さが魅力です。

02

よく振って

ファレホカラーは使用前によく振るようにと書かれています。絵の具が沈殿しているので撹拌するために振ります。

03

塗料を出す

塗料皿などに出します。ここでは金属製の模型用塗料皿を使用しましたが、紙パレットなどでもOKです。皿に出した塗料は、チューブ入りの絵の具(アクリルガッシュ)を塗りやすい濃度に調整したものといった印象です。

04

筆に含ませる

広い面積を塗るには平筆を使います。ひと口に平筆といっても様々な太さがありますが、太すぎても塗りにくいものです。塗る面積に応じて選択すると良いでしょう。

筆や用具は水で洗える

ファレホカラーは水性アクリル系の塗料です。乾くと耐水性になりますが、乾燥するまでは水で溶けます。筆や用具は、乾燥前に水で洗うことをおすすめします。万が一固まるまで放置してしまった場合は、専用のシンナーやクリーナーを使用してください。それでも難しい場合は、ラッカー系のツールクリーナーを使用します。ラッカー系は全ての溶剤の中でいちばん強力なので、ほとんどの塗料を溶解させることができます。

05

薄める場合は

容器から直接出して使えるのが売りのファレホカラーですが、塗りにくい場合は、「ファレホ専用シンナー」や水で薄めることもできます。写真は「ファレホ専用エアブラシシンナー」。

06

パーツに塗る

このような小さなパーツは持ちにくいので、手で直接持つのではなく、持ち手に付けています。塗料をたっぷり筆に含ませて塗ります。

07

塗るというより置く感じ

パーツの上では小刻みに動かさず、表面をなでるようにスーッと一筆で塗るのがコツです。筆は一方向に動かし、戻さないようにしてください。

08

側面を塗る

一筆では上面しか塗れていません。はめ込んだときに見えるかもしれないので、上面だけでなく、塗れていない側面も塗ります。

09

塗れたら乾燥させる

結構たっぷり塗っています。垂れてしまわないギリギリのところで乗っている感じです。乾燥まで、意外と時間がかかります。触らないように注意して乾燥させます。

10

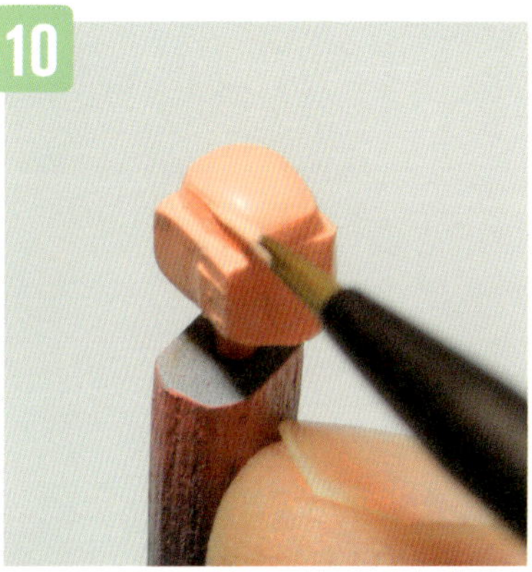

確認、修正

乾燥後は、若干濃くなり、ツヤのないマットな感じになります。細部を確認したら、エッジ部分の塗料が流れて薄くなっていました。細い筆でその部分のみ追加で塗っています。

第2章④

カラーレジンキットの塗装

CHAPTER

25

筆塗り塗装②

筆塗り塗装の基本がわかったところで、次にもう少し広い面積の塗装を行います。「ファレホカラー」の銀でデザインナイフの刃のパーツを塗ります。失敗してもやり直せるので安心してトライしてください。銀が塗れたら同様に金も塗ります。デザインナイフの握りの部分と首の下に付く鈴が、金で塗るパーツです。金色も金属色なので、よく混ぜて塗ります。

01

ナイフの刃の部分を塗る

金や銀などの金属色は、粒子が大きいのでよく混ぜます。穂先に塗料を含ませますが、多いようなら皿のふちなどでしごいて適量にします。

02

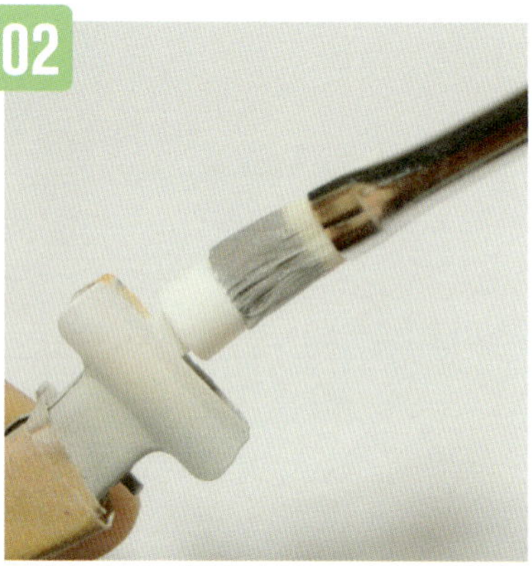

まずは平らな面を塗る

幅の狭い筆で塗ると重なったところがムラになるので、使用するのは平筆です。刃のパーツの横幅以上の幅の筆を使います。刃の根元から始め、先端に向かってスーッと一筆で塗ります。

03

一気に塗る

途中で止まったり、戻したりしないようにしてください。裏側も同様に塗ります。穂先に含ませる塗料が少ないと途中でかすれてしまいます。わりと多めに含ませるほうが良いようです。

04

刃の表裏を塗ったところ

ムラもありますし、先端に少し塗料が溜まってしまいましたが問題ありません。もちろん、そのまま乾燥させるとそこだけ塗料が厚くなってしまいますので、対処します。

失敗した場合は

うまく塗れなかったときは塗料を落として塗り直すこともできます。乾いた塗料をナイフで削って落とすこともできますが、それではパーツを傷付けてしまうかもしれません。レジンキャストは溶剤より強いので、「ファレホ専用シンナー」や「エアブラシクリーナー」に浸けて落とします。塗料皿や紙コップに「ファレホ専用シンナー」や「エアブラシクリーナー」などの溶剤を入れ、そこにパーツを浸けます。溶け出してきた塗料を筆などでこすって落とします。落とせたら引き上げて拭き取ります。これで塗装前と同じ状態になりますので再度チャレンジ！　ちなみにパーツの保持や引き上げは素手ではなくピンセットを使用します。

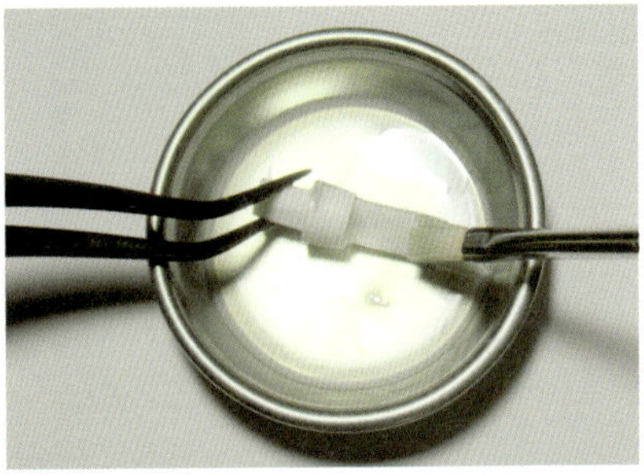

05

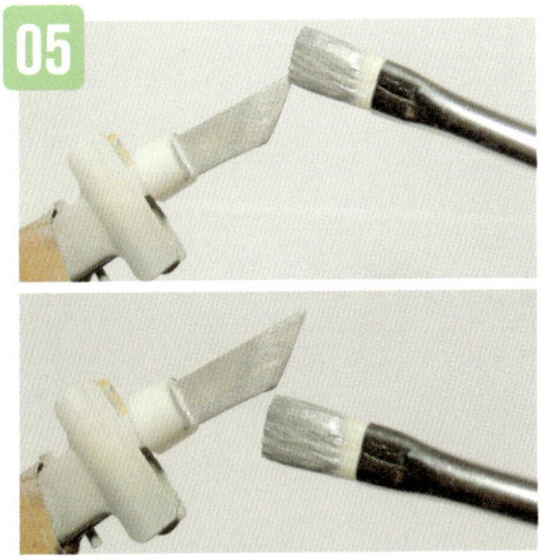

溜まった塗料

先端に溜まった塗料は、筆先に吸わせてから横に払って取り除きます。また、その際に、筆先に含ませた塗料を使って、刃の側面を塗っておきます。

06

根元を塗る

刃の根元、チャックの金具部分も銀で塗ります。まずは上の面を塗ります。太い平筆では塗りにくいかもしれませんが、塗り分けがあるわけでもないのでそのまま塗ります。塗るというより置くというイメージです。

07

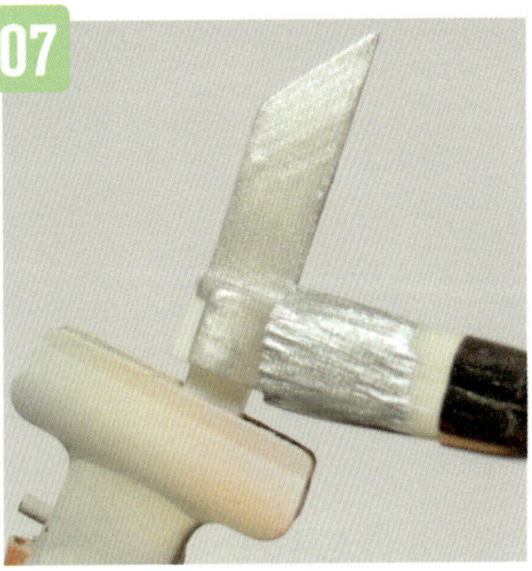

続いてチャックの側面も

ぐるっと円柱の側面に沿うように筆を動かしてサイドも塗ります。筆はそのままで持ち手のほうを回転させて塗っても良いです。

08

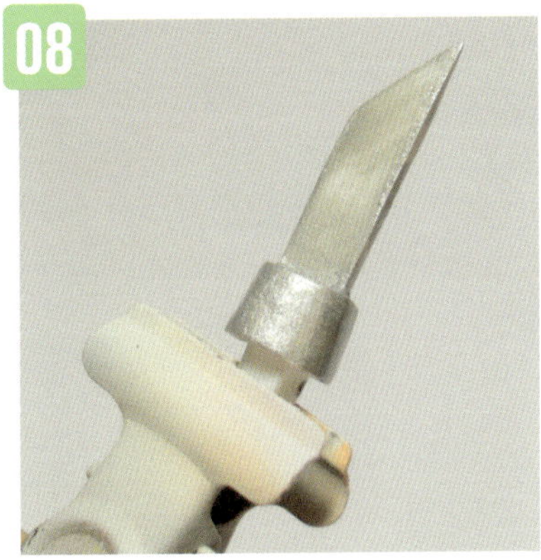

一度でうまく塗れない場合は

最初に塗った刃の部分です。真ん中あたりに色の薄いところができてしまいましたが、慌てて何かしなくても大丈夫。

09

二度塗り

こういった場合は、十分乾燥させてからもう一度塗ります。今度は先に塗った方向に垂直に交わるように塗ります。

10

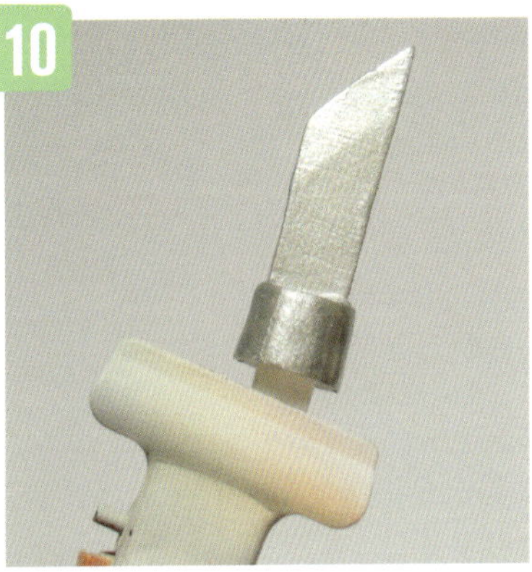

完成

多少のムラは乾燥すると落ち着きます。乾燥までに時間がかかるので触らないように注意しましょう。うまく塗れなかった場合は、塗料を落としてやり直すこともできます。

CHAPTER

26

スミ入れ

フィギュアのパーツには、奥まった部分や縫い目などを、へこみやミゾで表現しているディテールがあります。もちろんそれだけでも立体的ですが、その部分を強調するために濃い色の塗料を流し入れる「スミ入れ」を行うことで、さらに立体感や密度が増します。ここではスミ入れの方法とどのような部分に入れるのが効果的かを見ていきます。もともとは、プラモデルなどで使用されていた技法ですが、フィギュアにも応用可能です。今回は、黒色でスミ入れしましたが、スミ入れする周りの色によっては、黒だと目立ちすぎるので、茶色やグレーなどを使用して浮かないようにすることもあります。

01

エナメル系塗料と溶剤で

スミ入れには、エナメル系塗料を使います。これらは、アクリル系やラッカー系の塗料の表面を侵さないので、はみ出しなども容易に拭き取ることができます。

02

よく撹拌する

エナメル系塗料は「ファレホカラー」と違い振っても混ざりません。塗料のふたを開け、中栓を取ってから撹拌棒(調色スティック)でよく混ぜます。

03

塗料皿に出す

撹拌が済んだらスティックで塗料皿に塗料を出します。塗料の量ですが、たくさんは必要ありません。数滴垂らすくらいで十分です。

04

塗料を薄める

エナメル塗料用の溶剤で塗料を薄めます。スポイトを使って、塗料1に対して5〜10の割合で溶剤を入れます。

用具の後始末

撹拌が終わったスティックや使用済みの塗料皿は、乾燥する前にティッシュペーパーなどで拭いてきれいにしておくと次に必要な際、すぐに使用できます。筆は、ビンや紙コップなどに溶剤を入れてその中で洗います。私は筆洗いには、「ブラシウォッシャー」という専用のビンにガイアノーツの「T-04 ツールウォッシュ」を入れて使っています。基本的には使用した塗料の溶剤で落とせるのですが、ツールウォッシュはどの種類の塗料も強力に落とすことができるので、重宝しています。

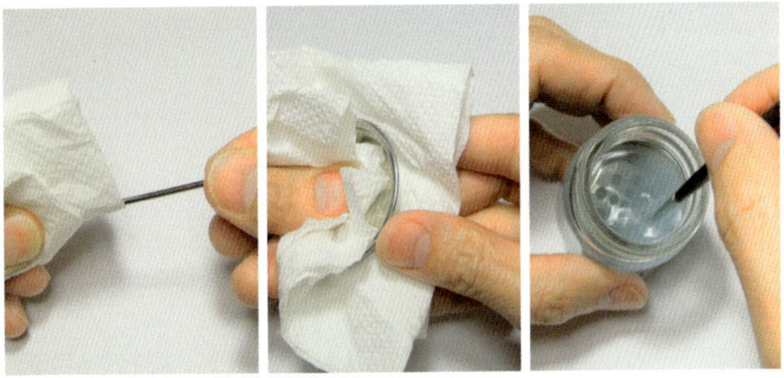

05

薄めに溶く

調色スティックでよく撹拌して塗料と溶剤を混ぜ合わせてください。お皿を傾けるとスーッと下に塗料が流れていくくらい薄めに溶きます。

06

スミ入れをするのは

塗り終わった鈴のパーツです。本物の鈴には、音を外に出すための切れ込みがありますが鈴を模したこのパーツではへこんでいるだけです。このへこみの部分にスミを入れリアリティを増します。

07

塗料を流す

細い筆にたっぷりと塗料を含ませます。その筆をミゾに置くと塗料が自然に流れていきます。毛細管現象と言います。はみ出した部分があってもそのまま乾かします。

08

はみ出しを拭き取る

塗料が乾燥したら、はみ出した部分の塗料を綿棒で拭き取ります。綿棒に溶剤を含ませて拭くことで塗料が溶け、はみ出し部分がきれいになります。あまり強くこするとミゾに入った塗料も拭ってしまうので注意しましょう。表面を撫でる感じで拭き取ります。

09

完成

はみ出しを消してミゾの部分のみにスミが入った完成状態です。写真だと少し薄い感じがしますが肉眼だと問題ないレベルです。もし薄かった場合は、好みの濃さになるまで流しても構いません。

10

ナイフの握りの部分も

ナイフの握りの部分の滑り止めのスジ彫りにも同様にスミ入れをしてみました。スミが薄い部分があるのは、ミゾの深さが均一ではなく浅い部分があるからです。浅い部分はどうしても塗料が残りづらく薄くなってしまいます。ミゾを彫って深くすればもっと均一で濃いラインにすることが可能です。

CHAPTER 27

シールの貼り込み

このキットには目と眉の部分の塗り分けを再現するためのシールが付いています。塗装で仕上げるのはなかなか難しい細かな部分を手軽に仕上げることができます。手軽なシールですが、印刷なので長時間日に当たると焼けたり退色する可能性があります。また糊が劣化して剥離してしまう可能性もあります。気温や直射日光などに気を付けて保管する必要があるでしょう。

01

シールと貼り付けするパーツ

失敗しても大丈夫なように、シールが2枚付いています。シールは若干厚みがあり、余白部分はありません。表面はツヤありコートされています。

02

剥離

シールはピンセットで貼ります。台紙を少し反らせてシールの端を浮かせ、ピンセットでつまみます。先端が真っ直ぐなピンセットより、写真のように先端が曲がったピンセット(ツル首)が使いやすいです。

03

貼り付け

目のパーツの該当部分に持って行き貼り付けます。左右を間違えないようにします。同様に両目とも貼ります。利き腕側がやりやすいので右側(フィギュアの左目)から作業しました。

04

確認

貼ったパーツを顔のパーツにはめ込んでみました。下まぶたや目頭あたりでは、下地の黒いパーツが露出し過ぎています。まつ毛のモールドにぴったり合わせて貼ったため、上のほうに行き過ぎたようです。

目はツヤあり、それともツヤ消し?

このキットの目のシールはツヤのある加工がしてあります。実際の目は表面が涙で濡れているので、ツヤがあるほうがリアルだからでしょう。塗装で目を仕上げる際、ツヤありにするか、ツヤ消しにするかは、なかなか悩みどころです。ツヤがあるほうが見た目は良いのですが、写真撮影の際には光ってしまいうまく撮れない場合があります。実物を直接見てもらう展示用のフィギュアはツヤあり、撮影用ならツヤ消しにするというのを一つの目安にしてください。

修正

シールとパーツの隙間にアートナイフの刃先を差し込み、シールを剥がします。剥がせたらピンセットでつまんで下の端に合わせて貼り直します。

再度確認

修正した目のパーツを、再度顔のパーツにはめ込んでみました。今度は大丈夫なようです。

眉毛の貼り付け

眉毛も同様に貼り付けます。細長いものを一度に合わせるのは難しいので、一方の位置を合わせます。

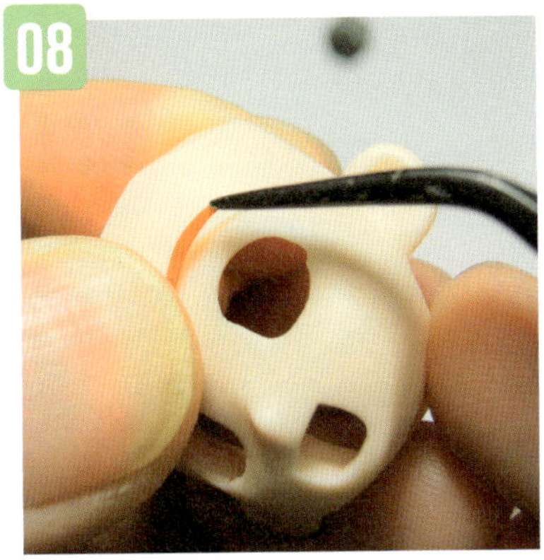

粘着面が小さいので

細いシールは粘着力が弱いので、位置を合わせたら片側を指で押さえてから、反対側の位置を合わせて貼り込みます。

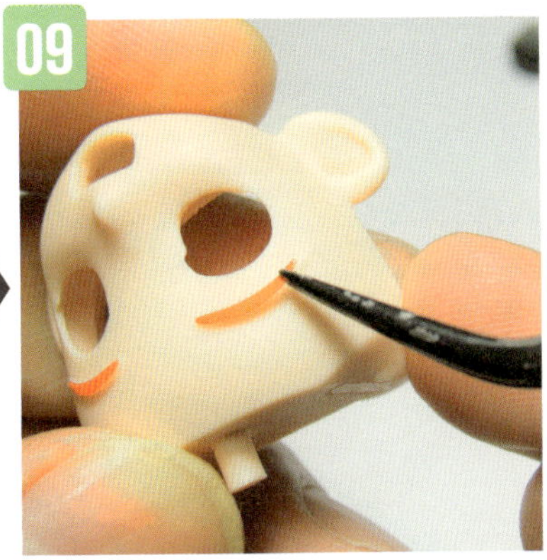

反対側の眉毛

左側の眉毛を貼るときは、顔を逆さまにして右側に来るようにするとやりやすいです。

完成

手軽に目と眉ができあがりました。眉毛にもツヤがあり変な感じがしますが、これは後ほど調整できますので、気にしないでください。

CHAPTER 28

デカールを貼る

「デカール」というのはシールの一種で、プラモデルのマーキングなどに使われているものです。「水スライド式転写シール（ウォータースライドデカール）」、「水転写デカール」、「スライドマーク」などとも呼ばれています。糊が塗布された台紙の上に文字や図形を印刷し、透明なニスの保護層で覆ったもので、水に浸けると台紙から文字・図形と保護層が一緒に剥がれるようになり、裏に付いた糊で貼り付けることができるのです。フィギュアでは、塗装で仕上げるのが難しい瞳を表現するために使用されていることが多いです。

01

台紙から切り出す

アートナイフやカッターナイフ、はさみで必要なマーク部分を切り出します。大まかに切り出して構いません。印刷面を傷付けないように注意します。

02

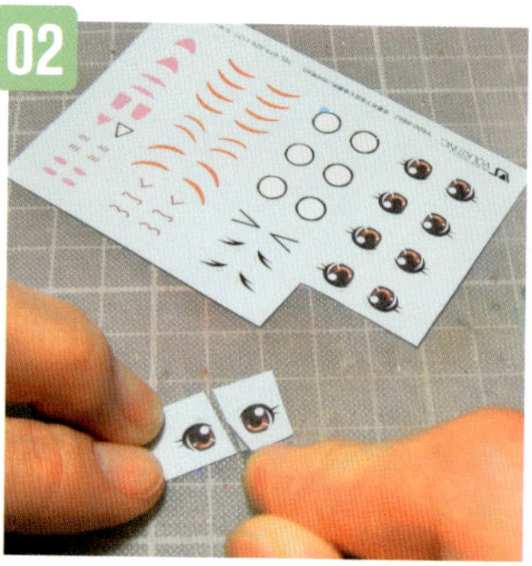

片目ずつ貼り込み

両目分を切り出しましたが、実際には片方ずつ貼るので切り分けます。あまりギリギリを切って、印刷面が欠けてしまわないように注意してください。

03

水を用意

浅めの皿状の容器に水を張って、そこに切り出したデカールを入れます。写真では塗料皿を使用しました。水に浸ける時間はデカールによって異なります。説明書を見て確認してください。このデカールは5～10秒でした。

04

10秒ほど水に浸ける

台紙に水がまんべんなく染み込むくらいがちょうど良いです。左が水に浸ける前、右が台紙全体に水が染み込んだ状態です。長時間浸すとデカールが台紙から剥離してしまいます。

デカール作業中の注意

長時間水に浸けすぎると、台紙とデカールが剥離してしまいます(写真左)。このときには裏面の糊も溶け出してしまっているので、パーツに貼り付けることが難しくなります。1枚ずつ切り出し、台紙に染み込んだら、すぐに取り出して作業しましょう。また、皿の中に水を入れたまま放置しておくと皿が錆びてしまうので、こちらも注意しましょう(写真右)。

05

水をきる

ティッシュペーパーの上などに一度置き、水をきります。絶対やらなくてはならないというわけではないけれど、あまり水分が多いまま持っていくと貼ろうとする面の周囲がべたべたになってしまいますので。

06

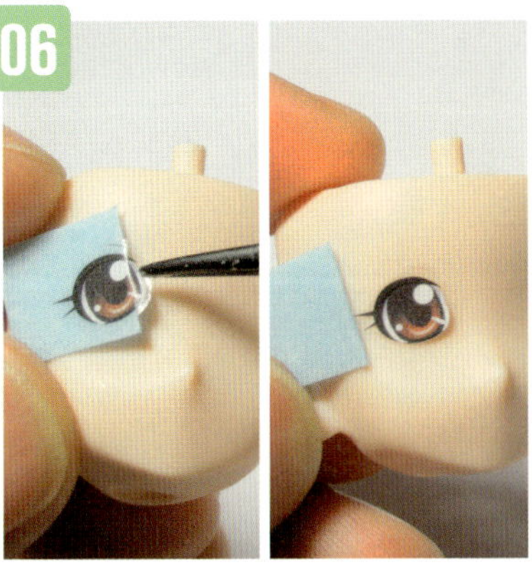

スライドさせる

貼るべき位置へ台紙を置き、台紙をスライドさせて引き抜きます。ピンセットでつまむ際は余白などをつまみ、印刷面を傷付けないように注意してください。両目とも貼ります。

07

デカールを押さえる

パーツの上に乗せてもデカールは動かせます。ピンセットや水で濡らした綿棒で優しく移動させます。位置が決まったら、綿棒で押さえて密着させます。

08

両目を貼ったら確認

前髪のパーツを組み付けて、目の位置が正しいか確認します。位置を動かしたい場合は綿棒に水を付けてデカールの周りを濡らします。デカールとパーツの隙間に水が入り込むと動かせるようになります。

09

同様に

眉毛や口も貼り付けます。目や口、眉はちょっとした位置の違いで印象が変わってしまいます。肉眼で見た場合と写真に撮った場合では印象が変わることがあります。正確なのは写真に撮った状態なので確認のためにデジカメなどで撮影してみると良いでしょう。

10

デカールを剥がす

欠けやひび割れなどの失敗のため剥がしたい場合は、セロハンテープを使います。剥がしたいデカールの上にセロハンテープを貼り、少しこすって圧着した後、ゆっくりテープを剥がすと一緒に剥がれてきます。剥がした後は、新しいものを貼り直します。

第2章④
カラーレジンキットの塗装

CHAPTER
29
ツヤのコントロール①

パーティングラインやゲート処理の際にヤスリがけをした部分は、少しツヤ消しになっていて、もともとのレジンの表面とはツヤの具合などが異なっています。これを整えるために、ツヤ消しの「トップコート」をスプレーします。表面のツヤの統一の他、塗装面やデカールの保護にもなります。なお、トップコートには「ツヤ消し」以外に「光沢」や「半光沢」もあります。好みによって使い分けると良いでしょう。全体を同じツヤにする場合は組み上げてからトップコートを吹きます。今回は、服の一部(青い部分と黒い部分)を光沢で、それ以外をツヤ消しで仕上げることにしたので、組み立て前のパーツの状態でトップコートを吹き付けます。ここでは、吹き付け前に行う準備、パーツを持ち手に固定する方法を見ていきましょう。

01
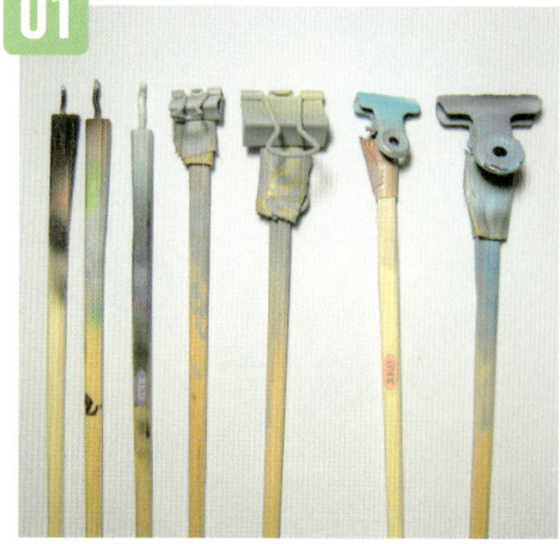

持ち手に固定

缶スプレーやエアーブラシで塗装する際には手で持つわけにはいきません。棒の先端にクリップが付いた持ち手などに固定します。市販の持ち手を使用しても良いのですが、ここでは割り箸の先端に目玉クリップやダブルクリップ、アルミ線などを固定した自作のものを使用しました。

02
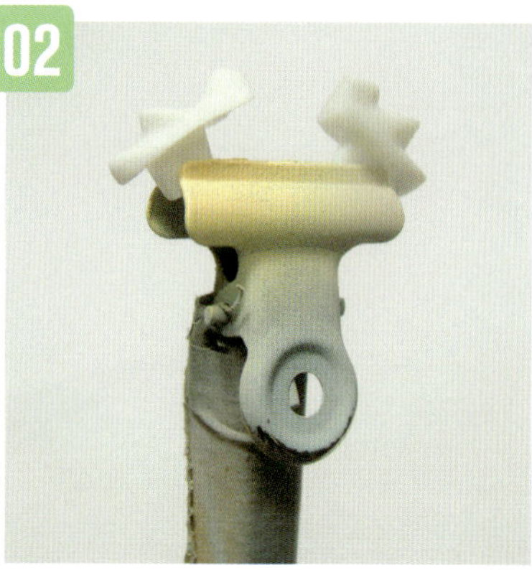

挟んで固定

クリップには、パーツを挟み込んで固定します。トップコートや塗料が塗られなくても問題のない部分を挟みます。細かいパーツは、一つのクリップに二つのパーツを挟み込んでも問題ありません。

03

挿して固定

穴の開いたパーツにはちょうど良い太さのアルミ線などに挿して固定します。緩い場合はマスキングテープを巻くなど、アルミ線を太くしてからパーツを差し込みます。

04

挿して挟んで固定

太い穴などで、ちょうど良いサイズのプラ棒などがある場合は、それに挿した状態でクリップに挟んで固定します。

露出しないパーツはコート不要

ポリキャップや関節部分用のレジンキャスト製のパーツ、ポリキャップを固定するパーツなど、内部にはめ込むパーツで完成時に外に露出しないものは、トップコートを吹く必要はありません。これは、塗装をして仕上げる場合でも同様で、塗装する必要はありません。というのも内部にはめ込むパーツは塗装しても見えなくなってしまうので、むだになるばかりか、塗膜によって接着やはめ込みに支障が出ることがあるからなのです。なお、ポリキャップは塗装・コートともに剥がれてしまいますので、露出する場合でも塗装はしません。どうしてもポリキャップに塗装をしたいという場合は、プライマー(093、116ページ参照)を塗った上に塗装する方法がありますが、剥がれにくくはできるものの、剥がれなくなるわけではありません。

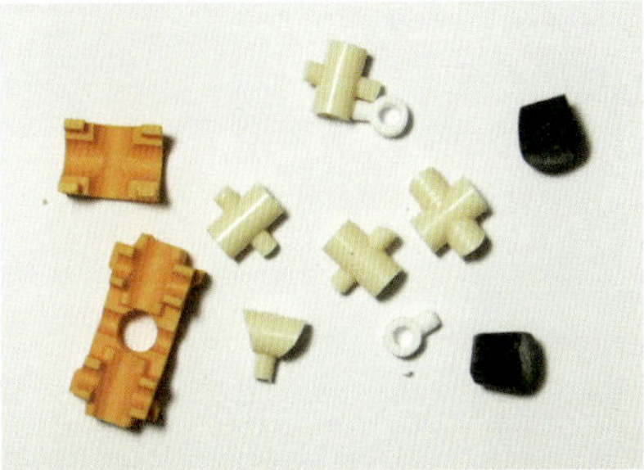

05

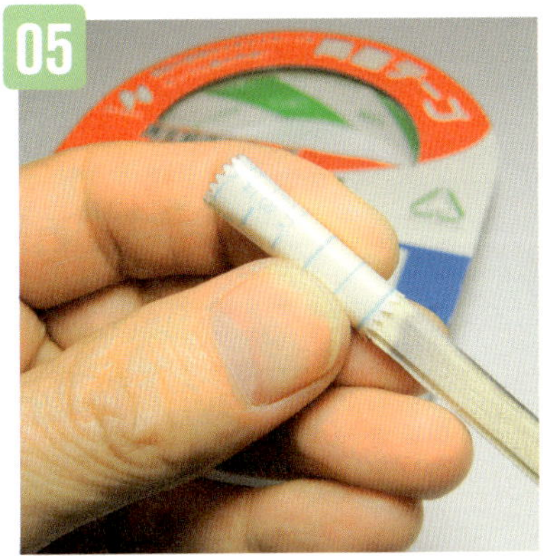

両面テープで固定

穴を開ける部分がないような薄いパーツは、両面テープで固定します。割り箸の先端に両面テープを貼ってから剥離紙を剥がします。

06

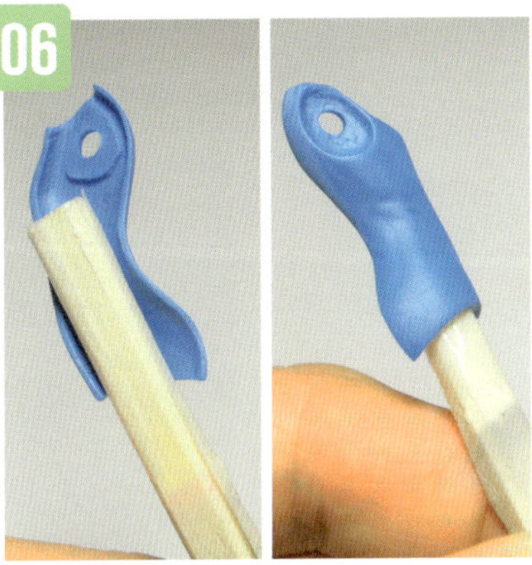

見えない部分に貼って固定

完成後、見えなくなる部分(トップコートや塗料が乗らなくても大丈夫な部分)を両面テープで固定します。

07

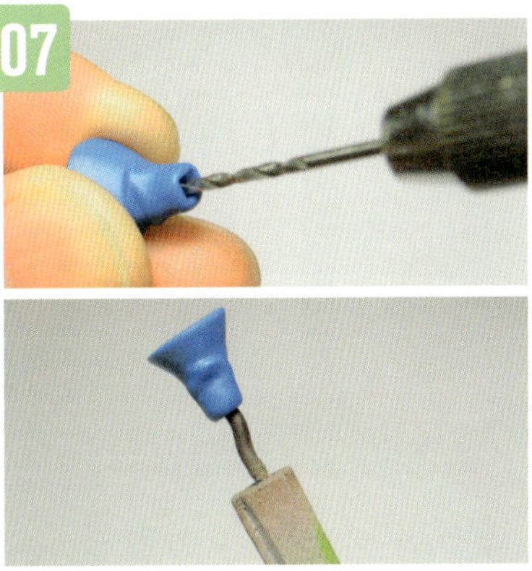

穴を開けるのを忘れていた

洗浄前に固定用の穴を開けておきましたが、忘れていた部分がありました。こういった場合は、見えないところに追加で穴を開けます。せっかく洗浄したので、なるべく手垢や削りカスなどが付かないよう、気を付けて行います。

08

乾燥台を用意

持ち手を利用して吹き付け塗装するわけですが、塗装面が完全に乾燥するまで、どこにも触れないようにしなくてはなりません。とはいうものの、乾くまでずっと持っているわけにもいかないので、固定するための乾燥台が必要です。

09

乾燥台の自作

もちろん、市販品の乾燥台を使用しても構いませんが、簡単に自作できます。木の板に持ち手の径と同じくらいの穴を開けたものや、ダンボールを適当な大きさに切って貼り合わせ、ある程度の厚みを持たせて倒れないようにしたものなどを使用しても良いでしょう。

10

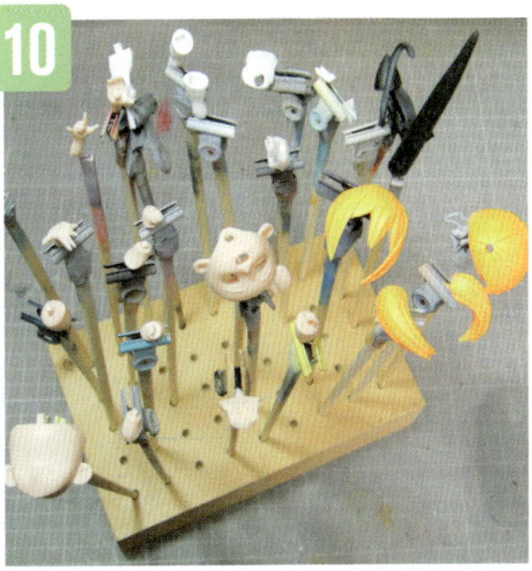

固定完了

持ち手にパーツを固定することができました。間違えないようにこちらの乾燥台にはツヤ消しにするパーツのみを立ててあります。

第2章④

カラーレジンキットの塗装

CHAPTER 30

ツヤのコントロール②

パーツを持ち手に固定したので、いよいよトップコートを吹き付けていきます。吹き付けるだけで表面のツヤを整えることのできるトップコートは便利なマテリアルです。しかし、缶スプレーによる吹き付け塗装は、吹き付けすぎて溜まってしまったり、近すぎて流れてしまったりと難しい面もあります。塗るパーツと缶の適正な距離や吹き付け方を知り、むだなく効率的に吹き付ける方法を知りましょう。トップコートはスプレー式のクリアー塗料で、塗料の種類としては水性アクリル系になります。水性なのでエナメル系や水性アクリル系の上にかけても塗膜を侵しません。ラッカー系の「Mr.スーパークリアー」という商品もあるので混同しないようにしてください。

01

今回使用するトップコート

今回使用するトップコートは、「光沢」と「つや消し」です。見た目はほとんど同じなので区別するにはラベルの文字をきちんと見るしかありません。ふたにも表示がありますが、間違って別のふたをはめてしまっている場合もありえますので、きちんと缶本体のラベルを確認してから吹き付けましょう。

02

塗装ブース

トップコートに限らず、スプレー塗装やエアーブラシによる吹き付け塗装をする際には、塗装ブース(排気ファン)は必須です。そうしないと部屋中に塗料の霧が舞うことになってしまいます。写真の塗装ブースはGSIクレオスのものです。どのメーカーのものでも構いませんが、吸引力の強いものを使用したいものです。

03

缶をよく振る

溶剤分と塗料の成分を混ぜるために、よく振って撹拌します。缶を利き手に持ち、上下によくシェイクします。

04

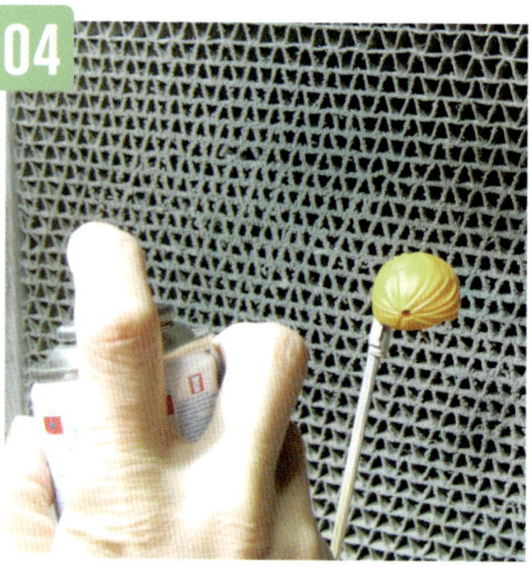

吹き始めは、パーツのないところで

塗装ブースのスイッチを入れて排気を始め、利き手と反対側の手で塗装するパーツを持ちます。吹き始めは塗料の噴出量や飛散が安定しないため、パーツにかからない場所で吹き始めます。

手首のスナップを利かせて

小さなパーツなどでは、手全体を動かしていては、動きや時間、使う塗料にむだが多くなってしまいます。そのようなときは、その場で手首のスナップだけで塗るのが有効です。慣れれば、シュッ、シュッ、シュッと、リズミカルに吹き付けられるようになります。本文の06の解説で1ストローク1秒くらいとありますが、もっと早くても構わないのです。

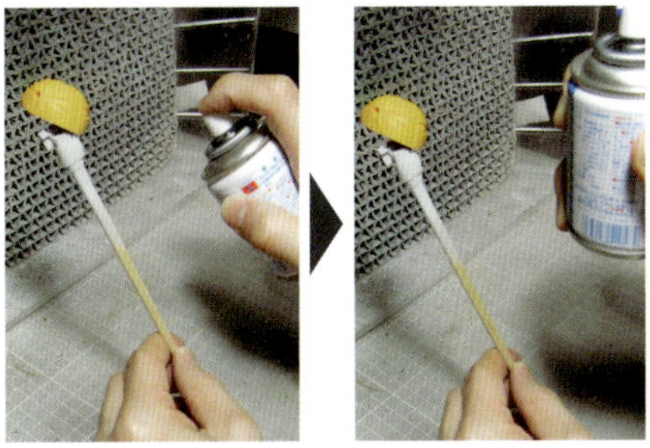

05

吹きながらパーツ上を通過

ボタンを押すと塗料が噴き出します。ボタンは中途半端に押すと噴き出しの量が安定しません。最後まで押し切ってください。塗料が噴き出し始めたらパーツの上を通過させるように塗ります。すぐに動かして構いません。

06

通過したら止める

噴霧がパーツの上を通過したらボタンを押し込むのを止め、吹き付けを止めます。吹き始め同様、吹き終わりも噴出が安定しないので、パーツの上で噴霧を止めないようにします。04〜06までが1ストロークです。1ストローク1秒くらいです。

07

基本は6ストロークで

もちろん1ストロークだけでは塗れていない部分があります。そこで持ち手をひねって別の面を向けて、そこに向かって吹きかけます。そして、その後、また別の面にかけます。正面、両サイド、後ろ、上面、下面の6方向くらいからかけるイメージです。

08

吹き付け方向は自由

最初の例では「左から右」に吹き付けていますが、「右から左」でも、「上から下」あるいは「下から上」のいずれでも構いません。パーツの形状によって変えても良いですし、自分の動かしやすい方向でのみで行っても構いません。

09

近すぎず遠すぎず

パーツとの距離は13〜15cm程度です。また、髪などのパーツの裏側や奥まったところなども忘れずに吹きます。吹き付ける方向を工夫してちゃんと届くようにします。

10

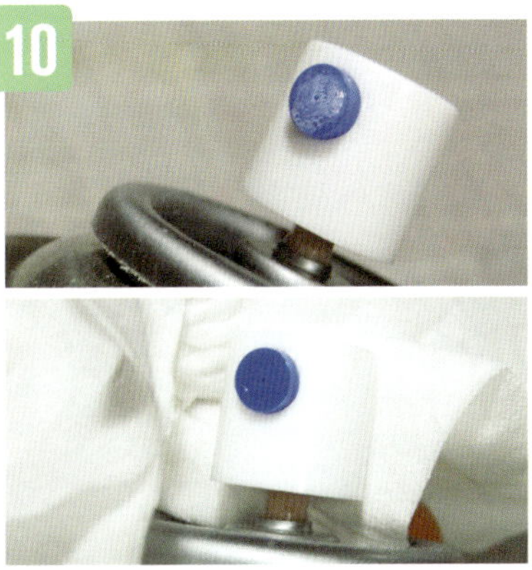

ノズルはきれいに

ノズルの周辺に塗料が溜まっている場合は、ティッシュペーパーなどで拭いてきれいにしておきます。吹き付けている間に出が悪くなったり、飛沫が飛ぶような場合も、ノズル周りの汚れが原因です。

CHAPTER 31

トップコートの効果

トップコートを吹くとパーツ表面のヤスリ傷が目立たなくなります。また、ツヤの状態を変更することができます。トップコートをどれくらい吹いたら良いかわからない場合もあるかもしれませんが、それほど難しくはありません。「ツヤ消しにしたい」「光沢にしたい」という目的があって吹き付けているわけですから、その状態になったときが吹き終わりとなるわけです。ここでは、トップコートを吹く前と吹いた後を比較し、どのようになったかを見ていきます。これらを参考にトップコート作業の終了時を見極めてください。

01

トップコート前

ツヤ消しのトップコートを吹く前です。髪の分け目あたりのゲート処理をした部分が白っぽくなっています。

02

トップコート後

トップコートを吹いた後です。ゲート処理をした部分がほとんどわからなくなっています。

03

デカール表面は光る

これは、トップコートを吹く前のデカールを貼った顔パーツを斜めから見たところです。デカール表面にツヤがあるため、角度によっては光ってしまいます。

04

デカールを目立たなくする効果

右はトップコートを吹いた状態。デカール表面もツヤ消しになり、貼ったところとそうでないところがわかりにくくなっています。

トップコート以外でもヤスリ跡は消せる

トップコートを吹かずに、パーティングラインやゲート処理の際のヤスリの傷を目立たなくすることもできます。ヤスリでできた細かな傷を、より細かい紙ヤスリなどで磨くことで消すのです。ウェーブの「ヤスリスティック」(写真左)やゴッドハンドの「神ヤス！磨」(写真中央)を使用するときれいに消すことができます。ただし、ツヤのある表面になるのでツヤ消しにしたい場合には利用できません(写真右)。

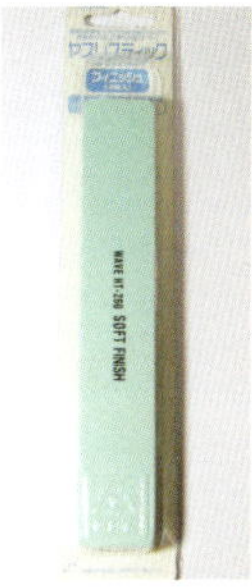

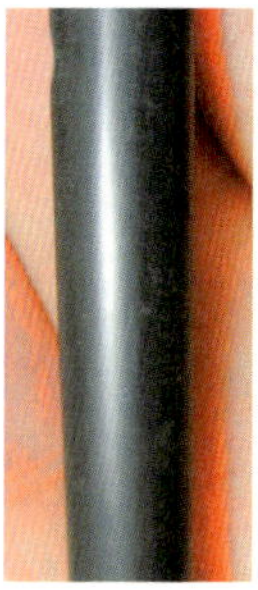

05

シールのツヤも

シールを貼り付けた眉です。目のシールと同様に光沢のある紙に印刷されていたため、ツヤがある状態です。目はツヤ消しにしたくないので外してあります。

06

ツヤ消しに

眉毛と髪は同じ質感だと自然です。髪がツヤ消しなので、眉毛もツヤ消しのほうがしっくりきますね。

07

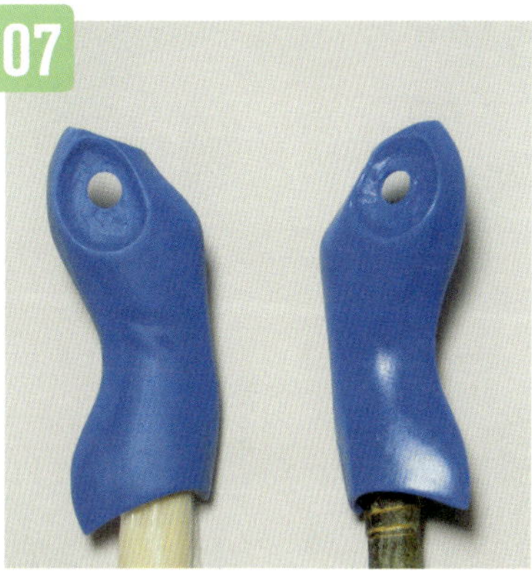

光沢の効果

青い服の部分には光沢のトップコートを吹いています。左が吹く前、右が吹いた後のパーツです。ツヤの違いにより質感も変わった感じになり効果抜群です。もちろん、ゲートやパーティングラインの処理で白くなった部分も見分けが付かなくなります。

08

質感表現

袖は服と同じくビニール的な素材をイメージして光沢にしました(写真左)。写真右側のトップコートを吹く前と比較すると、光沢の効果のほどがわかります。

09

同じ黒でも

猫耳やしっぽは毛をイメージしてツヤ消しにしました。光沢にした袖のパーツと同じ成型色の黒いパーツでも、ツヤの状態によって違う質感を表現できました。

10

トップコートのメンテナンス

終了時にも、ノズルの周りが汚れていると思います。このまま保管すると塗料が固まってしまい、次回使用する際に出てこないなどのトラブルが発生するので、きれいにしておきます。

第2章⑤

カラーレジンキットの組み立て

CHAPTER

32

組み立て①

トップコートの吹き付けも終了しました。完成まで後少しです。説明書に従って仕上がったパーツを順番に組み立てていきます。固定する部分は接着剤を使用して組み立てます。接着する場所によって、接着剤の種類や使用方法が違います。きれいに仕上がる方法をチョイスしてください。折角の完成品が接着剤のはみ出しで汚れていたり、間違った状態で接着してしまったりしないように慎重に作業をしていきましょう。

01

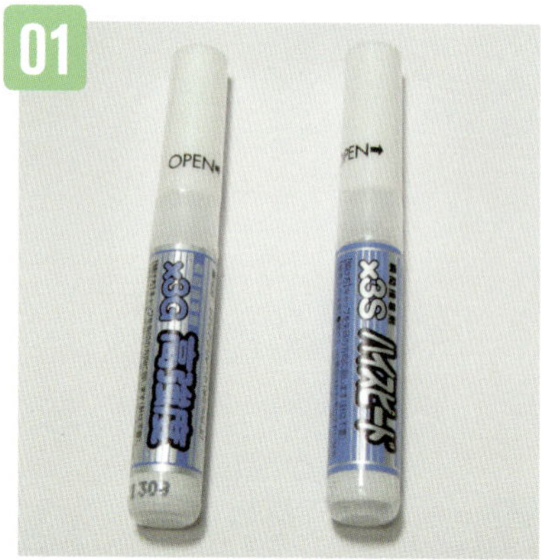

瞬間接着剤

レジンキャスト製のパーツを接着するのに一番オーソドックスなのが「瞬間接着剤」です。写真右、ウェーブの「ハイスピード」はさらさらな低粘度タイプ。左の「高強度」（ウェーブ）は少し粘度があるタイプです。その他にもより高粘度の「ゼリー状」タイプなどもあります。

02

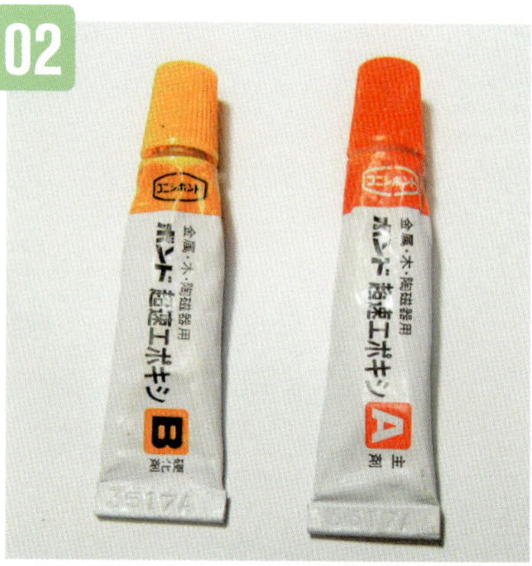

エポキシ系接着剤

「エポキシ系接着剤」です。主剤と硬化剤を同量出して練り合わせてから使用します。接着力は強力なのですが、硬化までに時間がかかるのが難点です。写真はコニシの「超速エポキシ」。本文の中では使用していませんが強力に接着したい部分がある方は使ってみてください。

03

組み立て前にパーツを準備

組み立て説明書に沿って組み立てます。まずは前髪の組み立てです。前髪、猫耳、耳毛を準備します。白い耳毛のパーツは左右で似ているので、接着前にはめ合わせてみて、向きを確認しておいてください。

04

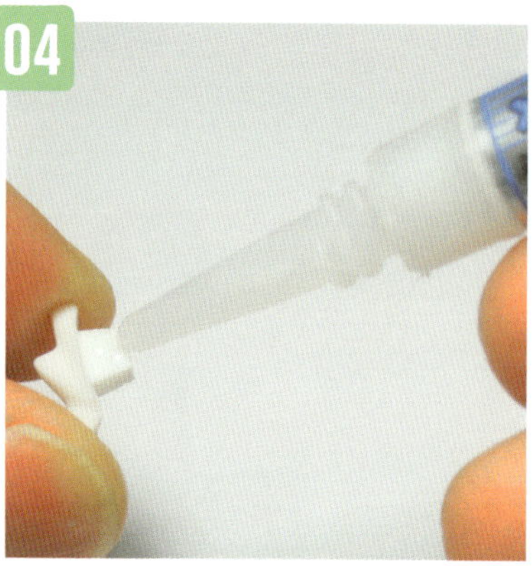

高強度の接着剤で

ダボ部分に高強度の瞬間接着剤を塗ります。はめ込んだ際に接着剤がはみ出さないように、あまりたくさん接着剤を付けすぎないのがきれいに仕上げるコツです。

塗装ブースのこと

トップコートを吹くのに使用した塗装ブースですが、13,000円から20,000円程度します。トップコートを吹くだけならば、ベランダや外で吹けば何とか対処できますが、エアーブラシを使った本格的な塗装をするならば、必須となります。エアーブラシを購入するなら一緒に購入してください。一度、本体を購入すれば、後はフィルターなどを定期的に交換したり掃除することで、ずっと使用できるでしょう。写真のようにフィルターの目が詰まってくると吸い込みが悪くなるので交換します。

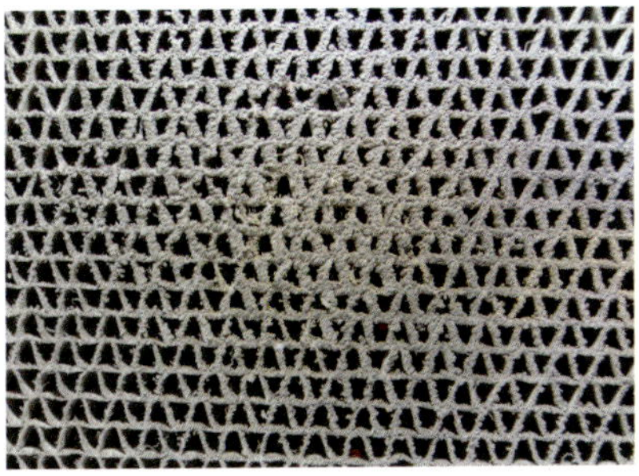

05

差し込んで固定

瞬間接着剤を塗ったパーツをダボ穴にはめ込みしばらく押さえておきます。高強度は接着するまでに時間がかかるので、貼り合わせる部分や位置を調整したいパーツの接着に最適です。

06

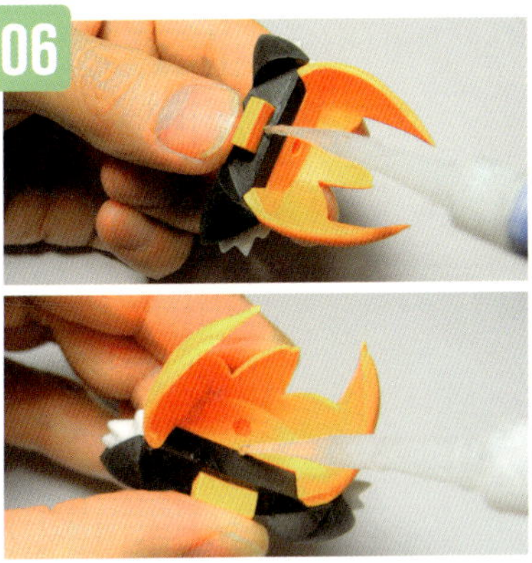

ハイスピードタイプの接着剤で

接着剤を猫耳のパーツと前髪のパーツの隙間に流し込んで接着します。貼り合わせでも良いのですが、こういった部分はハイスピードタイプの瞬間接着剤を流し込むのが適しています。

07

前髪と猫耳の接着が完了

このように、場所によって接着剤を使い分けて組み立てていきます。なお、ゼリー状の瞬間接着剤を使用する場合は高強度と同じように使用します。

08

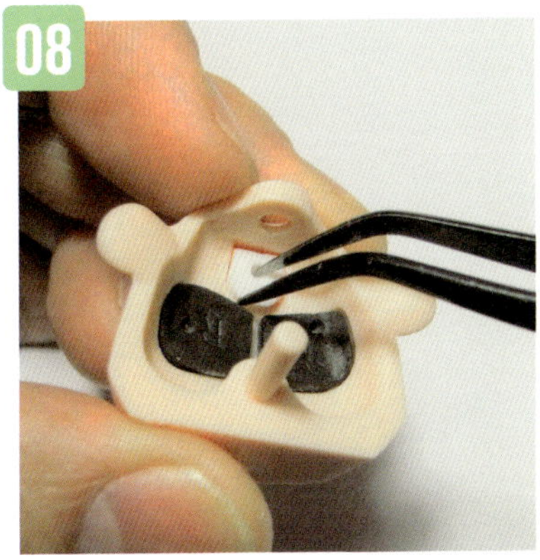

顔に眼と口を取り付ける

眼と口は顔の後からはめ込む構造になっています。小さなパーツを手ではめるのはなかなか難しいのでピンセットを利用してはめ込みます。

09

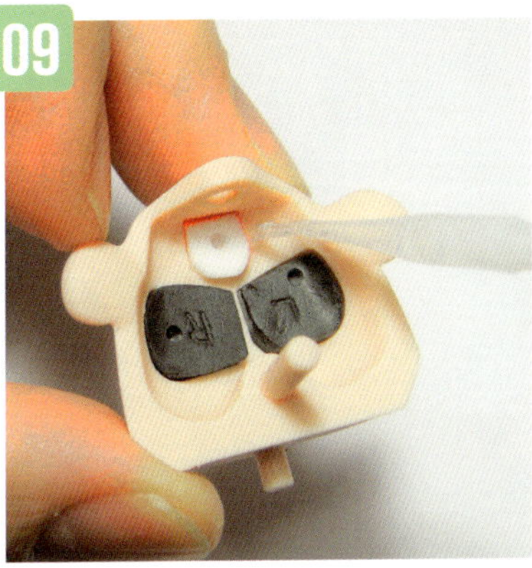

後ろから流し込んで完了

接着剤を塗ってから、はめ込むのは難しいので、はめ込んでからハイスピードタイプの瞬間接着剤を流し込みます。06の前髪と猫耳は貼り合わせでもできますが、ここは流し込みでなくては難しいところです。

10

顔の完成

はみ出さずにきれいに接着できました。もし、はみ出したり手に付いた接着剤でフィギュアの表面を汚してしまったら、ナイフやヤスリで削り取ってきれいにします。その上でトップコートを再度吹き付けることになります。

第2章⑤

カラーレジンキットの組み立て

CHAPTER

33

組み立て②

前ページに引き続き、流し込みと貼り合わせを使い分けて組み立てていきます。本文中にもありますが、一度接着してしまうとやり直しが困難なので間違えないように、また、はみ出さないように注意して組み立てます。ここで初めて塗装したパーツの接着があります。塗料は瞬間接着剤で溶けてしまいます。表面に接着剤を付けないのはもちろん、接着剤の付いた手で塗装面を触ってしまうことのないように注意してください。

01

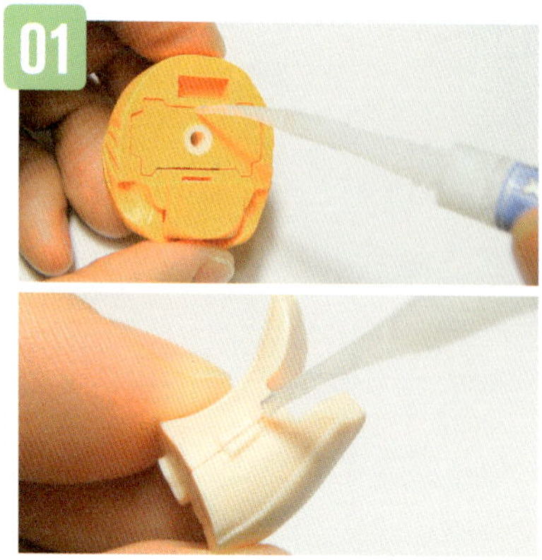

見えない部分は流し込みで

基本的に見えない部分は流し込みで接着します。胴体のパーツは前後貼り合わせですが、側面に服のパーツを貼り付けるので流し込みでOKです。

02

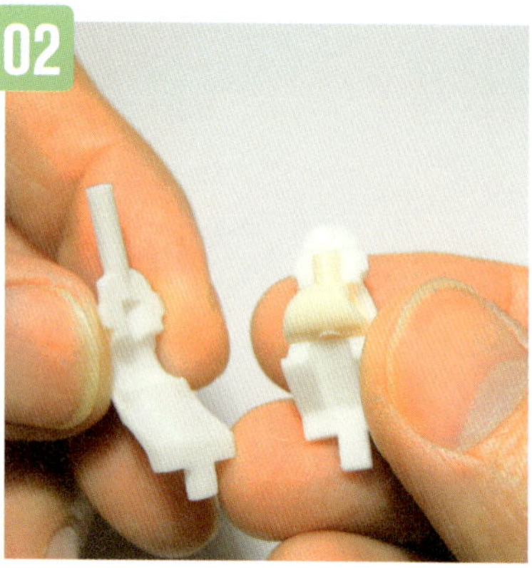

パーツを入れるのを忘れないように

ポリキャップなど挟み込むパーツがあるところは忘れないように注意してください。一度接着してしまうと剥がすのが困難です。

03

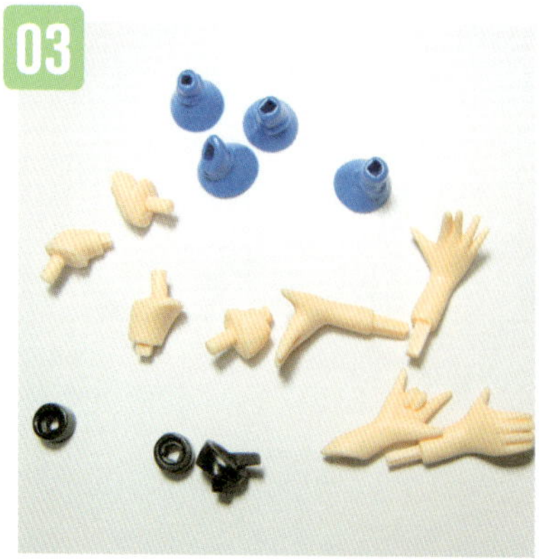

同じようなパーツの接着

仮組みをして確認し、間違いのないように接着してください。仮組みの際から何回も組み合わせていますが、入れ替わっていてもはまる箇所が1箇所あることに気が付きました。黒い袖口のパーツに要注意です。

04

手に袖口を接着

手のダボは長く、袖口のパーツを貫通して袖のパーツに接着するようになっています。袖口のパーツの上にさらに袖のパーツが付くので、ここは流し込みで接着します。

瞬間接着剤のノズル

流し込みタイプの瞬間接着剤は付属のノズルを付けて使用するのが便利です。使用後はノズルを付けたまま保管しても大丈夫です。先端部分に溜まった接着剤が固まりますが、それがふたの役目をしてくれます。使用する際に固まった部分のノズルをカットすれば出るようになります。その分ノズルは短くなりますが、作業に支障はありません。何度も先端部分をカットするとさすがに短過ぎて作業しづらくなりますが、そのようなときは外して新しいノズルに交換してください。付属のノズルがなくなったら、別売のノズルを購入して使用すれば良いでしょう。

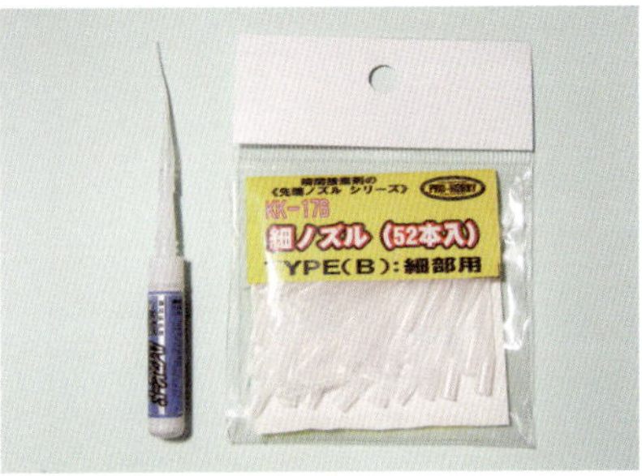

05

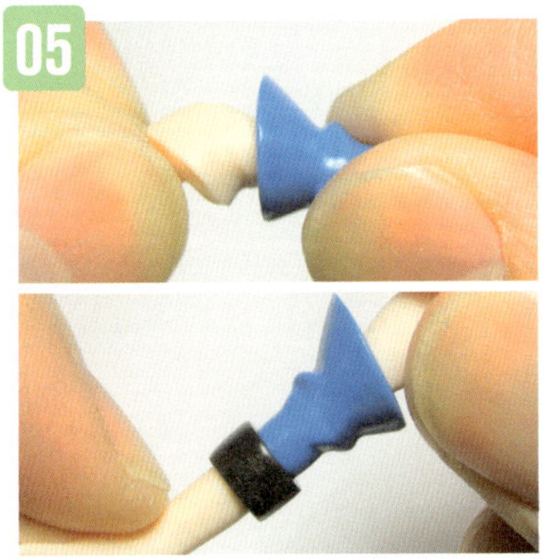

腕の完成

肩と袖を接着します。ダボとダボ穴なので高強度で接着します。次に手と袖口に肩と袖を接着。ここもダボとダボ穴なので高強度で。同様に他の腕も接着します。

06

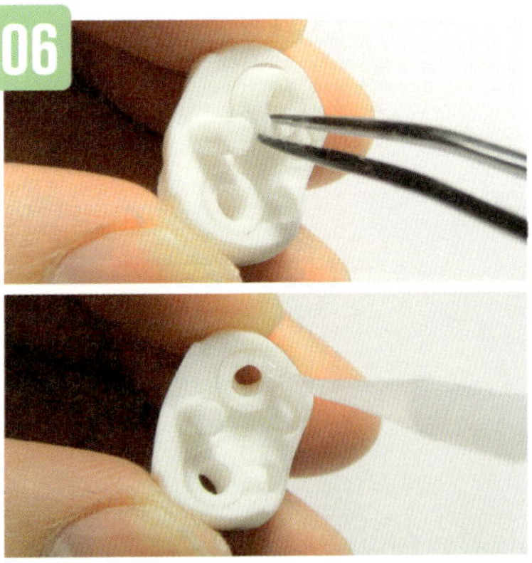

ピンセットではめ込み流し込みで

パンツ部分の内側に、脚をはめ込むパーツを接着します。左右で形が違いますし、脚側と胴側を間違えないように注意が必要でした。

07

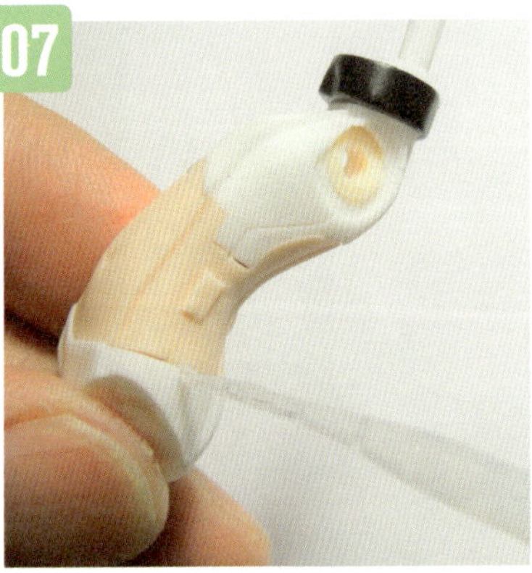

胴と胸、パンツの接着

いずれも隙間への流し込みで対処できます。この後、外側に青い服のパーツを高強度で接着します。

08

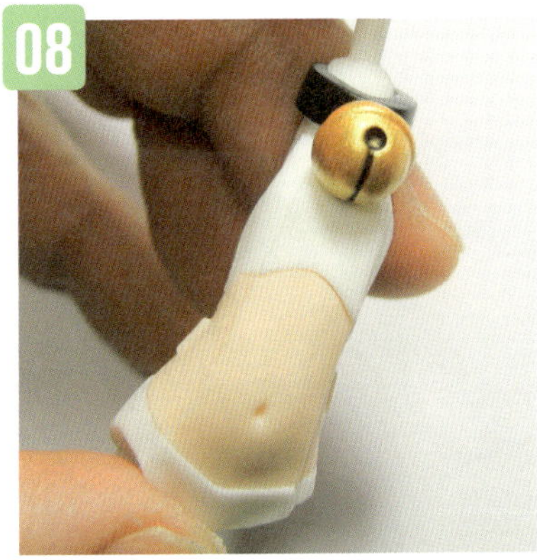

塗装した鈴の接着

ここは高強度で貼り合わせます。瞬間接着剤は塗料を溶かすので、塗装面に接着剤が付かないように注意して接着します。

09

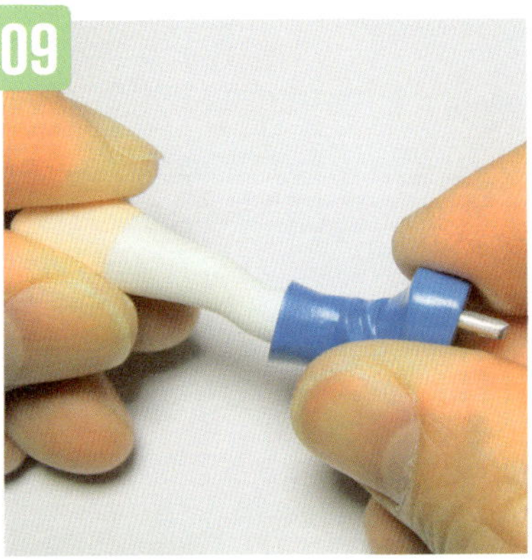

脚の完成

脚は、ダボとダボ穴なので高強度で貼り合わせます。後に、胴体にはめ込む際に外れてしまいました。しっかり接着しておかないといけない部分です。

10

ブロックの完成

パーツを接着し終わりました。顔、髪、手足、胴体など全てのブロックが完成。後は、はめ込みを残すのみです。

CHAPTER
34

組み立て③

パーツを接着し、いくつかのブロックが完成しました。最後にそれらのブロックをはめ込んで完成させます。差し込みピンを折らないように注意してはめ込んでください。ここでは素手で作業をしていますが、塗装した面やクリアーコートした面を傷付けないようにするなら手袋をして作業すると良いでしょう。

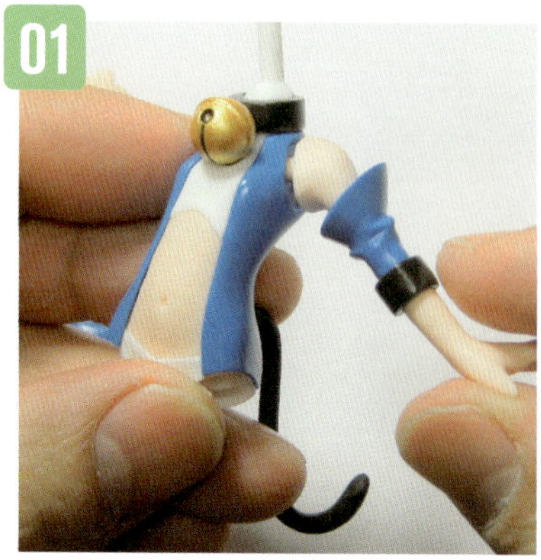

胴体に手をはめ込む

左手は1種類なのですが、右手は3種類から選んで取り付けます。しっぽはブロック単位の組み立ての際にボディに付けています。腕や脚をはめ込む際に邪魔なのでいちばん最後のほうが良かったかもしれません。

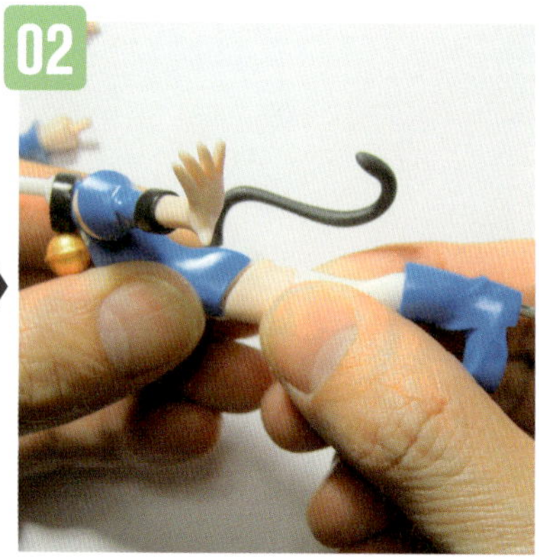

胴体に脚をはめる

レジンキャスト製のパーツに、脚のピンをはめます。根元のパーツはポリキャップではなくレジンキャスト製のものを選択していますので、接着も可能です。

両脚ともはめる

抜き差しする部分ではないので、接着してしまって構いません。接着する場合は流し込みではなく高強度で貼り合わせます。

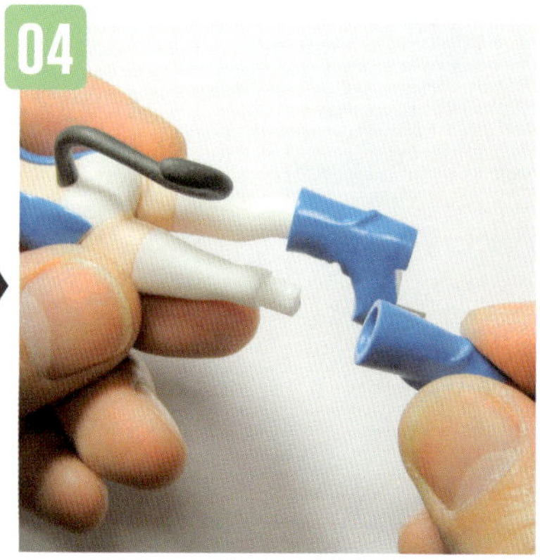

外れてしまった

接着が甘かったのか、ブーツが外れてしまいました。慌てず騒がず、瞬間接着剤の高強度で、再度接着します。

保管の方法

飾っておく場合は良いのですが、収納する際にはコンパクトにばらしたいものです。組み立てた時と逆の順序ではめ込み部分を外し、パーツ単位でチャック付きビニール袋に入れます。全てのパーツを一つの箱に入れて保管しておきましょう。ビニール袋は他のパーツとこすれ合うのをコートしてくれます。この方法は制作したものを宅配便などで送付する際にも使えます。送付する場合には丈夫な箱に入れ、小分けした袋の周りや間にエアーキャップ(プチプチ)や緩衝材を詰め動かないようにします。

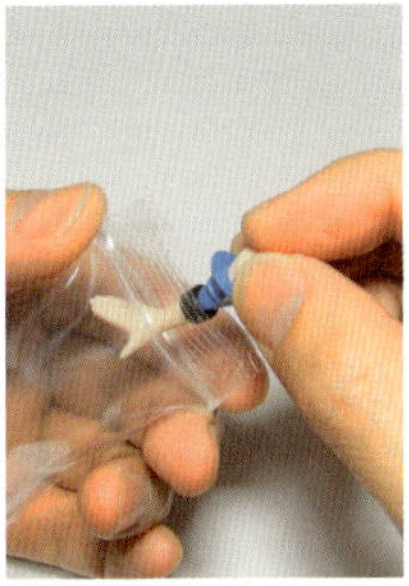

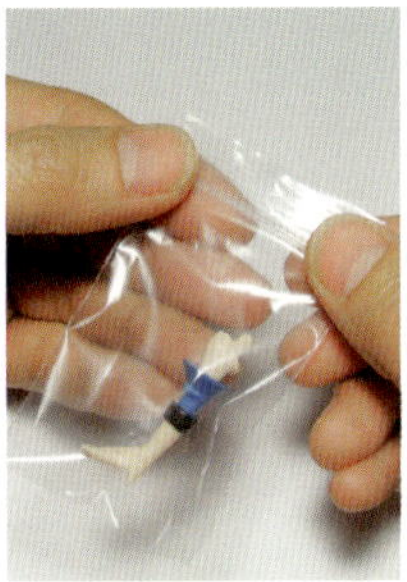

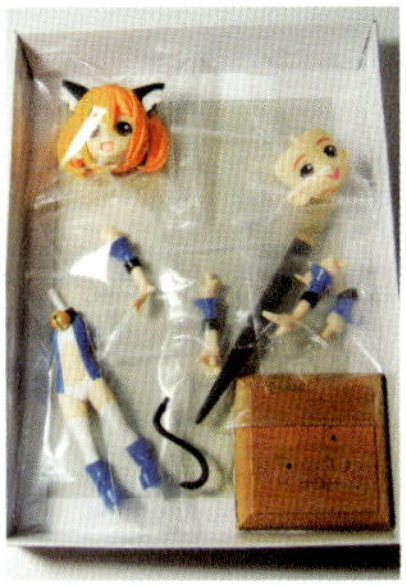

05

ボディの完成

仮組みの段階で忘れたしっぽですが、今回は忘れずに付けています。というかこの段階で付けても良かったのではないかと思いました。

06

顔パーツに前髪を

先にここを組み立てておかないと、後頭部にはめられません。顔パーツはデカールではなくシール仕上げのものを付けています。もちろん、後から付け替えられます。接着しないようにしてください。

07

前髪と後頭部

後頭部にはツインテールを先にはめておきました。この順番が説明書通りですが、後頭部を前髪、顔とはめてからツインテールをはめても構わないでしょう。

08

首と胴体を

首のピンを折らないように注意してはめ込みます。あごや毛先が鈴や肩に当たらないように角度に気を付けながらはめ込んでください。

09

台座に固定

組み立てたフィギュアを台座にはめ込みます。しっぽの付け根を折らないよう脚を持ってはめ込んでいます。胴体を持ってはめ込む場合は、しっぽは外しておいたほうが良いかもしれません。

10

完成！

顔や手は付け替えが可能です。好きなパーツに付け替えて飾ってください。パーツの抜き差しの際に接着が外れるかもしれません。外れた場合は、その箇所に応じて再度接着してあげれば良いでしょう。

第2章⑤

カラーレジンキットの
組み立て

CHAPTER

35

完成！

「ちびかんたんタン」のカラーレジンキットが完成しました。ベースに固定してあるので飾るのも容易ですね。また、完成後もパーツの付け替えができるので、ときどき付け替えて楽しめます。ここまでの作業で、カラーレジンキットを組むことができるようになったので、ちびかんたんタンのバリエーションや、もう少し頭身の高い「かんたんタン」や他のキャラグミンシリーズなどに挑戦しても良いですね。

〈ナイフを持ったバージョン〉

完成品

塗装したデザインナイフを持った状態です。組み立てただけの状態(019ページ参照)に比べて、口の中の塗装や鈴のスミ入れが効果的なのがわかります。

〈ポーズ決めバージョン〉

右手をデザインナイフを持ったものから交換しました。「ポーズ決め」というのは説明書の表記に従いました。

〈手を広げたバージョン・シール〉

手を広げたポーズです。顔は左ページと同様、目と口が別パーツのもの。この状態の別アングルが下の3点の写真です。

〈手を広げたバージョン・デカール〉

左の03と同じポーズですが、顔がデカールを張って仕上げたバージョンです。目と口でずいぶん印象が変わりますね。

〈斜め前〉

向こう側の手が見えませんが、手を広げたポーズです。口は横から見ると立体感があります。

〈斜め後ろ〉

服やブーツの青い部分が、ツヤがあるのがよくわかります。

〈後面〉

後姿です。ツヤの違いが質感の違いになっていると思います。

COLUMN

02 レジンキャストキットを組み立てるという仕事

「レジンキャスト製のフィギュアを組み立てて色を塗る」という作業は、もともとは趣味の範疇です。プラモデルなどと同様、組み立てる工程自体を楽しむものだからです。ところが、完成品が普及した昨今では「組み立てられないけど完成状態のフィギュアが欲しい」とか「組み立てるのが面倒だから完成品が欲しい」という人が結構います。そういった人から完成品の製作を仕事として請け負う個人や会社があります。それが、完成品製作代行業というものです。実際に製作を担当する人をフィニッシャーと言います。このフィニッシャーは、組み立てるのが好きな人には、もってこいの職業です。好きなフィギュアのキットを作って収入が得られるのですから。しかし、本当にそうでしょうか?

製作を依頼すると、キットの価格の3～10倍という決して安くない製作料がかかります。もちろん、キット代とは別にです。基本的に依頼者は、イベントや店舗などで自分が購入したものを製作してもらうことになります。払うほうからしてみれば高額な製作料ですが、製作側からするとどうでしょう? 20㎝くらいのフィギュア1体の製作料が10万円だったとして、製作に2週間(土日を休んで10日)かかったとします。このとき、一日の作業時間が8時間だったとすると100,000円÷10日÷8時間で1,250円。時給換算で1,250円になります。ただし、塗料代などの材料費も必要なので、実際にはもう少し安くなります。 もちろん、2週間以上時間がかかれば、さらに安くなりますし、逆に早くに仕上げられれば高くなります。人によっては、意外と低賃金だったりするかもしれないのです。

さて、完成品製作代行をしていると、メーカーからの依頼で完成品フィギュアとして発売される原型の複製品を塗装して組み立てるという仕事を請けることがあります。この場合、フィニッシャーではなくペインターやペイントマスターなどと呼ばれます。完成品のフィギュアは中国の工場で塗装して組み立てられることが多いのですが、文章や図での指示だけでは、なかなか思い通りのものが仕上がってこないのです。そこで、実際に色を塗って組み立てた試作品(サンプル)を工場に送って見本通りに仕上げるように指示するのです。そのときに送るサンプルを「デコレーションマスター(デコマスと省略する)」と言います。「デコレーションマスター」というのは作業をする人のことではなく、できあがった完成品を指す言葉なのです。

デコマスは、たいてい原型をシリコーンゴムで複製し、レジンキャストを注型したものです。ただ、製造方法は若干特殊です。通常のレジンキャストキットは原型を油土埋めして作成した2面型を使って量産されますが、デコマス用の複製品は時間短縮のため、「切り裂き型」で作られます。切り裂き型というのは、支柱などにパーツ(原型)を固定した後、枠を組んでシリコーンゴムを流して作ります。シリコーンゴムが固まったら切り裂いて原型を取り出すので、切り裂き型と言います。切り裂く際に中味が見えるように透明シリコーンを使います。油土埋めする時間が必要ないことやシリコーンを流す手間が1回で済みますから、速く複製品が得られるのです。切り裂き型のメリットは他にもあって、パーティングラインがほとんど目立たないことです。もちろん、欠点もあります。量産できる数が少ないのですが、デコマスを作るには2～3個で十分なので、問題にはなりません。

デコマスは通常、2個製作しますが、そのうち1個は前述の通り、工場に送られます。ではもう1個はどうするかというと手元に残しておき、上がってきた彩色サンプルと比較したり、パッケージ用の写真撮影に使用したりします。気になるペイントマスターのギャラですが、ピンからキリまでですが、一例を挙げると10㎝未満のガチャガチャサイズのフィギュアの場合、一体1万円程度です。こういったフィギュアの場合、6種類とか8種類とかで発売されます。スケジュールなどに問題がなければクオリティを揃えるため一人にシリーズの全てが発注されます。仮に6種類だったとして6万円です。しかし、ここで思い出してください。デコマスは工場に送るものと手元に残しておくものの2個ずつを製作するのでしたね。この2個を別の人に作ってもらうということはせず同一人物に発注しますので、6種×2個で12個となり12万円となります。この仕事をどのくらいの期間でこなすかと言うと10日から2週間というところです。コンスタントに仕事を請けるとすると同じくらいの仕事を月に2～3回請け負えることになります。月収を計算すると24万円～36万円。2～3頭身のディフォルメフィギュアで1体2万円くらいというものもありました。コンスタントに請け負えれば、仕事として十分に成り立つと言えるのではないでしょうか。

この本を読んでレジンキットを組み立ててみて、フィニッシャーやペイントマスターを仕事にしようと思ったら、チャレンジしてみるのも良いかもしれませんね。

第3章
本格的な塗装に挑戦

どんなキットでも通用するベーシックな仕上げ

ここから本格的なレジンキャストキットの組み立てと塗装に入ります。レジンキャストキットの組み立てと塗装に関しては様々な方法があるのですが、この章では、サーフェイサーという下地剤を吹き付けて仕上げるベーシックな手法（通常塗装）を紹介します。ゲートやパーティングラインの処理などのパーツ成型をはじめとする塗装前の基本的な作業は、カラーレジンキットのときと同じように行いますので、追加で説明が必要な部分のみ解説しています。

パーツ数が多く複雑なキットでは仮組みの際にテープで固定するのは難しいです。そこで「軸打ち」という作業を行います。これはパーツに穴を開けて針金を通して接続し、しっかり組み立てられるようにする作業です。最終的に接着する際の補強にもなります。塗装に関してはエアーブラシという道具を使います。塗料を空気の力で吹き付けるので、ムラなく均一に塗ることができる便利な道具です。エアーブラシの取り扱いや色を吹き付ける順番、コツなどについて解説していますのでぜひ、マスターしてください。カラーレジンのときにも行った筆塗り塗装ですが、今回は面相筆で瞳を描くやり方を紹介します。

題材の「見習い魔法使いミルカ」のキットですが、塗装の塗り分けや色味はパッケージのイラストに準じていますが、若干フィギュア的にアレンジしています。

第3章①

本格的なレジンキットの制作準備

CHAPTER

01

本格的なレジンキャストキット

本格的なレジンキャストキットは、白やアイボリーなど一色で成型されたものがほとんどです。色分けがされていないので、全てを自分で塗らなくてはなりません。広い面積を均一に色塗りするためにはエアーブラシという道具を使います。このエアーブラシを使いこなせるようになれば、どのようなキットも塗れるようになるでしょう。ただ、レジンキャストキットには、専門の業者ではなく個人が生産したキットも存在します。それらのキットは、注型技術の限界から気泡やディテールの欠損が存在する場合もあります。この章では、それらの対処法も紹介します。

01

今回使用するキット

Z造型野郎というディーラーから販売されているオリジナルキャラクター「見習い魔法使いミルカ」です。このキットは、デジタル(ZBrush)で造形し3Dプリンター出力したものを複製してキットにしてあります。ダボがぴったり合うのもデジタル造形ならではです。

02

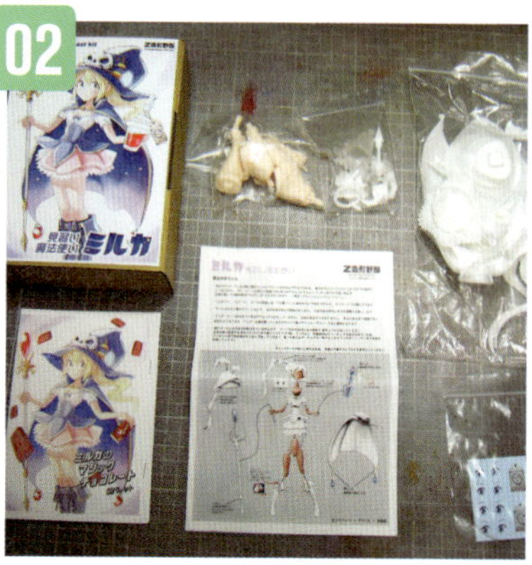

キットの内容物

パーツは、白とクリアー、肌色の、一部カラーレジンになっています。その他にデカールと真鍮線が入っています。オリジナルキャラクターなので、マンガも付いています。これを読んでイメージを膨らませましょうか。写真の左下の冊子がそうです。

03

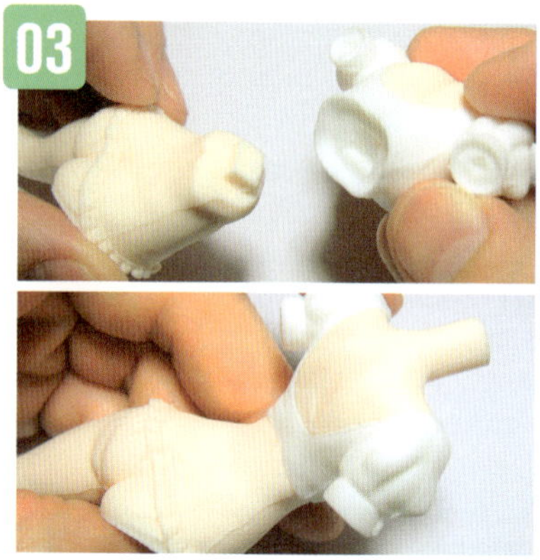

キットの攻略ポイント①「軸打ち」

このフィギュアは完成すると20㎝近くになります。はめ込む部分(ダボ)はぴったりはまりますが、接着するだけでは強度不足です。それを補強するのが「軸打ち」作業です。

04

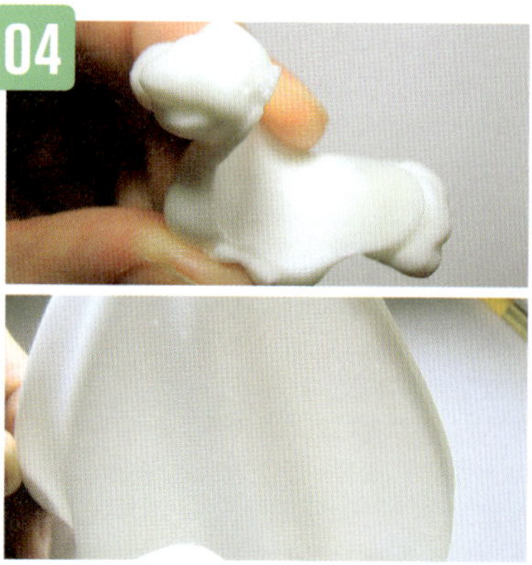

キットの攻略ポイント②「気泡処理」

このキットは、個人による手流し成型のため、気泡が存在します。どのようなところにどのような気泡ができ、それをどう対処したら良いかを実践します。

プランニング

キットを入手したら、どのように制作しようか考えましょう。このキットもそうですが、組み立て時に選択しなくてはならない「コンバーチブル」といわれる仕様のものがあります。その場合は、どの状態で組み立てるのかを選ばなくてはなりません。今回の通常塗装の作例では、パッケージのイラストに忠実な「帽子とマントと杖のフル装備状態」で組み立てることにしました。帽子とベストを脱いで、おへそが出ている軽装のスタイルも魅力的なので、第4章のサフレス仕上げの作例は、それにしようと思います。同時に、色替え作例の案も考えましたョ。

05

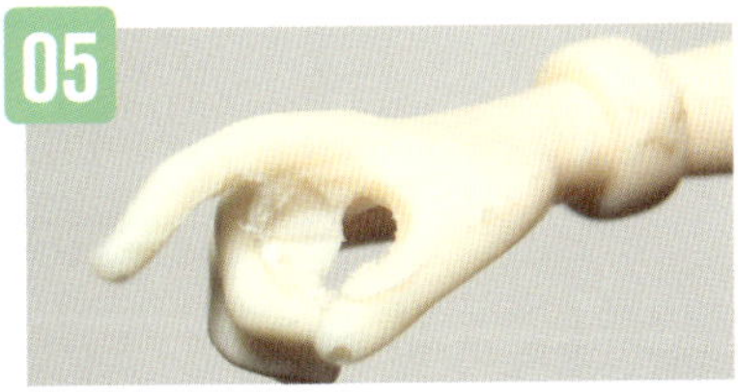

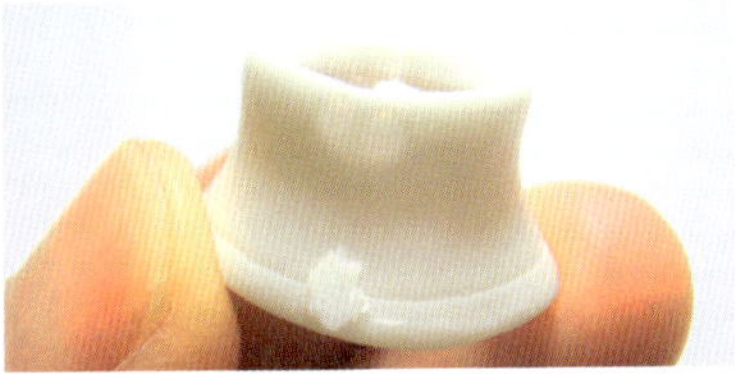

キットの攻略ポイント③「パーツ整形」

個人の手によるキットでは、ゲートやバリが大きめで切除が大変です。また、ゲートやパーティングラインのためにディテールが損なわれているケースもあります。それらを復活させるなどパーツを本来の形に戻す作業が「パーツ整形」です。

06

キットの攻略ポイント④「塗装計画」

カラーレジンで成型されているのはごく一部のみ。組み立ててもイラストの状態からは程遠いので色分けのほとんどを自分で行わなくてはなりません。どのような手順で塗ったら良いのかがポイントです。

07

組み立てただけの状態

カラーレジンとは言え、パッケージイラストとは程遠い仕上がりです。塗装は必須です。

08

色を塗って仕上げた状態

パッケージイラストを参考に塗り分けた完成品です。この状態を目指して作業スタートです。

第3章①

本格的なレジンキットの制作準備

CHAPTER 02

ステップアップに必要な道具

本格的なレジンキャストキットを組み立て完成させるにあたって、まず、必要なのは塗装のための道具です。第2章のカラーレジンキットでは、色分けされたパーツでしたが、本格的なキットでは、その全てのパーツを塗らなくてはなりません。そして、本格的なキットでは、パーツ点数も多く、状態の悪い部分もそれなりに存在します。つまり、加工しなくてはいけない箇所が増えるということです。そうしたパーツ整形の際の味方となる道具と材料も紹介します。

01

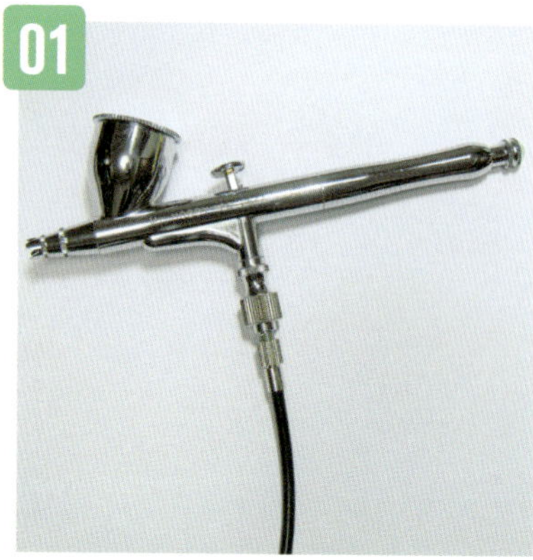

エアーブラシ

圧縮した空気で塗料を霧状に吹き付けて塗る道具が「エアーブラシ」です。しかし、その技法のことを指す言葉でもあり、道具としての名称には「ハンドピース」「ピースコン」などがあります。様々なタイプが販売されていますが、ダブルアクションタイプ、口径0.3㎜のものをおすすめしています。

02

コンプレッサー

エアーブラシに圧縮した空気を供給するための機械です。こちらも様々なメーカーから様々なタイプのものが発売されています。連続使用が可能で音が静かなものをおすすめします。

03

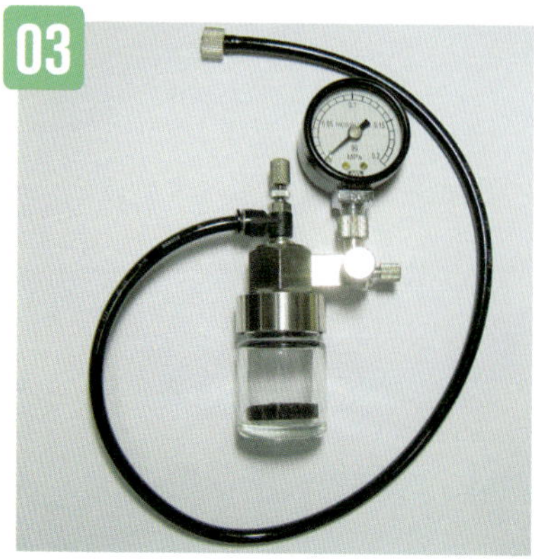

レギュレーター

コンプレッサーとエアーブラシの間に接続して使います。コンプレッサーで作った空気の圧力を調整したり複数のエアーブラシに分岐したりするための道具です。空気中の水分がエアーブラシに行かないようにする水抜き機能が付いたものもあります。

04

塗装ブース

エアーブラシ塗装をすると細かな霧状になった塗料が舞います。それらが部屋の中に充満しないように吸い込むための装置が「塗装ブース」や「排気ブース」と呼ばれるものです。こちらもエアーブラシ塗装には必須の道具です。

紙コップ

塗料を薄めてちょうど良い濃さに溶くのに使用します。また、混色の際にも使用します。塗料皿で作るより大量にできる点や使用後は破棄できるのがメリットでしょうか。私は、試飲などに使われる90mlの小さな紙コップを愛用しています。

05

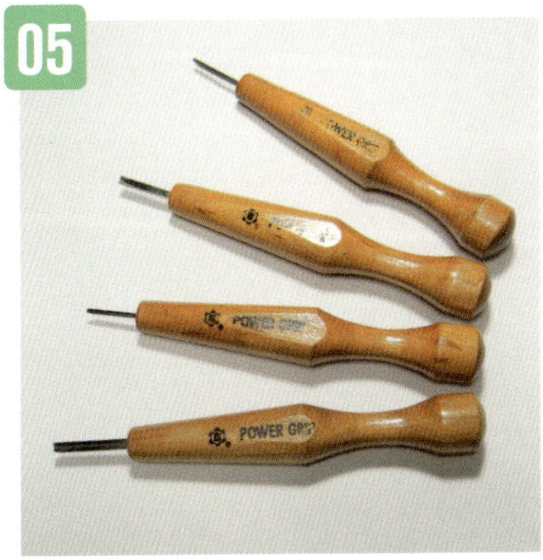

彫刻刀

版画などに使用するものと同じです。写真の「パワーグリップ」(三木章刃物本舗)は持ち手の形が独特で使いやすいです。また、単品で販売されているので、必要なサイズや先端形状のものを購入できます。

06

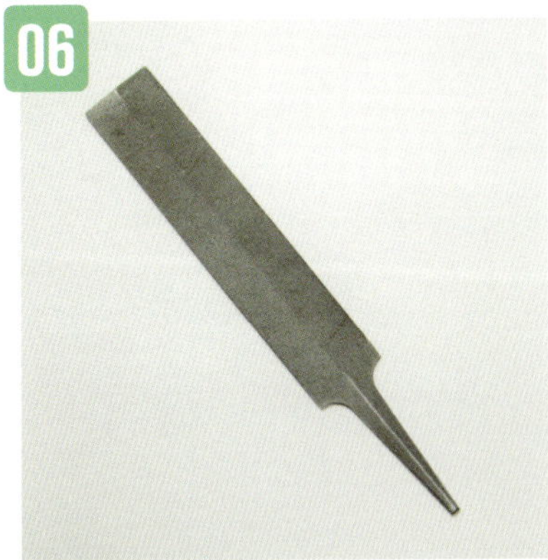

目立てヤスリ

本来はのこぎりの目を研ぐ(立てる)ためのヤスリです。薄い菱形の断面形状をしており、ミゾを彫ったりするのに重宝します。

07

カッターのこ

ナイフの先端に付け替えて使用できるホビー用のこぎりです。太いゲートや湯口、パーツの切断時に使用します。

08

SSP(瞬間接着パテ)

HG液とHGパウダーを混ぜ合わせることによって硬化するパテです。レジンキャストへの食い付きも良く切削性も良いため、気泡埋めに使用します。もともと紫色ですが、硬化後も少し紫色になります。写真はGSIクレオスの「Mr.SSP」。

09

シアノン(瞬間強力接着剤)

高圧ガス工業の白色の瞬間接着剤です。そのまま貼付したり、SSPのHGパウダーやベビーパウダーと混ぜて気泡などの穴埋めに使用します。埋めたところは白地のキャストとほぼ同じ色に仕上がりますので、サフレス塗装時に重宝します。

10

サーフェイサー、プライマー

左が「サーフェイサー」、右が「プライマー」です。どちらも塗装のための下地用の塗料で、塗料を剥がれにくくする効果があります。さらにサーフェイサーは、細かな傷を埋めたり、表面の色を均一にすることもできます。写真はGSIクレオスの「Mr.サーフェイサー」、ガイアノーツの「ガイアマルチプライマー」。

第3章①

本格的なレジンキットの制作準備

CHAPTER
03

パーツのカット

購入し、中身の確認をして全てのパーツが揃っていたら、まずは仮組みをします。しかし、仮組みの前にやらなくてはならないのが、ゲートの処理でしたね。パーツを正しい形に切り出さなければうまく組み合わせることはできません。基本的にはカラーレジンキット「ちびかんたんタン」のときと同じですが、本格的なレジンキットの場合のポイントを見ていきます。

01

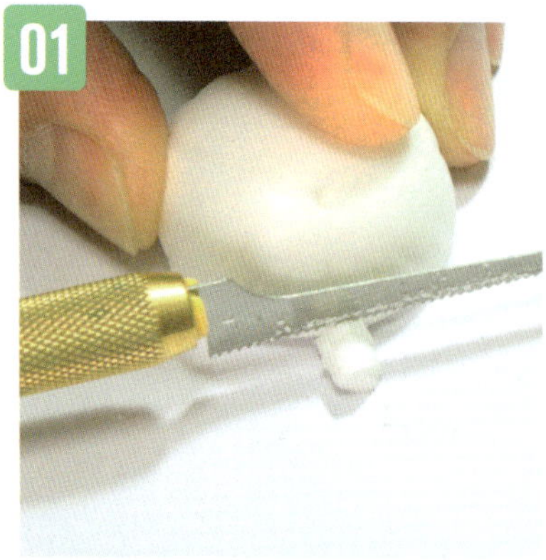

太いゲートのカット

大型のキットでは、ゲートも大きくなります。ニッパーで切れないような太いものは、模型用ののこぎり「カッターのこ」を使用して切断します。カッティングマットの上などでしっかり固定して切ります。

02

最後は浮かして切る

このゲートはパーツの平らな面とほぼ同じ高さにあるため、このまま切っていくと最後は机を切ってしまいます。最後は浮かせて切ってあげましょう。

03

複雑な形のゲートカット

帽子のつばの先端部分に付いたゲートです。このまま普通にニッパーで切ると帽子のつばの先端の薄い部分が割れたり欠けてしまう恐れがあります。

04

まずは上下に

このゲートは途中から太くなっています。そこで、太くなっている部分を二度に分けてカットします。まずは、横にスライスする感じで切ります。

紙コップに入らないほど長い場合は

より大きな容器を用意すれば良いのですが、どうしても紙コップを使用したいなら、前と後ろの2回に分けて浸ければ良いでしょう。また、熱せられるものなら、お湯でなくても良いので、ドライヤーの熱風で温めるのも一般的です。熱を加えただけでうまく戻らない場合は手で曲げて戻し、その後、水で冷やして固定すると良いでしょう。塗装後のパーツが気温や重さなどで変形した場合にも、この方法は使えました。ただし、あまり急に曲げたり塗膜が厚い部分ではひび割れや剥離が起きるかもしれませんので慎重に。

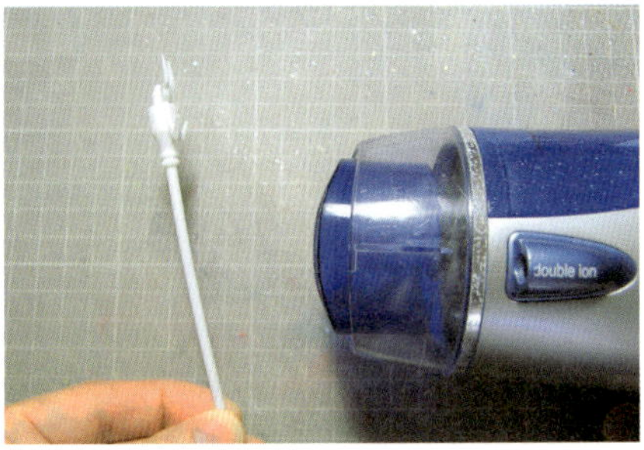

05

今度は左右に

厚みがほぼ半分になりなりました。今度は通常のゲートを切るように、薄くなったゲート部分をカットします。

06

最後はナイフで

ここまで小さくなれば欠ける心配もないでしょう。アートナイフや場合によってはニッパーを使ってきれいにカットします。

07

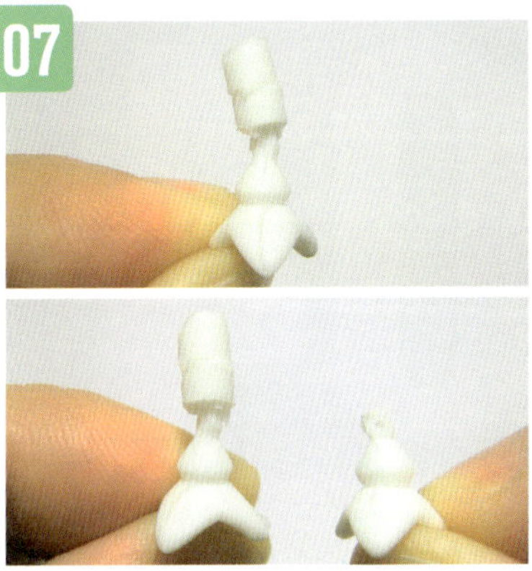

どこまでがゲート?

反対側のパーツと見比べると判明します。よく確認して切ってください。このゲートはパーツより大きく、むしろ流路が、パーツに直接付いているといっても良い感じです。

08

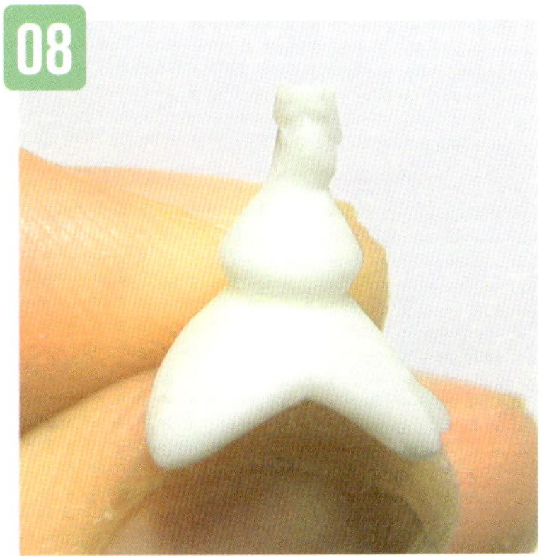

ゲートがパーツギリギリまであるので

境目をニッパーで切り取ると、ゲートではなくパーツのほうがえぐれてしまいそうです。ゲートをパーツの付け根と同じくらいの太さに細く削ってからカットします。

09

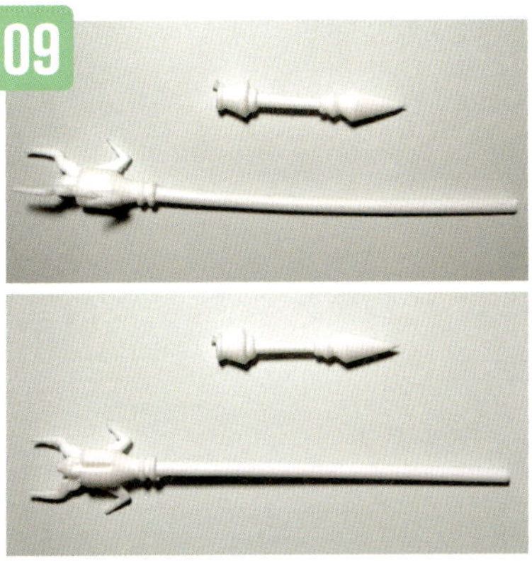

細長いパーツは歪んでいる

杖や剣などの細長いパーツは、他のパーツの重みなどで変形してしまっている場合があります。上が変形した状態、下が修正した状態です。

10

戻すにはお湯に浸ける

レジンキャストの変形は熱でもとに戻ります。紙コップなどに熱湯を入れ、そこにパーツを浸けます。お湯から引き上げると戻っています。熱いので、お湯から取り出す際はピンセットなどを使用して、やけどしないようにしましょう。

第3章①

本格的なレジンキットの制作準備

CHAPTER

04

パーツ整形①

通常のバリは、パーティングラインの処理の際に同時に処理すれば問題ないでしょう。しかし、個人による手流し成型のキットは、型の合わせ方が不十分だったり、そもそも型を制作する段階で型の合わせ目部分に隙間があるなどの理由で、比較的バリが大きめです。それらのバリは、仮組みの際に支障が出るかもしれないので、ゲートや湯口などと同じく、この段階で整形しておきます。バリ以外の不要なものも取り除きます。

01

不要部分の切除①バリ

レースの間などには、水掻きのようなたくさんのバリがあります。細かな部分ですが丁寧にカットします。ここは組み立てには支障はなさそうですが、全体の完成形の把握のために行います。

02

切り取るのは楽

まずは、アートナイフでV字に切り込みを入れて切り取ります。薄皮状なので簡単に切り取れます。

03

切り取り完了

ナイフでバリ部分を切り取った状態です。01と比べると切り取られた部分が良くわかるでしょう。この後、紙ヤスリなどで整形します。

04

奥というか隙間も

リボンのパーツです。奥まった部分まできちんと忘れずにバリを取ります。薄いパーツなので折らないように注意しましょう！

リボンが折れました

バリの整形をしていたところ、リボンのパーツが根元から折れてしまいました。そんなに力をかけたつもりはなかったのですが……。きれいに折れていて中に空洞(気泡)も見当たりませんでした。接着する面としても、そこそこの面積がありますので、そのまま瞬間接着剤でくっ付けました。問題なく付けることができました。接着したところは、接着剤のはみ出しや段差がありますので、ヤスリがけしてきれいにしています。気泡があった場合は埋めてから接着しますし、接着面が少ない場合は真鍮線などで補強を入れる必要があります。

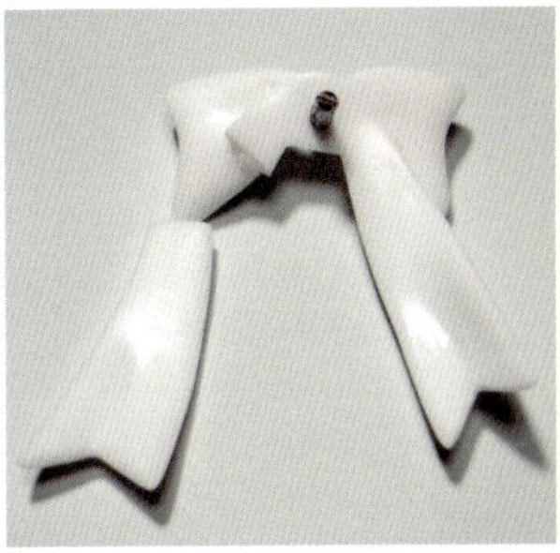

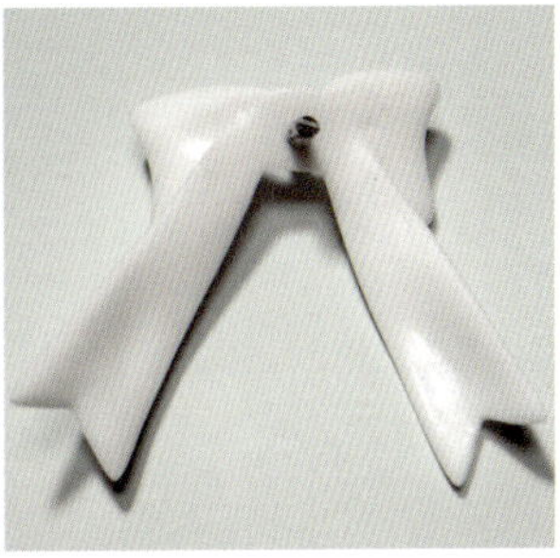

05

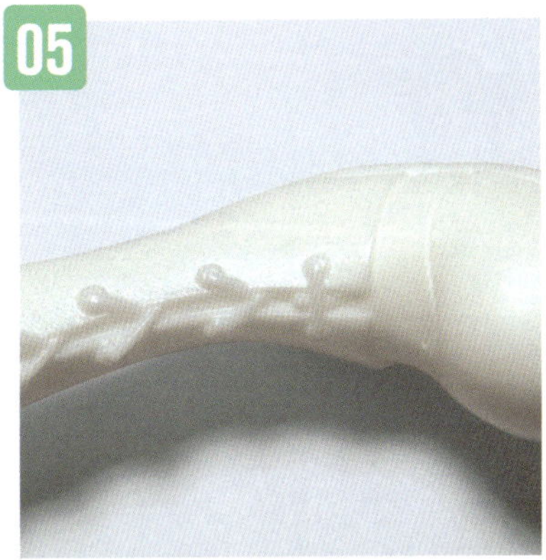

不要部分の切除②レジン玉

靴紐の上下にある丸い玉は、シリコーンゴムを流す際に原型とゴムとの隙間に入った空気です。空気が抜けずにゴムが硬化したため、その空洞部分にレジンキャストの樹脂が流れ込み、玉のような不要部分となっています。

06

こじればすぐ取れる

本来不要な部分なので切り取ります。彫刻刀やナイフで切り取ります。球状になっており、接地面は少ないので、すぐに取れるでしょう。

07

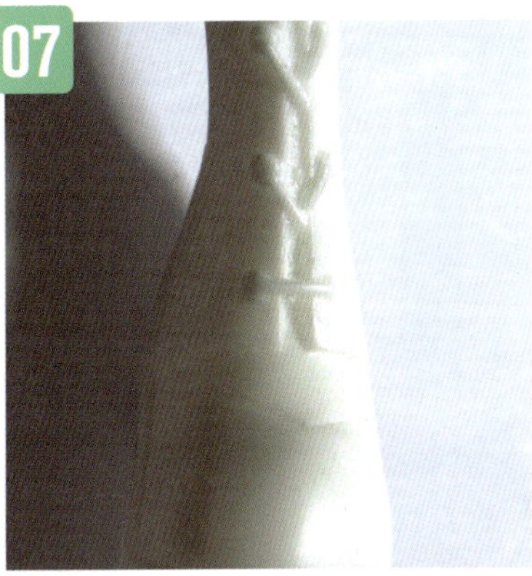

切除完了!

切り取ったところです。一番下段の横向きの紐の上下にあったレジンの玉を取り除きました。角度は異なりますが、05の写真と比べてみてください。

08

ダボ穴を救え!

ゲートの処理が済んだパーツをはめ込んだけどはまらない……こんなときはダボ穴の中を確認してみましょう。レジンキャストが流れてできた不要部分があったりします。

09

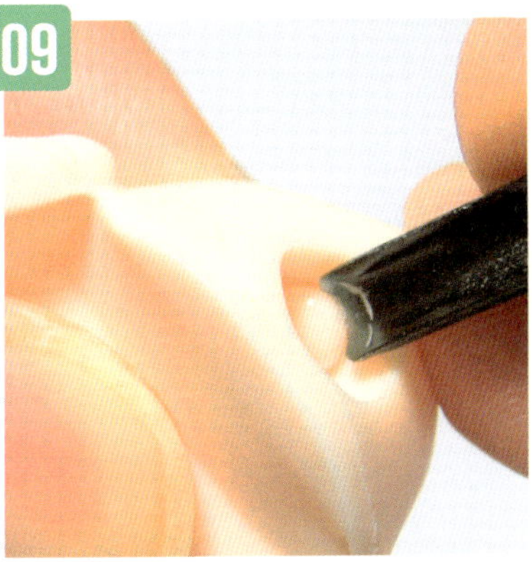

彫刻刀を使用して削り取る

レジンキャストキットは原型の周りにシリコーンゴムを流して反転型を作っています。その際、原型の穴の奥に空気の玉が残っていてシリコーンが流れなかった場合に、このような不要部分ができてしまいます。

10

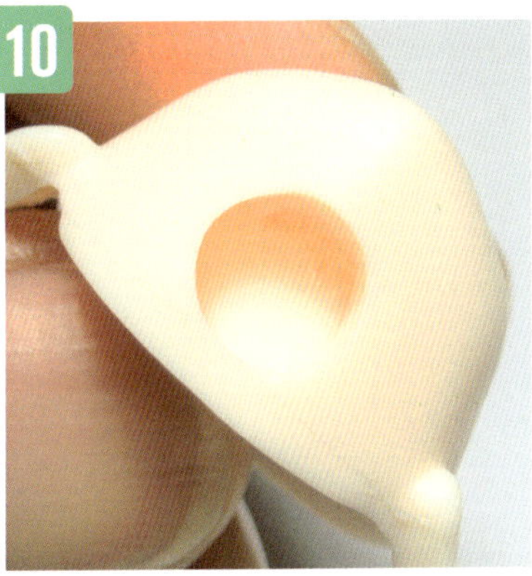

復活のダボ穴

このくらいきれいにしてください。ピンを差し込むための穴が埋まってしまっている場合もあります。この場合はピンバイスなどで適切な穴を開口します。

第3章①

本格的なレジンキットの制作準備

CHAPTER

05

仮組み

本格的なキットでも、いや本格的なキットだからこそ、最初に行わなくてはならないのは仮組みです。パーツ数も多く、構成も複雑になりますから、一度組み立ててみて不具合がないかを確認します。さらに、完成後の強度を保つために接続部分のダボに針金で補強を入れておきます。この作業を「軸打ち」と言います。接続がしっかりしていないキットや、ダボがないキットにも使える方法です。

胴体の軸打ち

上半身の肌の部分(首)と服の部分(胸部)はぴったり組み合わせられます。しかしダボは位置合わせ用に小さなものがあるだけで、すぐに外れてしまいます。

組み合わせた状態で

ずれないように二つのパーツを合わせて持ち、胸側からピンバイスで首側に貫通する穴を開けます。胸のパーツの中央にあるアタリをもとに開けます。

ぴったり合う穴ができた

ピンバイスの径は2.0㎜を使用しました。どのくらいの径の穴を開けるかは接続する部分の強度をどのくらいにしたいかによります。太い部分には大きめの穴を開けます。強度を高めたくても接続面が小さい場合は、小さい穴を開けるしかありません。その場合は金属線をアルミではなく真鍮線にします。

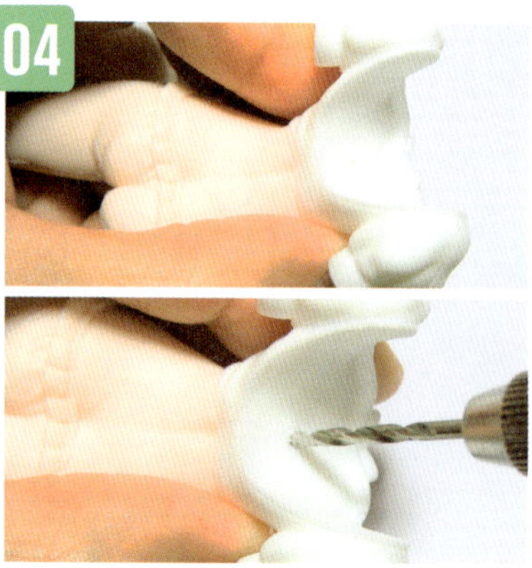

次はおなかと

外した胸パーツを今度はおなかのパーツと組み合わせます。先に開けた胸の穴にドリルを差し込み、おなか側に穴を開けます。ここも、ずれないように気を付けて穴を開けます。

穴がずれてしまったら

中心に開けたつもりでも、ずれている場合があります。その場合は、接続部分の穴の入口部分を少し広げます。どちらにずれているかわかる場合は、ずれている側と反対側を広げます。アルミ線を使用しておけば、多少は曲がるのでぴったり、はまるようになります(写真)。入口部分を広げた際に接続用の金属線が抜けてしまう場合は穴が浅く、金属線が短いので、もっと深く穴を開け、新しく長い金属線に取り替えます。

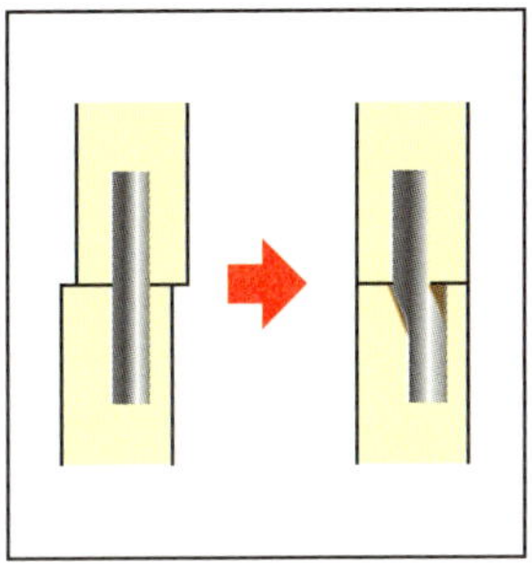

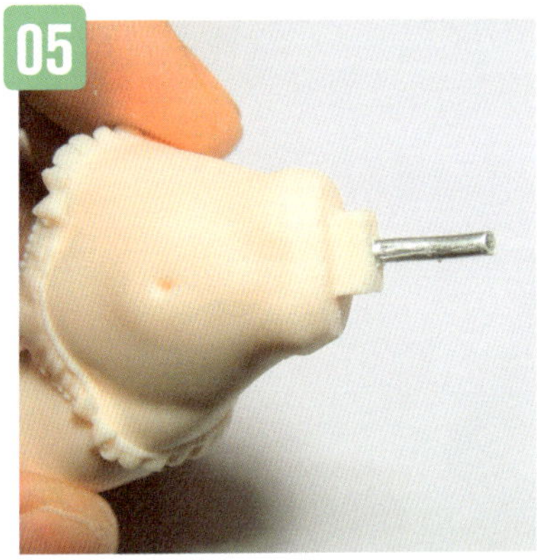

首、胸とおなかを1本で

3つのパーツに穴を開けられました。これで、この3つのパーツは1本の針金で接続できるようになっています。おなかのパーツに2.0㎜のアルミ線を挿します。

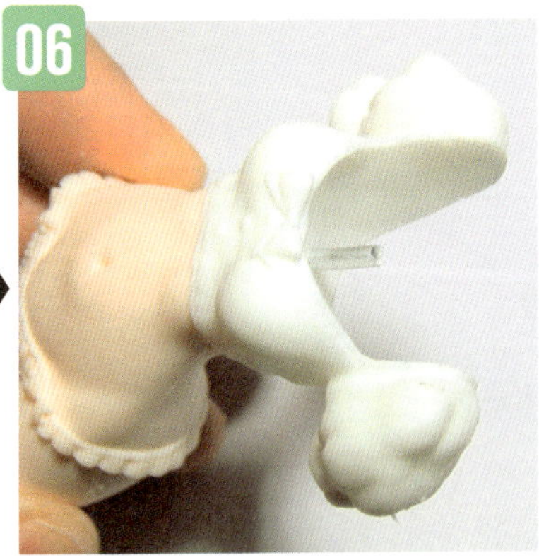

おなかと胸の接続

おなかのパーツに挿したアルミ線に胸を差し込みます。おなかのパーツの先端のダボにしっかりはめ込めます。

おなかと胸に首を接続

胴体部分の軸打ちが完了しました。首とおなかのパーツで胸パーツを挟み込む形になっています。

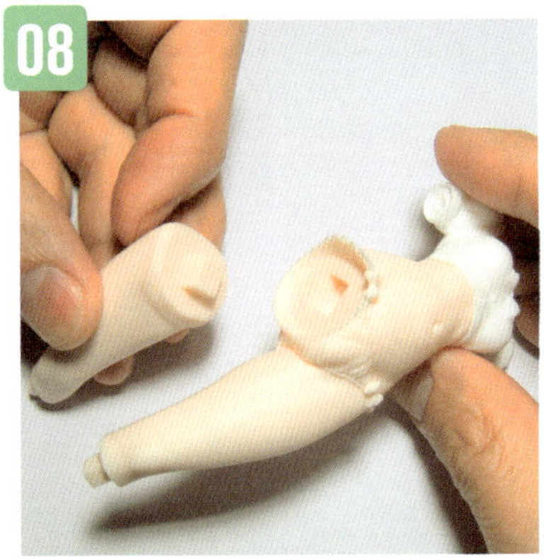

脚の付け根

しっかりしたダボによる接続部分ですが、保持できるほどではないので、ここも軸打ちします。

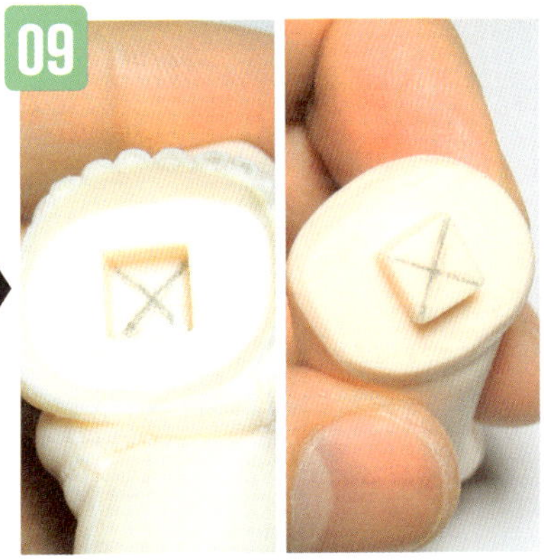

ダボ、ダボ穴に印を付ける

接続する金属棒を同じ位置にはめるために、ダボとダボ穴の両方に対角線を描き中心を取ります。

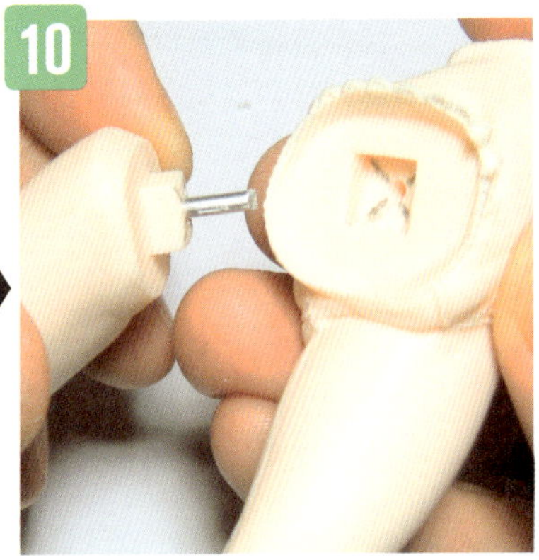

穴を開け、はめ込む

両側にピンバイスで穴を開けたらアルミ線を挿して接続します。四角いダボとダボ穴の場合はこの方法で接続が可能です。他の部分も同じように加工しましょう。

第3章①

本格的なレジンキットの制作準備

CHAPTER 06

軸打ち①

引き続き、軸打ちをしていきましょう。ダボがない部分や、アタリ程度でしかないダボの部分に軸を打つ方法を見ていきましょう。貫通させても良い部分と貫通させたくない部分でやり方が変わります。キットの状態や仕上げの方法に合わせて使い分けます。

01

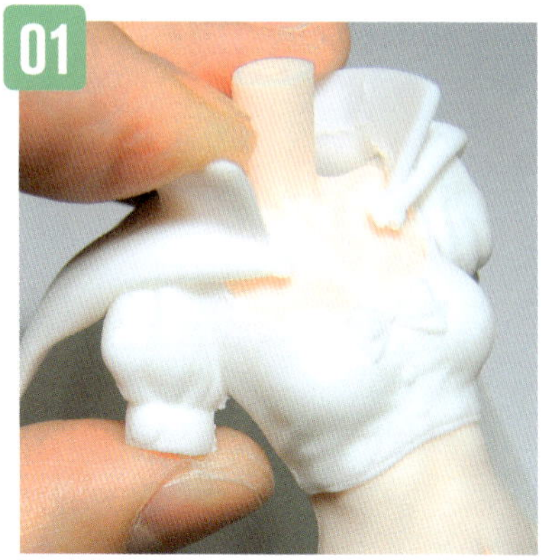

ダボがない部分の接続

マントは肩に接着するようになっています。マントは肩の形にへこんでいるのですが、ダボなどはありません。意外と力のかかる部分なのでしっかり付けたいものです。

02

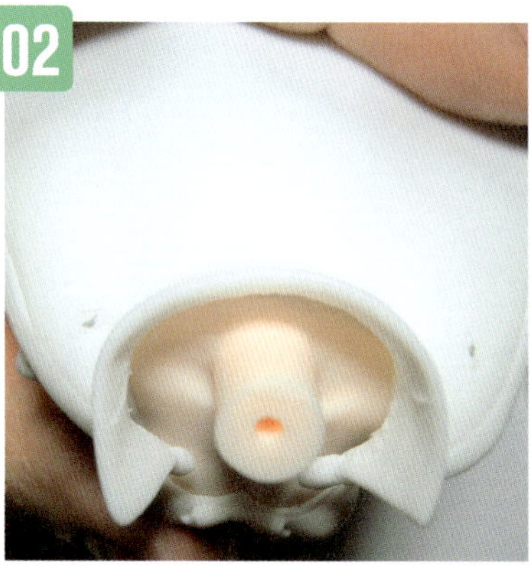

マントはあまり厚くないので

接続の強度を稼ぐために、マントから肩に向けて貫通させて金属線を入れることにしました。手で合わせた上でよく確認し、穴を開ける場所を決めました。

03

アタリに従って穴開け

ピンバイスでマントに穴を開けます。両側とも開けます。ここも2.0㎜径のドリルを使用しました。

04

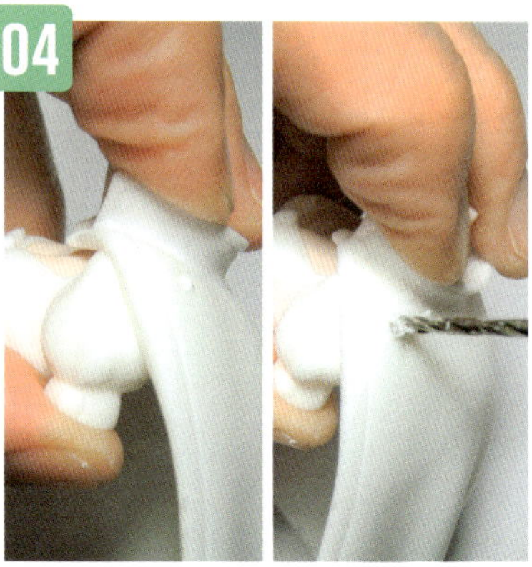

肩まで貫通

穴が貫通したマントを肩にぴったりはめて持ち、ピンバイスを挿して肩に穴を開けます。

必要な部分を切り取ってしまった

一番左が、ゲートが付いたパーツの最初の状態。真ん中が正しい状態に切り取られたパーツ。右が、パーツ部分をゲートだと思って切り取ってしまったもの。たくさんのパーツを作業していると、このようなミスが……。この場合は、慌てず騒がず瞬間接着剤で接着。隙間をシアノンなどで埋めれば良いでしょう。または、この軸を真鍮線など別のものに置き換えてしまう手もあるのですが、それはまたの機会に。(168ページ参照)

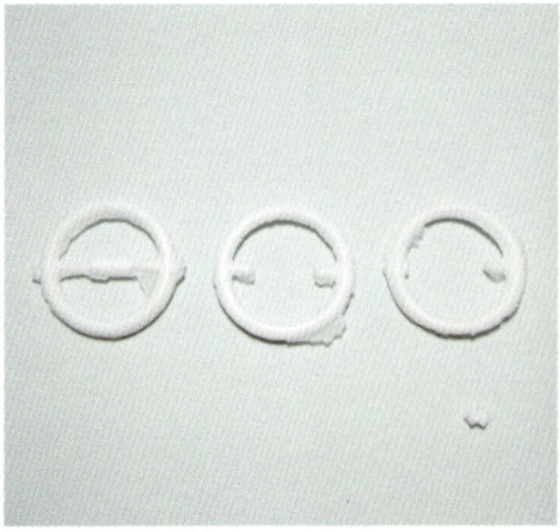

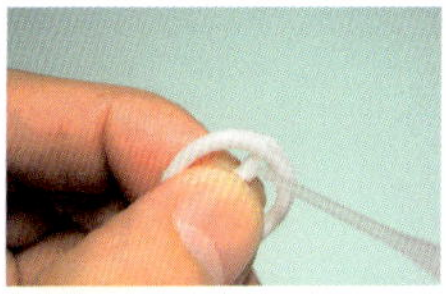

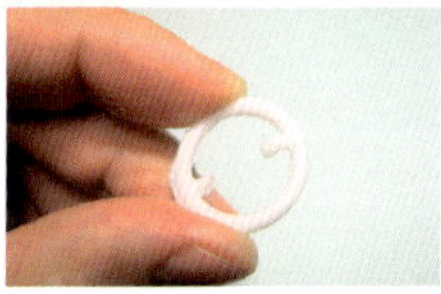

05

肩に穴が開きました

穴が浅いようなら、ピンバイスでもう少し深くしておきます。マントを着脱可能にしたい場合はネオジウム磁石などを埋め込む方法もありますが、今回は取り外さない前提で穴を開けています。

06

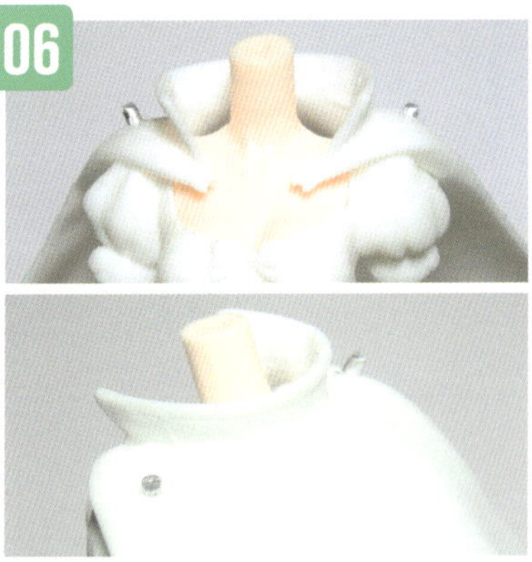

固定完了

完成時に針金が出ていると変なので適当な長さでカットし、その後、貫通させた穴を埋めて整形してから塗装します。そうすることで目立たなくなります。ただし、サーフェイサーを吹かないサフレス塗装の場合にはこの方法は使用できません。

07

顔のパーツ

顔のパーツには、前髪の突起がはまるダボ穴があります。このダボ穴をアタリにして、頭頂部にドリルで穴を開けます。

08

前髪のパーツ

逆に、前髪のパーツには顔(頭)にはまるダボがあります。突起を削って穴を開け、接続用の針金に置き換えます。

09

突起の先端は丸いので

丸い面に穴を開けるのは滑ってしまい難しいので、平らに削ってから穴を開けると良いでしょう。

10

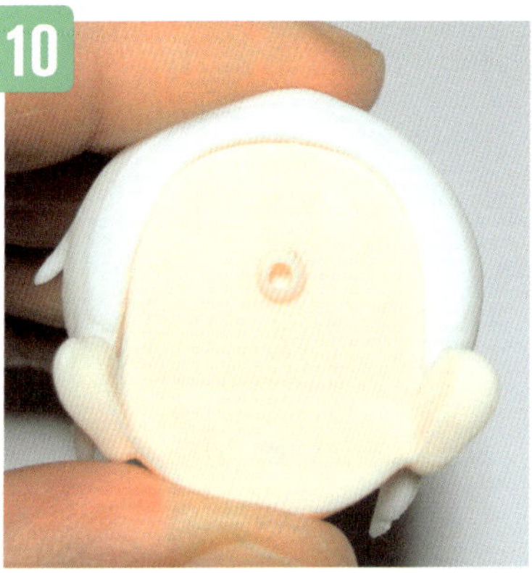

ぴったりはまる

前髪がぴったりはまりました。顔のパーツの裏には後頭部にはまる突起もあります。前髪の突起同様に穴を開けておきました。

CHAPTER 07

軸打ち②

帽子やリボン、髪などを接続します。これらのパーツは、接着位置はわかっているのにダボがないパーツや、厚みが限られているので下手に穴を開けると貫通してしまうパーツ、接着位置が明確でないパーツなどなかなか曲者揃いです。基本的にはこれまでと同様ですが、実例を見て、より理解を深めてください。

01

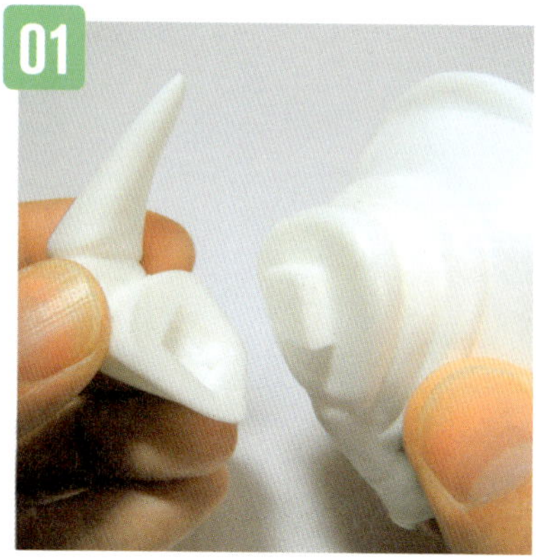

帽子

帽子の先端とつばの部分が別パーツになっています。帽子の先端部のダボ穴には例のレジン玉がありますので削ってきちんとはまるようにしておきます。

02

髑髏の固定

帽子の表面に髑髏が付くようになっています。ダボなどはありませんので金属線で接続しておきます。合わせてみて、髑髏の付く位置のアタリを鉛筆などで書き込みます。

03

アタリの中心に穴開け

厚みのありそうな部分に穴を開けます。この穴は貫通させます。穴を開けるのが薄い部分だと差し込んだ金属線をしっかり保持することができません。その場合は再度の別の箇所に開けてください。

04

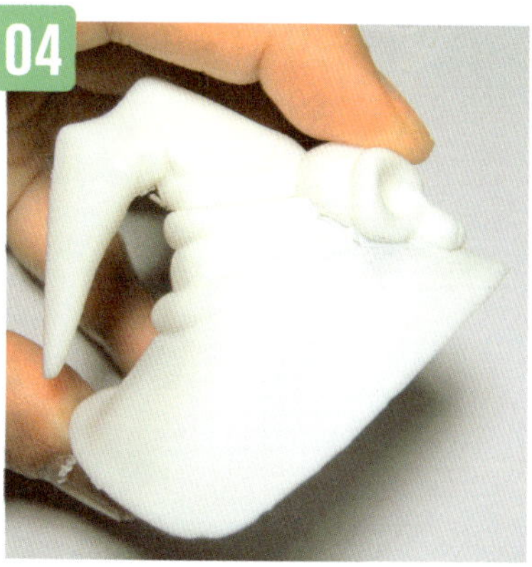

組み合わせて持ち

貫通後、髑髏を帽子の該当位置に固定して持ちます。固定した状態で裏返します。髑髏をマスキングテープで止めて固定しても良いです。

穴を開けるのは後回し

薬ビンのふたには、なにやらタグが付くようになっています。タグには細いワイヤーが通してあり、そのワイヤーでビンに留まるようになっています。荷札のような感じですね。ワイヤーを通す穴を開けたいのですが、穴の位置の印がありません。タグの文字はデカールを貼って表現するようになっているのですが、そのデカールに穴の位置が印刷されています。ということは、デカールを貼ってからでないと穴の位置が確定しないということです。やむなく、タグに穴を開ける作業は後回しにしました。ときにはこんなこともあるのです。

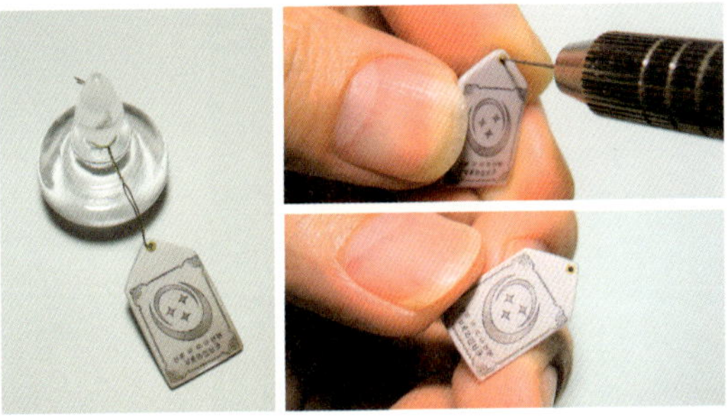

05 裏から穴を開ける

貫通した穴からピンバイスを入れ、固定した髑髏に向かって穴を開けます。髑髏を貫通させないように注意して開けます。開けた穴に接続用のアルミ線を挿し、抜けないように瞬間接着剤で固定しておきます。

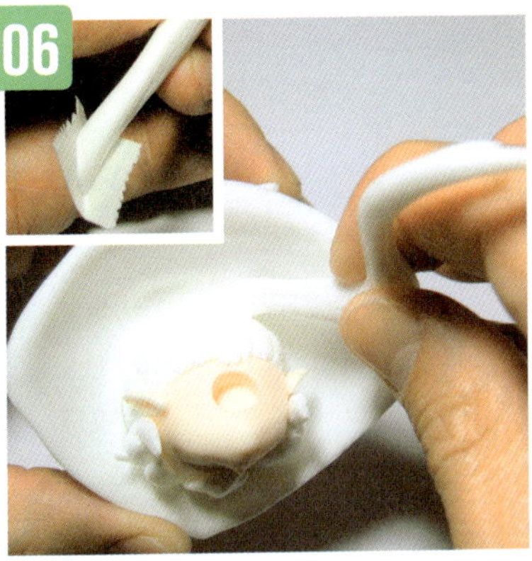

06 ポニーテール

このキャラクターは帽子をかぶせると後ろからポニーテールがはみ出します。パーツとしては途中からしかなく、帽子の裏に固定するようになっています。ここも接着だけでは弱いので軸打ちをしましょう。接続部の先端に両面テープを貼り、仮止めします。

07 アタリを取ったら外す

接続する位置のアタリを書き込みます。その後、一度ポニーテールを外し、頭部を取り外してからアタリの位置に再度貼ります。ポニーテールと帽子の同じ箇所に印を付けます。

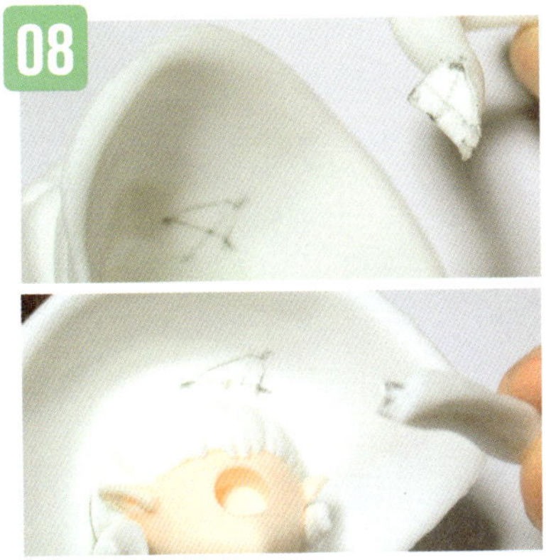

08 印をもとに

印同士を結び、交点に穴を開けます。帽子側、ポニーテール側、それぞれに穴を開け接続用のアルミ線を挿せば、この部分の軸打ちは完了です。

09 ポニーテール

帽子をかぶっていないとき用のポニーテールとリボンのパーツです。リボンとポニーテールはダボで組み合わさるようになっていますが、後頭部には穴しかありません。ポニーテールにリボンを差し込んだ状態で開口します。

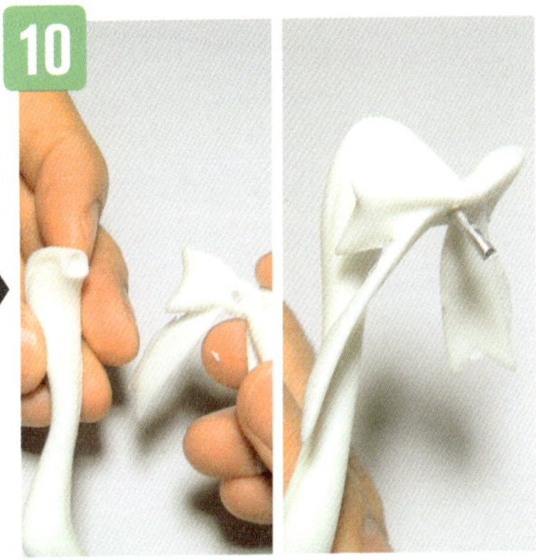

10 接続ピンができた

リボンを貫通しポニーテールまで穴を開けます。アルミ線を挿しました。これで後頭部に差し込めるようになります。この接続部分を接着しなければ完成後も、帽子との付け替えが可能です。

CHAPTER 08

仮組み完了

仮組みは、パーティングラインやゲートなどの処理すべき箇所、塗装や組み立ての段取りを検討するために行います。したがって、この段階では、あまり小さなパーツまで付ける必要はないでしょう。このキットでは、マントや杖の先の宝石やマントの留め具などは表面処理後にすることにしました。ただ、靴紐の結び目はダボなどが全くないので、位置決めと接着面の強度確保のために軸打ちをしています。

01

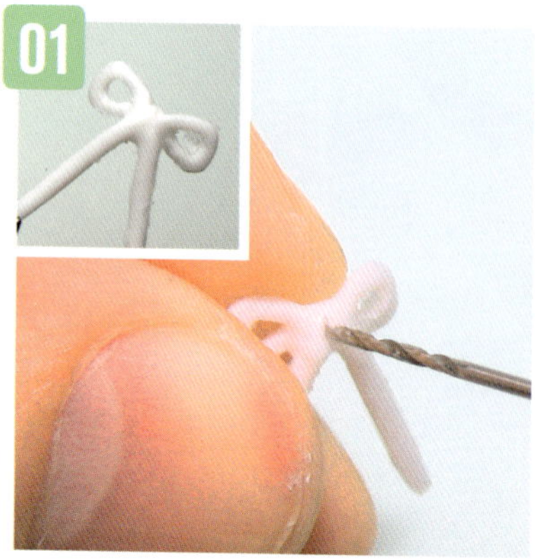

小さいところは細い針金で

ブーツの紐のパーツです。ここも接続のためのダボなどはありません。接着だけでは弱いので金属線で補強します。小さなパーツなので、ドリルの直径は0.8㎜を使用しました。厚みもあまりないので貫通してしまわないように注意します。

02

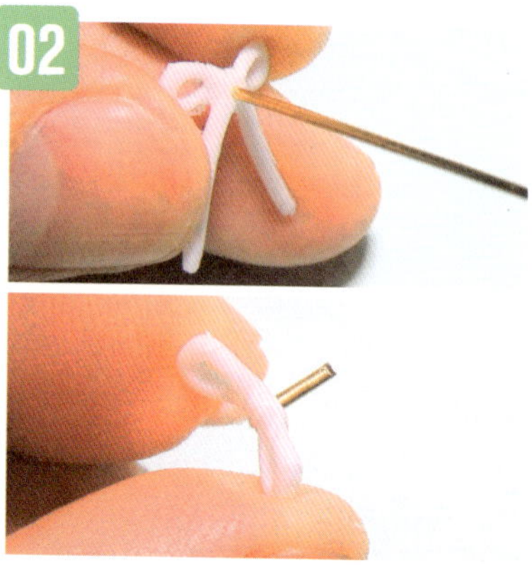

真鍮線は硬くて丈夫

0.8㎜と細い穴なのでアルミ線ではなく真鍮線を使用します。穴に真鍮線を差し込み、適当な長さのところをペンチの根元のカッターや金属用のニッパーでカットします。刃が痛むのでプラスチック用のニッパーは使わないようにしてください。

03

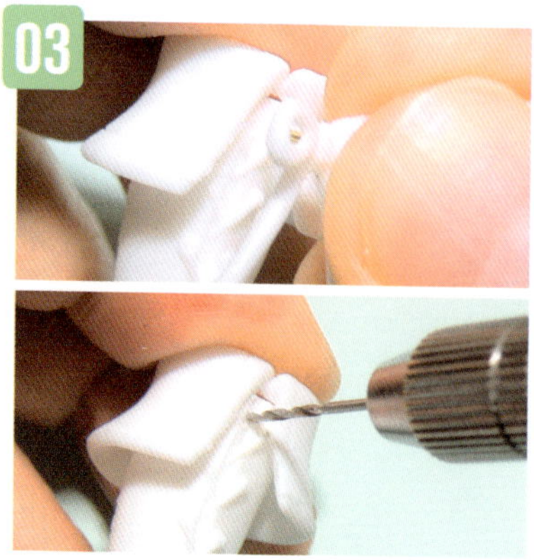

当てがって位置を確認

紐の付く位置にアタリを付け、ピンバイスで開口します。ブーツのパーツに折り返し部分を付け、紐のパーツを当てて全体の形を確認した上で行います。

04

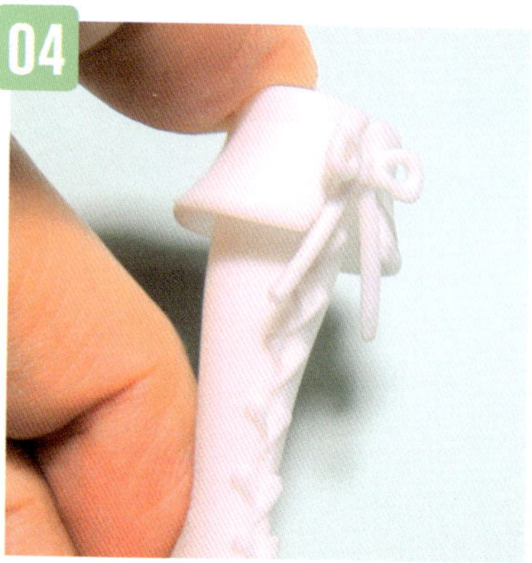

ブーツに紐を固定完了

ブーツの完成状態がわかります。細かなパーツは仮組み時には付けないことも多いですが、全体のイメージに影響する部分や軸打ちが必要な部分は取り付けておきましょう。

パーティングラインを処理しないと

仮組みの後は、ゲートやパーティングラインの処理、気泡埋めなどの作業を行うことになります。なぜ、パーティングラインを処理しなくてはいけないのか？　それは、パーティングラインを処理しないで色を塗ったらどうなるかを見れば一目瞭然です。左の写真はパーティングラインを処理せずにサーフェイサーを吹いたもの。右は、その上に白、肌色を吹いたものです。段差の部分が影となって目立ってしまい明らかにきれいではありませんね。パーティングラインの処理は大変ですが、やればやっただけの効果はあります。頑張って処理しましょう。PVC(ポリ塩化ビニル製)の完成品フィギュアの中にはパーティングラインの処理がしていないものもありますが、それらは少し残念な感じがしてしまいますよね。

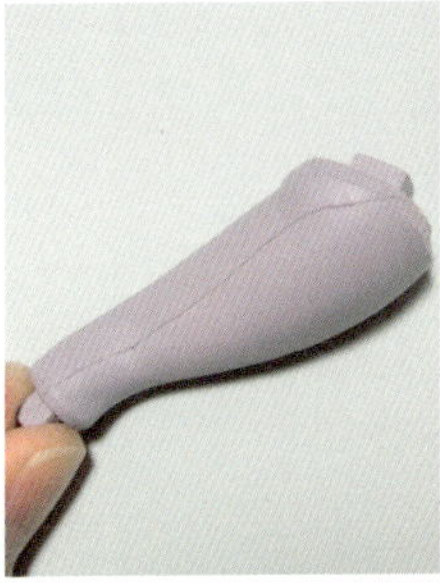

05

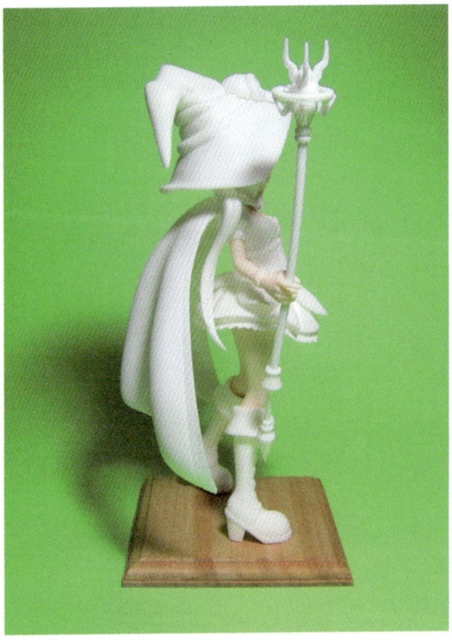

仮組み完了

仮組み、軸打ちが完了した状態の写真です。大体の感じがわかれば良いので細かなパーツまでは付けていません。カラーレジンキットのとき同様、パーティングラインやゲートが露出する箇所の確認をします。また、気泡処理が必要な箇所も確認します。第2章に使用した「ちびかんたんタン」にはあまり気泡はありませんでしたが、一般的なキットではたくさん存在します。

第3章①

本格的なレジンキットの制作準備

CHAPTER

09

気泡処理

仮組みが完了し、どこが表に出るかわかったら気泡の処理をします。気泡を埋めるにはいくつかの方法があります。その中から代表的なマテリアルを使用した方法を紹介します。当然、それぞれのマテリアルによってメリット、デメリットがあるので場所や用途によって使い分けましょう。また、マニュアル通りではない方法もありますが、問題なく使えるどころか、こちらのほうが良いくらいですので試してみてください。

01

方法①SSP(瞬間接着パテ)

HGパウダーを容器からスプーンですくって出します。 説明書には混合比の記載がありますが、台紙の上に必要量だけ出せば良いでしょう。

02

液とパウダーを混ぜて使用

HG液を出します。こちらも必要量だけ出します。台紙の上のパウダーとは別の場所に出してください。HG液は薄い紫色をしており、硬化後も薄い紫色です。今回の通常塗装では問題ありませんが、第4章で紹介するサフレス塗装には向きません。

03

混合比は好みでOK

HGパウダーとHG液を混ぜます。スプーン擦り切り1杯につき、9～12滴が適量とありますが、お好みで混ぜて構いません。パウダーが多い場合は粘度が高くなり、早く固まります。逆に、HG液が多い場合は粘度が低くなり、硬化はゆっくりになります。

04

少し盛り上げ気味に

混ぜたSSPをヘラですくって気泡の部分に充填します。固まるとヒケる(へこみができる)ので多めに盛ります。

糸を引くようになったら

化学反応で硬化するパテや接着剤などは、ある一定の時間を過ぎると固まり始め、粘度が高くなるので盛り付けなどができなくなります。糸を引くようになったら相当固まりかけてきています。作業できる時間は主剤と硬化剤の分量比はもちろん、気温や湿度などに影響されます。どのくらいの時間で硬化するのか、どの程度の量だったら使い切れるのかは、使っていくうちに身に付いていくでしょう。はじめのうちは、一度に大量に混ぜてしまわないのがむだにしないコツです。

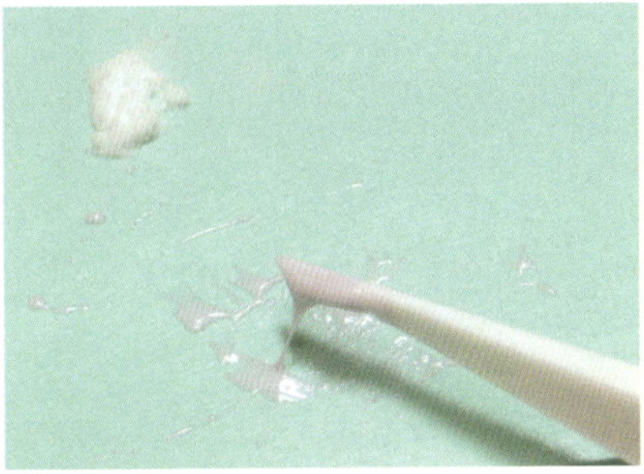

05

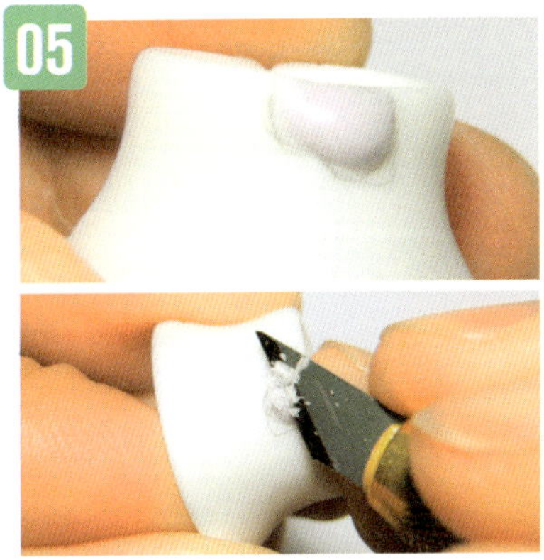

硬化したら削る

表面のツヤがなくなったら硬化しています。ナイフで大まかに削ってからヤスリで整えると良いでしょう。硬化後の切削性は良好で、さくさくという感じで削れますが、欠けやすいので注意しましょう。

06

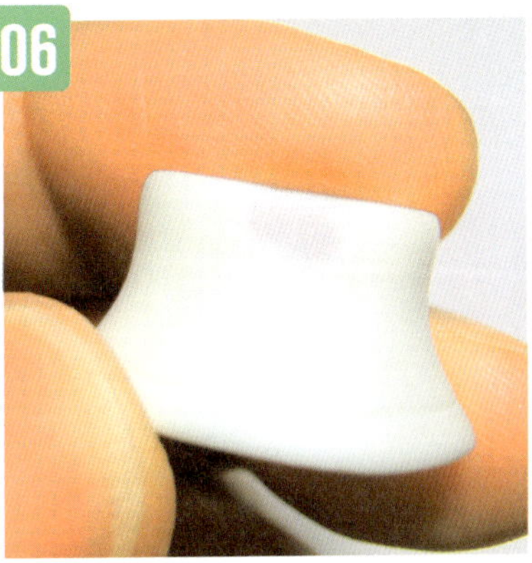

処理終了

ヤスリがけをして完了です。硬化後も、少し、薄い紫色なのがわかります。

07

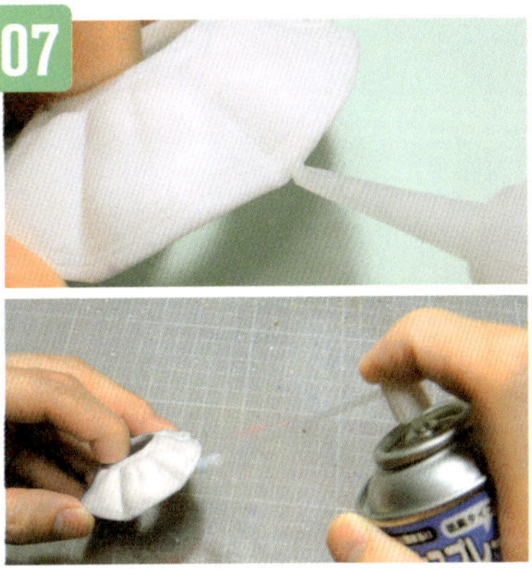

方法②シアノン

シアノンは、SSPのように盛り上げや充填には不向きなので、小さな気泡を埋めるのに使用します。硬化までの時間が長いので、その間に触らないように注意が必要です。必要に応じて瞬間接着剤用の硬化促進スプレーをひと吹きすると一瞬で硬化します。吹きかけた直後は黄色く変色しますがもとに戻ります。

08

方法③シアノン+SSPのHGパウダー

大きな部分の気泡を埋めるのは難しいシアノンですが、HGパウダーと混ぜることでSSPと同じような使い方ができます。ただし、このためにSSPを買うわけにはいかないですね。私の場合は、固まってダメにしたSSPの分のHGパウダーがあったので、それを使用しています。

09

最強の組み合わせかも知れない

パウダーとシアノンの量と硬化までの時間はSSPと同じような感じですが、SSPよりも急に硬化するような印象がありました。硬化した直後は、粘りけがあるので、少し待ってから削るほうが良いでしょう。ちなみにHGパウダーは「ベビーパウダー」でも代用できますが、硬化に時間がかかるようです。

10

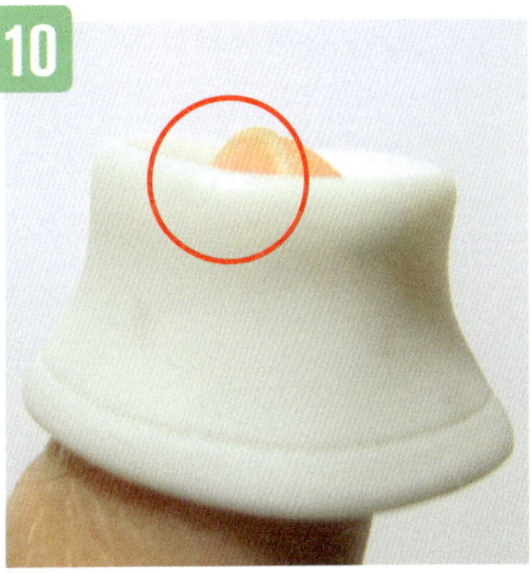

サフレスにも最適

SSPと違い白いのでレジンキャストの白地とは良い相性です。硬化後、削って表面を整えたところ。○で囲った部分がシアノンを盛り付けたところです。ほとんど区別がつきません。

第3章①

本格的なレジンキットの制作準備

CHAPTER

10

気泡や傷の修正

修正の方法をもう一つ紹介します。前ページの3つと併せて、必要に応じて適材適所で使用して全ての気泡や傷を処理しましょう。また、表面に薄く皮がかぶった状態の気泡の処理も行います。中のほうにある気泡は問題ありませんが、パーツの表面近くにある場合は、作業の途中で穴が開いてしまったり、塗料やサーフェイサーの影響でへこんでしまう可能性があるからです。

01

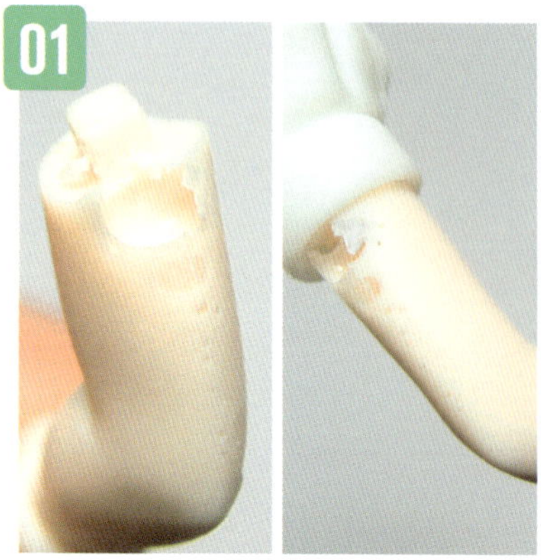

レジン片による気泡埋め

腕の付け根に存在する気泡です。袖にはめ合わせても隠れません。これをレジンの欠片で補填します。

02

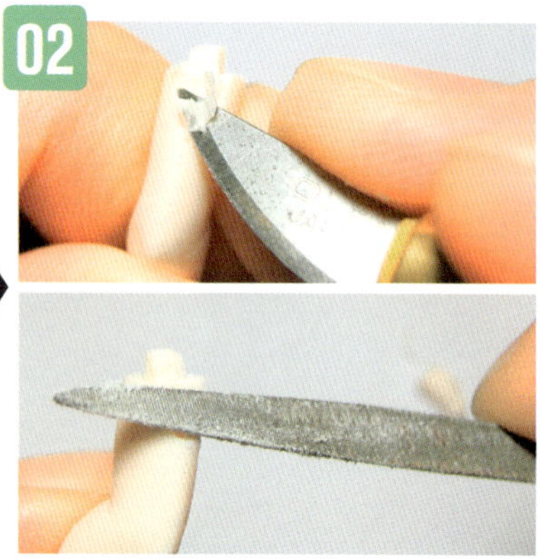

大胆に切除

まずは気泡部分をアートナイフで切り取り、ヤスリがけして円筒形に削ります。 ヤスリは半丸を使用しています。

03

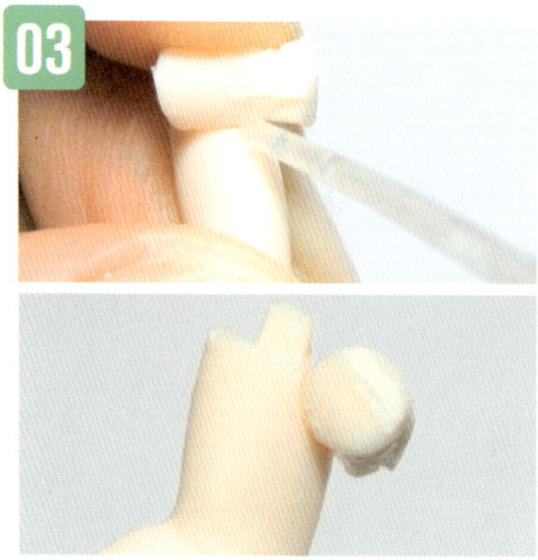

このときのために！

ゲート処理などで切り取ったレジン片の中からちょうど良い大きさのものを瞬間接着剤で接着します。029ページでカラーレジンキットを制作する際に紹介しましたが、不要部分であるレジン片を残しておくのはこのときのためだったのです。

04

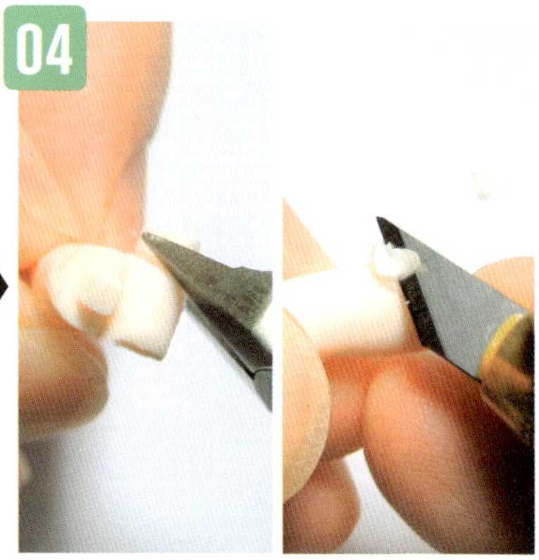

不要部分は切除

接着できたら、大まかにニッパーで切り取ってから、ナイフで削いでいきます。アウトラインを意図したラインに削ります。ある意味この辺の作業ができれば、造形もできるのですが。

見えないところは

写真はブーツのパーツの薄皮気泡ですが、折り返し部分が上に付くので全く見えなくなります。こういった見えないところはやらなくて構いません。非常に大変な気泡処理ですので、少しでも省きたいものです。ただし、やり忘れては元も子もありませんので、仮組み時にしっかり確認することが必要です。

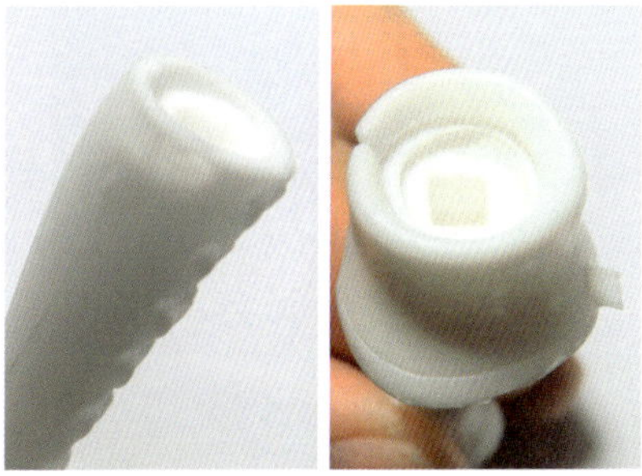

05

削って仕上げる

ヤスリがけして整えたら完成です。指の先端や髪の毛の先端などの尖った部分が欠けている場合も同様に処理が可能です。

06

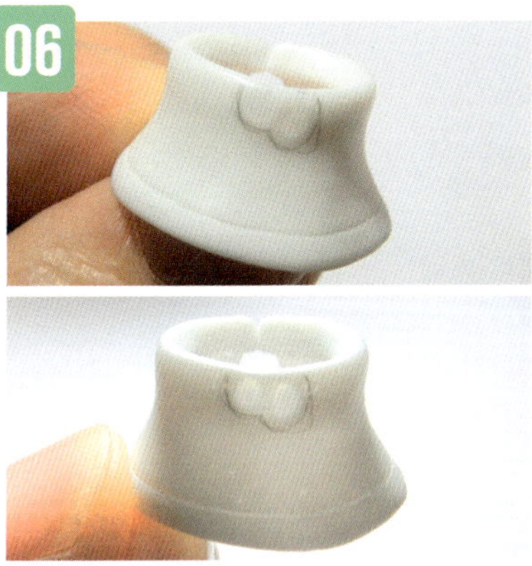

薄皮状の気泡

通常の気泡は初めから穴が開いていますが、中のほうにあって透かしてみると存在するのがわかる気泡があります。

07

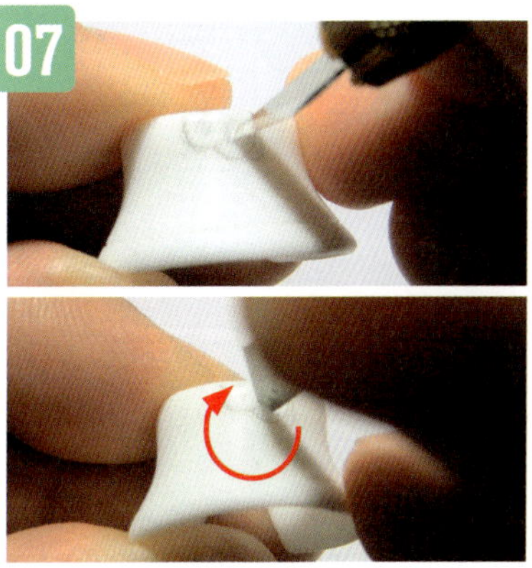

ナイフでぐるっと

そのままでは埋められませんので開口します。ナイフの刃を刺し、ぐるっと回転させて薄皮部分に穴を開けます。

08

内部は広大だ

意外と内部の空洞が大きかったのがわかります。前ページで紹介したように、SSPかシアノン+HGパウダーを使って埋めます。

09

薄皮状のところにディテール

スカートのパーツです。ここにも薄皮状の気泡が存在します。表面には塗り分けラインのディテールがあるので、これは残して気泡のみ処理したいものです。

10

裏から埋める

裏側からナイフで表面のディテールを損なわないように穴を開け、裏側から気泡を埋めます。

第3章①

本格的なレジンキットの制作準備

CHAPTER 11

パーツ整形②

気泡以外にもパーツ本来の形にするために加工しなくてはならない部分があります。パーツの整形は、仮組み前にも行っていますが、仮組み前は主に組み立てに支障があるであろう箇所のみの加工でした。もちろん、仮組み前の段階で全てのパーツ整形を終えても良いのですが、組んでみなければわからない部分もあるため、むだになる部分や、後から追加の作業が必要になる部分などが出てきてしまいます。そこで、面倒でも2回に分けて作業しています。

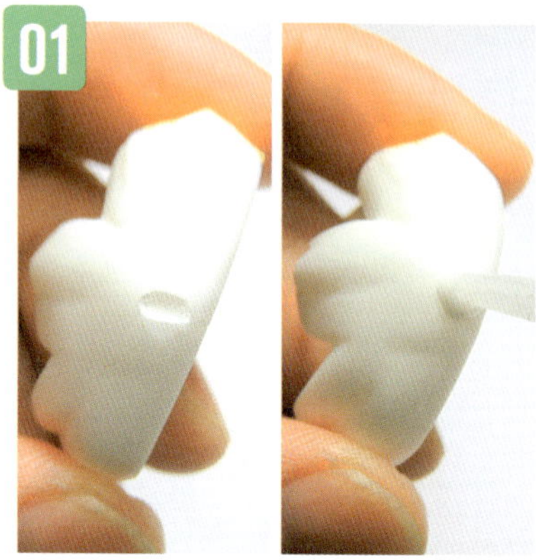

ゲートカット時の傷

自分でゲートをカットした際だけでなく、生産者がランナーからパーツを切り出す際に傷付いてしまうケースもあるようです。こういったところは気泡と同様に埋めておきます。シアノン+瞬間接着剤用の硬化促進スプレーで手早く対処しました。

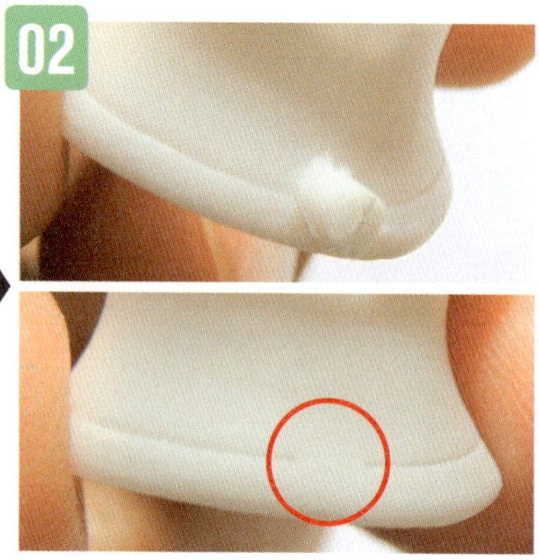

ゲート部分のスジ彫り

ブーツの折り返し部分のパーツです。下部にラインがあるのですが、そのラインの途中にゲートが存在します(仮組み前の段階でゲート処理は済ませています)。通常のゲート同様ナイフで切除し、ヤスリがけをして仕上げましたが、見事にスジ彫りが分断されています。

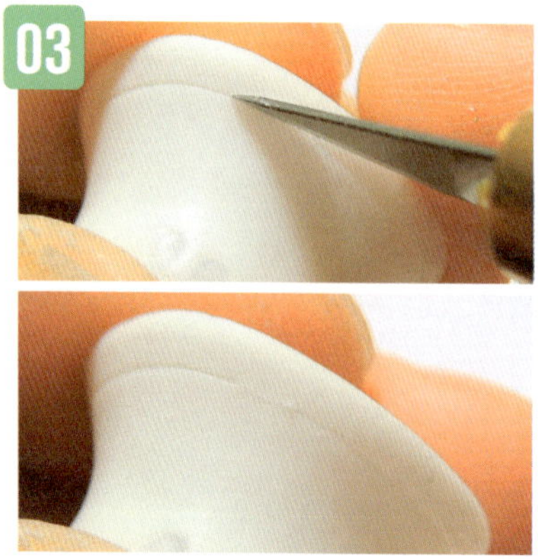

アタリはナイフで

スジ彫りを繋ぐように、アートナイフで切れ込みを入れます。フリーハンドで行いましたが、場合によってはマスキングテープをガイド代わりに貼っても良いですね。

アタリを広げる

ナイフで入れた切れ込みを目立てヤスリでなぞって、他の部分と同じ太さまで彫り込みます。その後、彫り込んだミゾの中を紙ヤスリできれいにします。

爪で確認

気泡や傷をSSPやシアノンで埋めたところがきれいに仕上がっているかは、なかなかわかりづらいものです。特に白いシアノンで埋めたところは色も近いのでなおさらです。そのようなときは、きれいに面が繋がっているかを確認するのに、爪で表面をなでてみることをおすすめします。案外、爪の先の感覚は鋭敏でほんの少しの凹凸も感じることができるのです。何かコツンと当たるようなら段差があるので、再度処理しなくてはなりません。

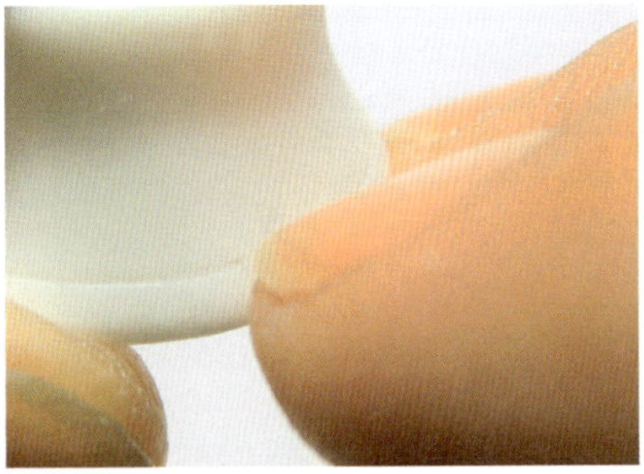

05

スジ彫りの復活

仕上がり状態です。このパーツの上方に薄皮状の気泡が存在しています。じつは、気泡処理の前にスジ彫りの復活を行っていました。紹介としては逆になってしまいましたが、どちらを先に処理しても問題はないでしょう。

06

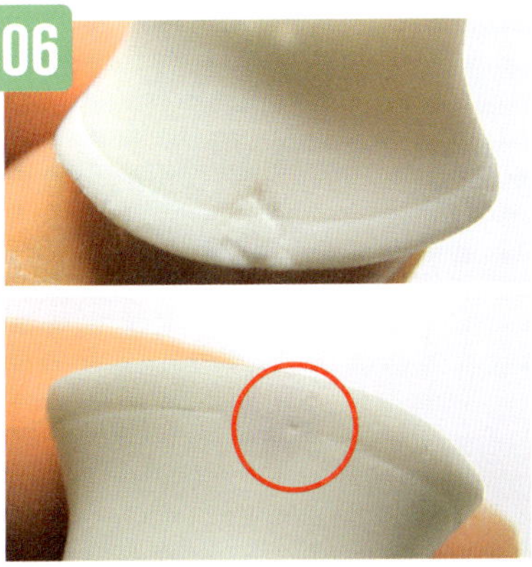

ゲート部分の傷

もう一つのブーツの折り返し部分です。どういう理由からかゲートの周りに傷があったので、SSPで埋めて整形しました。しかし、整形後に確認すると盛り付ける際に気泡が入ったのか、まだ埋まっていない部分がありました。

07

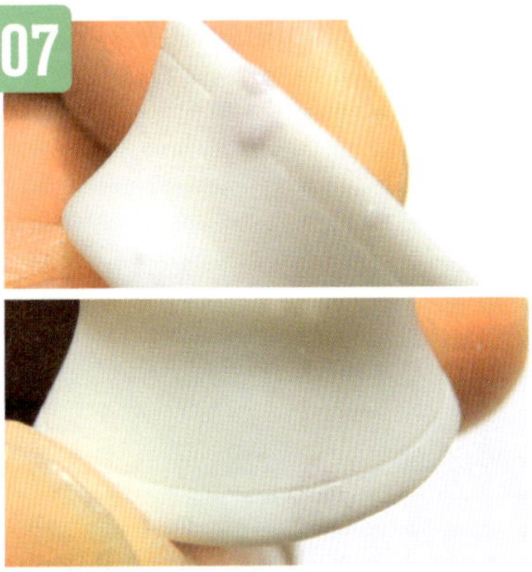

今度は大丈夫

再度SSPで埋めた後、目立てヤスリでスジ彫りを彫りました。もし気泡が埋まっていない場合は再度埋めます。完全に埋まってからスジ彫りを行います。

08

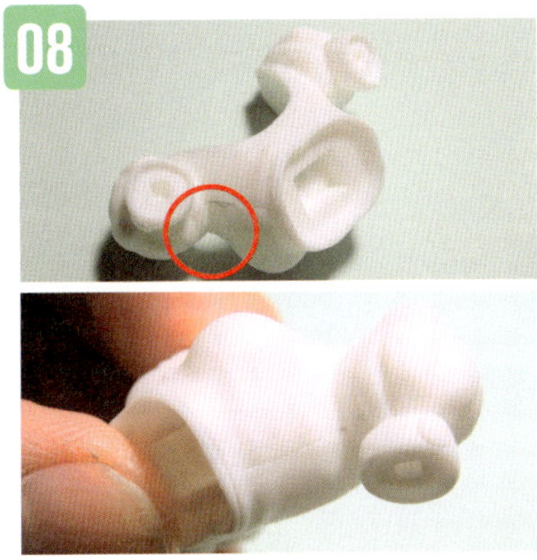

パーティングラインのスジ彫り

パーティングラインがあるせいで上着の縫い目のスジ彫りが途中で消えてしまっています。ナイフと目立てヤスリで彫り込みます。

09

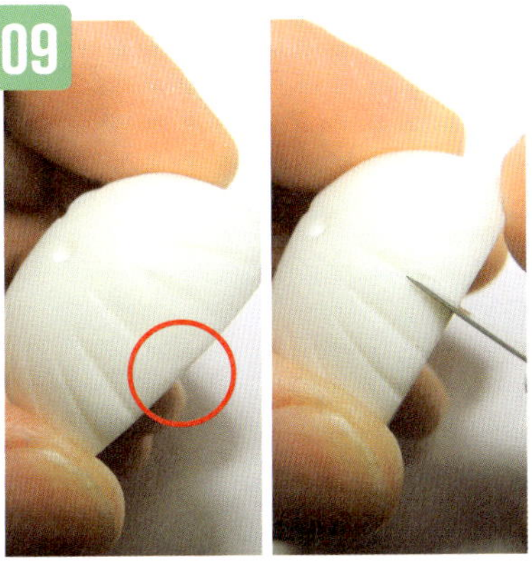

髪のモールドの復活

後頭部のパーツのゲート処理を終えたところです。ゲートがあったため、髪のモールド(流れ)が途中までになっています。まずはナイフでV字に切り込みます。

10

髪の流れに沿って

その後、半丸の金属ヤスリのエッジ部分を髪のモールドの方向に合わせて動かしてやって、ミゾを彫り込みます。

第3章①
本格的なレジンキットの制作準備

CHAPTER
12
パーツ整形③

引き続きパーツの整形を行います。これまでに説明してないクリアパーツの加工をします。特に気泡の処理は困りものです。なぜなら、SSPやシアノンは色が付いているので埋めたところがわかってしまうからです。対処法は本文を見てください。最後に、接着するだけでは不安がある箇所に、細い金属線で軸打ちをしました。色を塗ってから加工するより、先にやっておいたほうが良いと判断したからです。

まるでスリガラス

クリアパーツといえど、パーティングラインやゲートの処理は普通のパーツと同様に行います。金属ヤスリで加工した後、紙ヤスリで磨きます。磨くと透明度がなくなりますが、塗装で復活するので問題ありません。

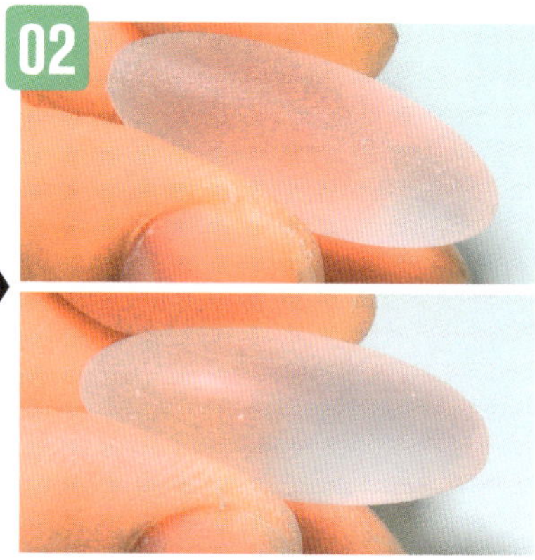

復活できるとはいえ

塗装すると透明度が復活するとはいえ、あまりに深い傷はそのまま残ります。上の写真のような状態では傷は消えません。下の写真くらいまで磨いておきます。

クリアパーツの気泡

マントの先に付く装飾の宝石です。見ての通り、気泡があります。ただ、このパーツは台座のパーツに接着するので、気泡部分を接着する側に向ければ目立たなくなります。なおピンバイスで気泡部分と台座に1.5㎜の穴を開け、金属線で接続しました。

どうしても埋めたい

クリアパーツの気泡を03のように接続部分にして目立たなくするなどの方法が使えず、埋めなくてはならない場合、瞬間接着剤を充填することで対処することができます。この場合は、ゼリー状や高強度などの粘度が高めのものを使用します。

塗装の前には掃除を

パーツの整形などの工作が終了して、いざ塗装となったら、その前に部屋を片付けましょう。仕事で制作していてさえ、造形(工作)用の部屋と塗装用の部屋を分けて持っている人は少数です。ましてや趣味でフィギュアを制作している場合、工作をするのも塗装をするのも、もしかしたら食事や睡眠さえも同じ部屋なことがあるでしょう。工作が終了したばかりの部屋には削りカスやゴミがたくさんあります。その中で塗装作業をするとどうなるか。エアーブラシから出た空気が削りカスやホコリを舞い上げ、舞い上がったゴミは塗装面に付着します。また、万が一、持ち手からパーツが外れて机の上や床に落ちた際には、ゴミまみれになってしまうでしょう。そうなってしまうと、その後の処理が大変です。それらを軽減するためにも、塗装前に工作時の汚れは取り除いておくことをおすすめします。

05

固まったら削る

充填した瞬間接着剤が固まったら、削ります。削ったものが下の写真。○印で囲ったところが充填した部分ですが、ほとんどわかりません。

06

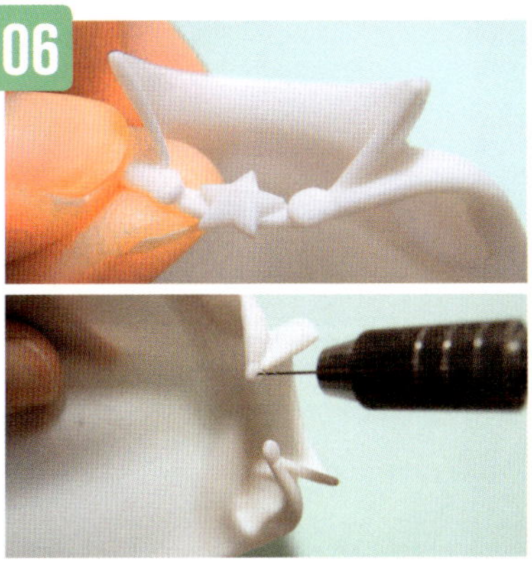

襟元のパーツの固定

塗装後に取り付けることを考えると、接続用のピンを付けておくほうが良いだろうと考えました。まずはマントのほうに穴を開けます。0.5㎜の穴を前から後ろまで貫通させるように開けます。

07

位置を合わせて開口

マントに開けた穴からドリルを差し込み、固定する位置に当てて持った襟元のパーツのしかるべき位置に穴を開けます。

08

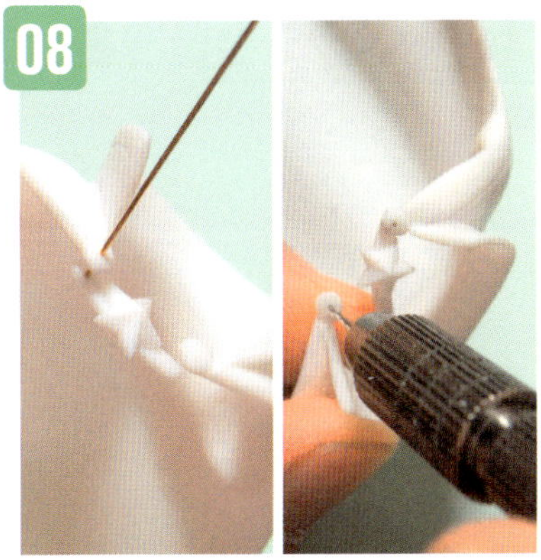

片方が固定されているので楽

開いた穴に真鍮線を通し、襟元のパーツをはめます。もう一方の接続箇所は、襟元のパーツを避けた状態でマントに穴を開け、その後、襟元のパーツを固定する位置に合わせてから07と同様の作業で穴を開けます。

09

開いた穴に真鍮線を差し込み固定

真鍮線が飛び出していたり、穴が開いていたのでは、もとの絵とは異なるので、真鍮線を短めにして穴から飛び出さないように固定して、穴の先端をシアノンやSSPで埋めて完成です。

10

全てのパーツ整形が終わったら

第2章のときと同様、パーツの洗浄を行います。洗浄によってパーツに付いた汚れ(手垢や削りカス)を取り除きます(060～061ページ参照)。塗装は、よく乾かし水分が残っていない状態で始めます。

第3章②

下地・白・肌色の塗装

CHAPTER

13

エアーブラシ塗装の基礎

いよいよエアーブラシを使って色を塗っていきます。「エアーブラシ」とは、圧縮した空気で塗料を霧状に吹き付ける道具、または、その技法を指します。エアーブラシには「シングルアクション」と「ダブルアクション」の2種類があります。シングルアクションは、安価なのですが、ボタンを押すと塗料と空気が一緒に出てしまうため、細かな調整ができません。ダブルアクションはボタンを押し込むと空気が出て、ボタンを引くことで塗料が出るようになっています。ボタンの押し込み具合と引き具合の両方で吹き付け方を調整できるのがメリットです。本書では、ダブルアクションを使用して制作していきます。

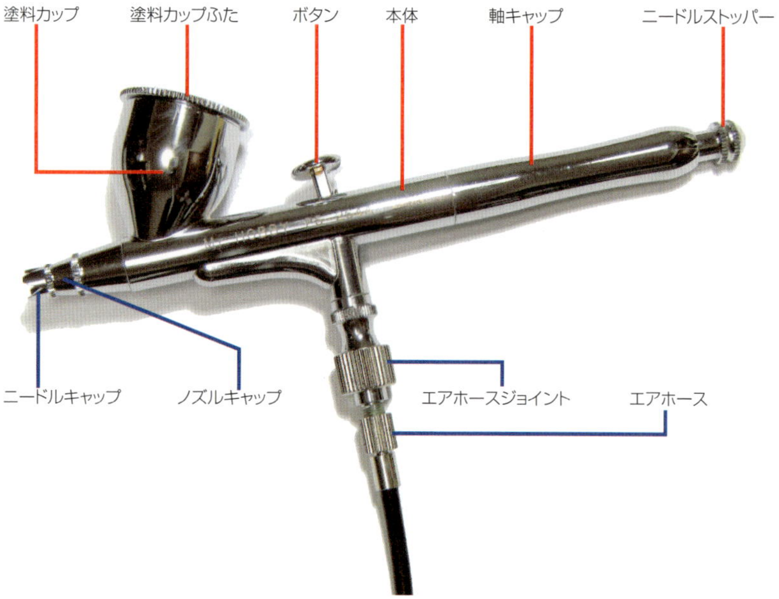

エアーブラシの各部名称

写真は私が使用しているGSIクレオス製の押ボタン式ダブルアクションのエアーブラシです。メーカーや機種によって多少の違いはありますが、おおむねこのような構造をしています。

▼ニードルキャップを外したところ

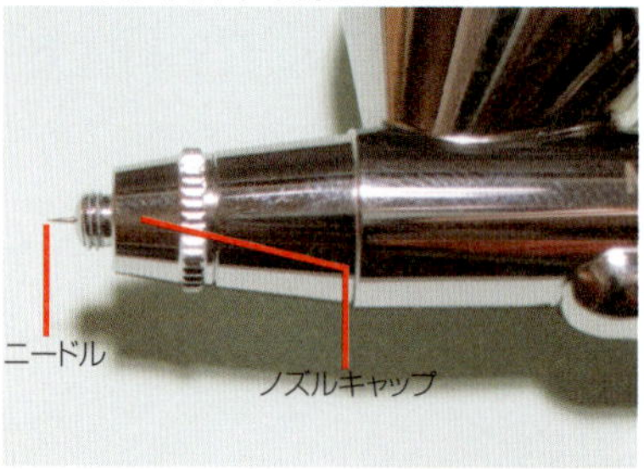

▼ノズルキャップを外したところ

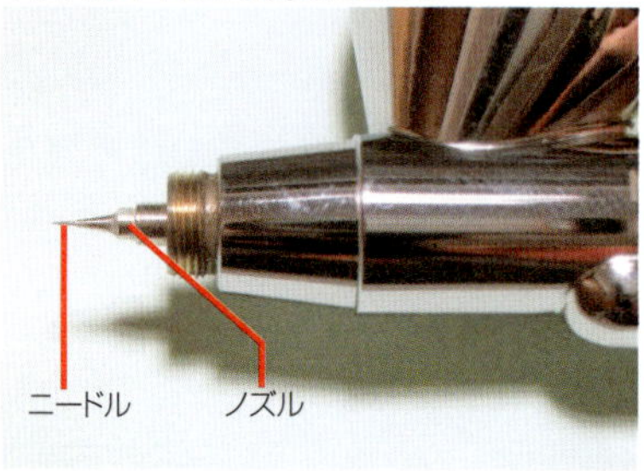

▼軸キャップとニードルストッパーを外したところ

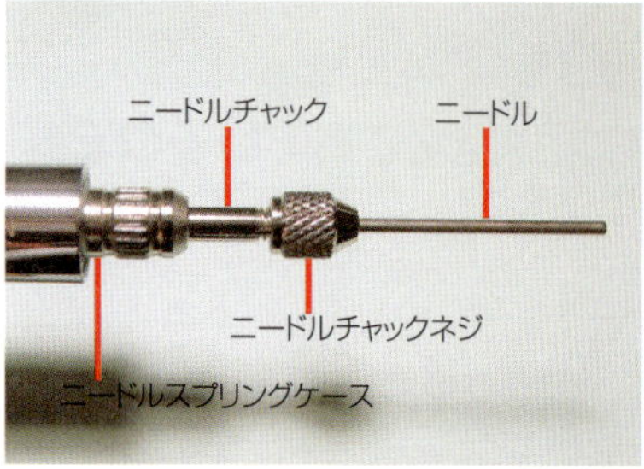

エアーブラシとコンプレッサーの接続

接続は電源を落とした状態で行います。
①コンプレッサーとレギュレーターのホースを接続します。レギュレーターには入力側と出力側があります。コンプレッサーからのホースは入力側に接続します。
②エアーブラシとホースを接続します。エアーブラシ用のホースは写真のようなスパイラルのタイプが、からまりにくくおすすめです。
③レギュレーターにエアーブラシのホースを接続します。保護用のネジを外して行います。
接続の順番は問いません。
※このレギュレーターは、複数のエアーブラシを接続できるようになっています。
※コンプレッサーの出力の都合上、2本同時に使用することはできません。

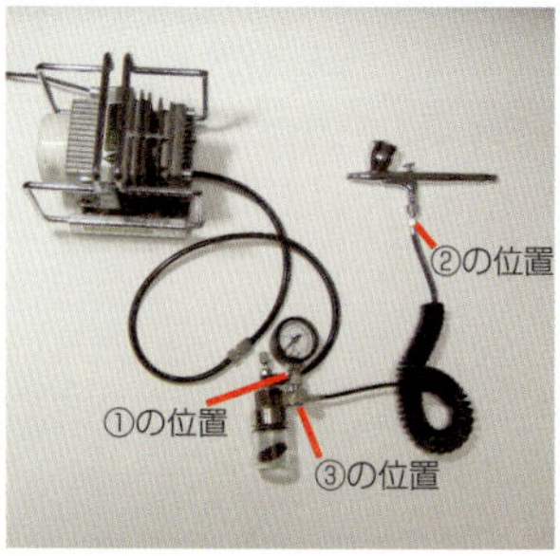

01

エアーブラシの持ち方

ボタンで操作しますので押しやすく、引きやすい持ち方がベストです。鉛筆を持つように握り、人差し指をボタンの上に置く持ち方をおすすめします。

02

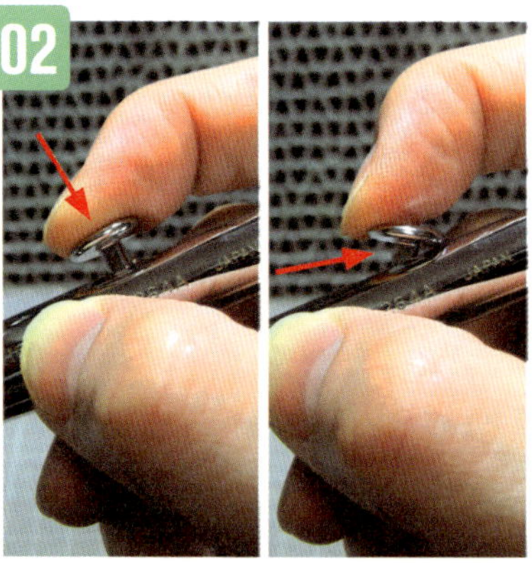

押すと空気、引くと塗料が出る

ボタンを押すと空気だけが出ます。ボタンを押した状態で、さらに後方へ引くと塗料が出るようになっています。押して、引く。二つのアクションで操作するのでダブルアクションなのです。

03

ニードルとノズルの関係

ボタンとニードルが連動していて、引けば引くほど、ニードルは後退します。ニードルが後退するとノズルとの隙間が広くなり、たくさん塗料が噴霧できるのです。

04

パーツとの距離

エアーブラシは、同じ強さで吹き付けていても、吹き付ける対象物との距離で、線の太さが変わります。塗る対象物に近付ければ細くなり、塗る対象物から遠いと太くなります。上の写真は紙に吹き付けたものですが、一番上は非常に近付けたもので、ノズルの先端から紙までは1㎝以下といった感じです。ただ、近付ける際はボタンの引き具合も調整しないと勢い良く出すぎて吹き流れてしまいますので注意が必要です。感覚をつかむまで紙で練習してみてください。

05

エアーブラシ塗装の実際

色替えの方法や、洗浄の方法については実際に作業の中で紹介します。徐々に覚えていきましょう。
色を替えるときは→118～119ページ参照
エアーブラシの洗浄→152～153ページ参照

第3章②

下地・白・肌色の塗装

CHAPTER

14

プライマー吹き

「プライマー」というのは塗料の食い付きを良くし、剥がれにくくするための下地剤です。サーフェイサー(120ページ参照)を吹かずに塗装をする場合は必須です。サーフェイサーには塗料の食い付きを良くする働きもあるので、サーフェイサーを吹く場合は、プライマーを吹く必要はないのですが、私の経験上、サーフェイサーを吹く場合でも、プライマーを全パーツに吹くことをおすすめします。私見ですが、レジン専用のサーフェイサーなどを使っても満足のいくものがありませんでした。ところがガイアノーツの「P-01 ガイアマルチプライマー」を通常のサーフェイサー(レジン用でないもの)の下地に使ったところ、かなり食い付きが良かったので、それ以降、この組み合わせにしています。

01

原液で使用

プライマーは、薄めずそのまま使用します。缶から直接カップに入れます。作業中にこぼさないように塗料カップのふたは閉めておきましょう。

02

基本は一緒

吹き付ける方法は、076ページで紹介したトップコートを吹くときと同様です。パーツのない部分で吹き始め、パーツ上を通過してから止めます。作業を中断するときは、カップ内の塗料がこぼれないようにエアーブラシを専用のスタンドに置きます。

03

パーツを回しても可

プライマーは透明なので塗れた部分とそうでない部分がわかりにくいです。パーツを回したり、エアーブラシを色々な方向から吹き付けて、塗り残しのないようにしてください。

04

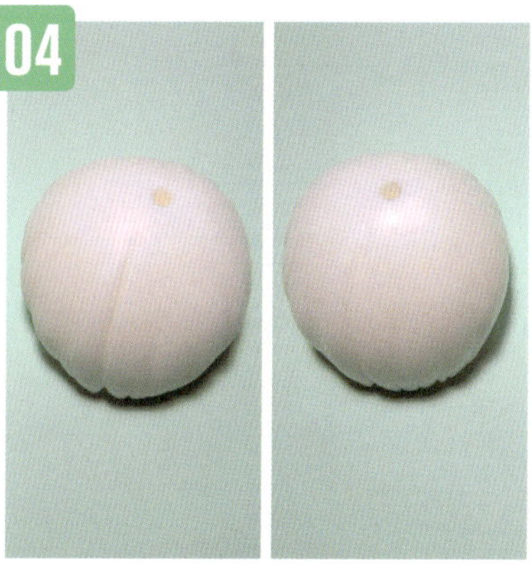

吹き付け前後の比較

右がプライマーを吹き付けた後です。ほんの少しツヤが出ています。吹き付けたほうは、触ると少しベタ付きます。

うがいについて

ノズルキャップをネジ部分で少し緩めてうがいをするやり方は、どんな先端形状のエアーブラシでも行える方法です。じつは、ニードルキャップが写真左側のような形のものは、口を押さえるだけでもうがいができるのです(写真右)。写真のようなニードルキャップのエアーブラシをお持ちでしたら、ぜひ試してください。

05

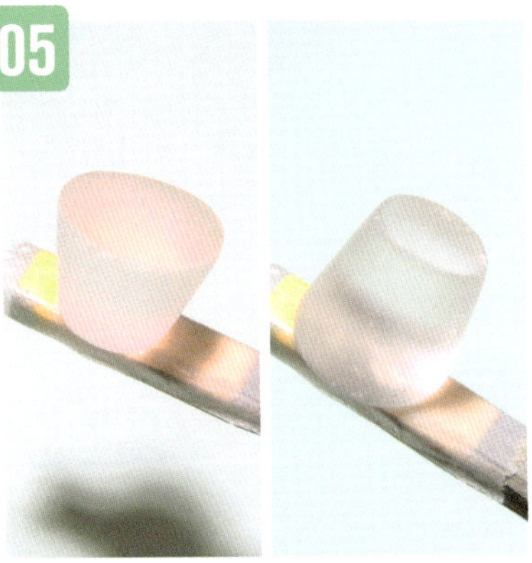

クリアパーツに吹くと

左が吹く前、右が吹いた後です。透明度が増すので、よくわかります。パーティングラインやゲート跡を磨いてスリガラス状になったクリアパーツのへこみ部分にプライマーが入り、表面がなめらかになるためです。

06

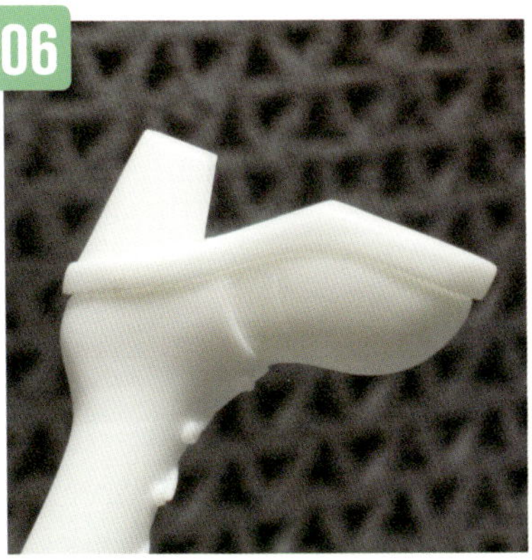

剥がれやすいのは塗り分け部分

マスキングテープを剥がす際に塗膜が剥がれることが多いです。なので、マスキングする「色と色の塗り分け部分」は念入りに吹き付けます。写真はブーツです。ソール部は色が違うので、マスキングが必須です。

07

プライマーが出ない?

しばらく吹き付けていると出てこなくなります。カップの中のプライマーがなくなったからでしょう。その場合は、カップにプライマーを追加して入れ、続けて作業します。

08

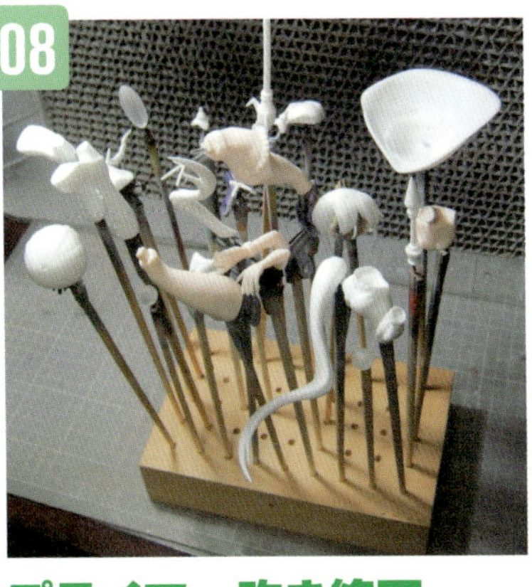

プライマー吹き終了

プライマーを吹いたパーツの表面は少しベタ付きますので良く乾かしてください。なお、ホコリなどが付着しやすいので注意してください。残ったプライマーは缶に戻します。

09

使用したエアーブラシの手入れ

空のカップにツールウォッシュ(119ページ参照)を入れ、ノズルキャップをネジ部分で少し緩めます。ボタンを押して引くと、空気がカップ内に逆流して泡ができます。

10

うがい

空気がカップに逆流する状態を「うがい」と言います。うがいの後のツールウォッシュは、プライマーが溶け出して汚れているので捨てます。新しいツールウォッシュを入れて、同様に2〜3回うがいをします。

第3章②

下地・白・肌色の塗装

CHAPTER

15

色替え手順

エアーブラシは自分で調色した色を吹けるのが魅力です。しかし、1色終わるたびにきちんと清掃しなくては、先に使用していた色と混じってしまいます。ここでは、色を変更する際の基本的な方法を説明します。エアーブラシの色替えは、なかなか面倒なものです。金銭的な余裕があればエアーブラシの2本持ちをおすすめします。たとえば、ベースの色とシャドウ色をそれぞれに入れておけば、吹き過ぎたときなどにいちいち色替えをせずに吹き付けることが可能だからです。この方法だと2本同時に使用することはないのでコンプレッサーは1台で十分ですがレギュレーターに分岐があると2本とも繋ぎっぱなしにできるので便利ですよ。

01

カップを空に

カップの中に残っている塗料を空けます。混色していない塗料の場合は、もとのビンに戻すのも良いでしょう。混色した場合は、スペアボトルなどに移し替え、取っておくと良いでしょう(137ページ参照)。

02

薄め液を入れる

まずは、薄め液を入れてうがいをします。カップに塗料が残っていなければ、ここから始めます。薄め液は写真のようにスポイトで入れます。ボトルから直接入れるとこぼしてしまったり、カップのふちに付いた塗料でボトルの口を汚してしまうトラブルの元です。

03

うがいをする

濯いだ薄め液も、もとの塗料ビンに戻しても差し支えありません。薄め液で希釈してある分、薄くなっていますが、もともとビンの中の塗料は濃いので、少々薄まっても問題ありません。塗料は購入してから時間が経つと溶剤分が揮発して濃くなり、ときどき薄める必要があるため、一石二鳥です。

04

汚れを拭く

カップ内の汚れを拭きます。ティッシュペーパーでも良いのですが、繊維が残りやすいので、私はキッチンペーパーを使用しています。

ガイアノーツの「ツールウォッシュ」について

ツールウォッシュは、薄め液に比べ非常に強力な溶剤です。エアーブラシや筆、皿などに付着した塗料を溶かします。あまりにも強力なのでプラスチックも溶かしてしまいます。塗装ブースのプラスチック部分やプラスチック製の道具箱なども溶かしてしまうので注意が必要です。また、揮発性が高いので、使用時以外は、すぐにふたを閉めておきましょう。なお、他のメーカーでは「ツールクリーナー」や「ツールウォッシャー」という名称のものが同じものです。

05

ツールウォッシュ

次は、カップにツールウォッシュを入れます。ツールウォッシュは強力な溶剤なので、しっかり汚れを落としてくれます。

06

うがいをして捨てる

薄め液のときと同様うがいをします。ただし、今度は塗料ビンには戻さないように注意してください。ツールウォッシュを捨てる(溜めておく)用の紙コップなどを用意しておくと良いでしょう。

07

うがいを繰り返す

カップ内のツールウォッシュがきれいになるまで、何回かうがいを繰り返します。

08

カップの底も

カップの底にはニードルもあるため、なかなか汚れが落ちないことがあります。ニードルを抜いて掃除をする方法もありますが、通常は最後に片付けるときに行えば十分です。

09

筆を使用しよう

それでは、ここではどうするかというと掃除用に筆を1本用意しておき、それできれいにすると良いでしょう。

10

このくらいになればOK

うがいをしても濁らない状態になれば大丈夫です。なお、薄い色から濃い色に変更する場合は、あまり影響がありませんので、それほど神経質にならなくても構わないでしょう。

第3章②

下地・白・肌色の塗装

CHAPTER

16

サーフェイサー吹き①

「サーフェイサー」は、表面の細かな傷を埋め、違う素材で埋めた部分などの色を均一にし、塗料の乗りを良くする下地剤です。省略して「サフ」と呼ぶこともあります。通常塗装の際は、全パーツに吹きます。肌色や白、黒やピンクなどもありますが、表面の状態をいちばん確認しやすいのはグレーのものです。個人的には、白サフを吹くのであれば、サフレスにすれば良いと思っているので、通常塗装の際はグレーを使用しています。

01

ふたを開けたところ

溶剤分と顔料が分離しています。顔料は意外とすぐに沈殿しますので濃度の調節や足りなくなって追加する際にも、撹拌が必要になります。

02

撹拌する

まずは、上澄み部分と下の顔料部分が均一になるよう撹拌棒(調色スティック)で良く混ぜます。調色スティックの平たいほうを使います。

03

濃度の調節

このままの濃度では、エアーブラシで吹き付けるには濃すぎるので薄め液で薄めます。紙コップに薄め液をスポイトで吸い取って入れます。

04

ビンから紙コップに注ぐ

紙コップに注ぐ際は、調色スティックに伝わせて入れます。サーフェイサーと薄め液の比率は、1:1～1:3です。

薄め液について

サーフェイサーの薄め液はガイアノーツの「T-07 モデレイト溶剤」を使用しています。モデレイトは臭気緩和タイプなのが良いところです。他と比べたところ、かなり違うので、少しでも臭いを抑えたい方におすすめです。また、乾燥を遅らせるリターダー成分が入っていてエアーブラシ塗装に適しているのも良いし、同じラッカー系(油性アクリル)の塗料なら他社のものとも互換性があるので安心して使用できます。

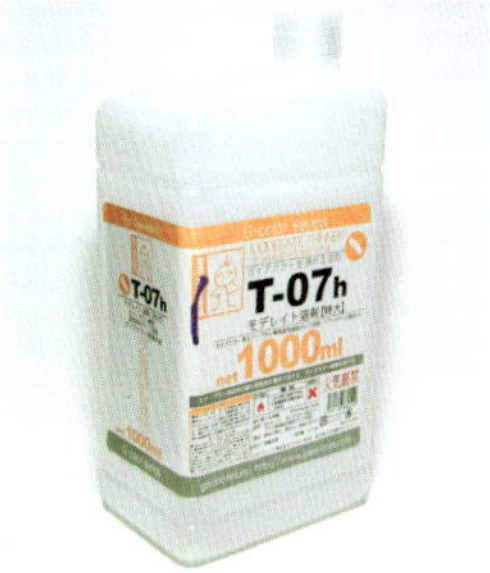

05

細かいことだけど

ビンのふちを拭いてふたを閉めておきます。ビンのふちを拭くのは固まって開かなくなるのを防ぐため、ふたを閉めるのは、こぼさないようにするためです。

06

撹拌

紙コップの中のサーフェイサーと薄め液を良く混ぜます。紙コップを使用するか、塗料皿を使用するかの選択は必要な塗料の量で決めます。サーフェイサーは全パーツに吹き付けるので大量に必要です。なので紙コップを選びました。

07

濃度の目安

混ぜ終わったら調色スティックですくって紙コップの内側の壁に付けます。スーッと伝うようなら大丈夫。あまり伝わないようなら、さらに薄め液を追加します。濃いと塗料(サーフェイサー)が出なかったり、吹き付けた表面がざらついた状態になったりします。

08

いざ、カップへ

濃度の調整が済んだら、エアーブラシのカップにサーフェイサーを入れます。紙コップのふちを折るとやりやすいです。全てを注がなくてもOKです。入らない分は紙コップに残しておき、使ったら補充すれば良いのです。

09

細部から全体へ

試し吹きをして問題がなければ、パーツに吹き付けを開始します。奥まったところは色が乗りにくいのでそこから塗ります。エアーブラシを近付けて、ボタンを引く量を絞って吹き付けます。

10

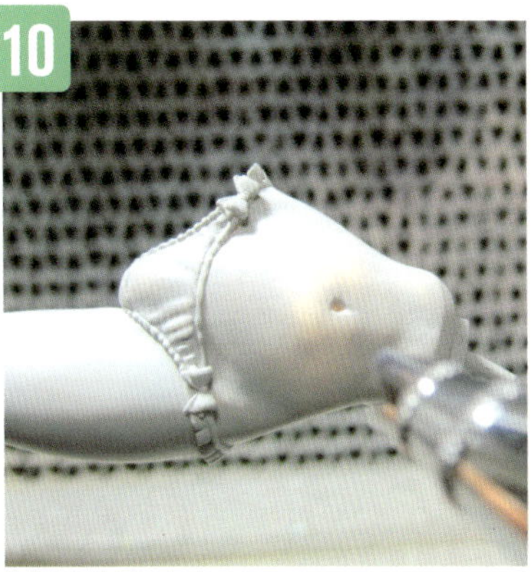

簡単にグレーになる

比較的簡単にグレーに染まりますが、一気に塗らずに徐々に濃くしていきましょう。全体的に均一に塗れたら完了です。同様に全てのパーツを塗ってください。作業中にサーフェイサーがなくなったら紙コップから追加して作業します。

CHAPTER 17

サーフェイサー吹き②

サーフェイサーを吹き付けると表面の状態が見やすくなります。そうすると、ゲートやパーティングラインの処理の際にできた傷や、気泡を埋めた部分の磨き残し、気泡の埋め忘れなどが見つかるので、それを処理します。どんな症状が出てどう対処すれば良いかを説明します。結構時間をかけて表面処理をしてきたのですが、意外と不備が見つかるものです。ちょっとへこみますが、一つ一つ対処していきましょう。

01

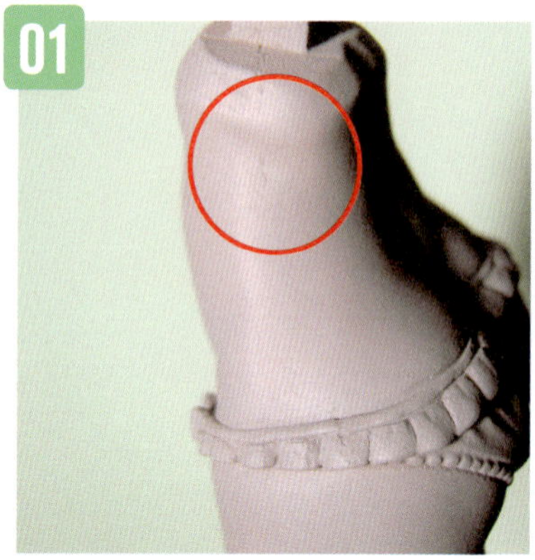

吹き終わった状態

体の側面にあるパーティングラインの処理がきちんとできていなくて、へこみが残っています。紙ヤスリ、スポンジヤスリで磨き直しです。場合によっては金属ヤスリまで戻ってやり直したほうが良いこともあります。

02

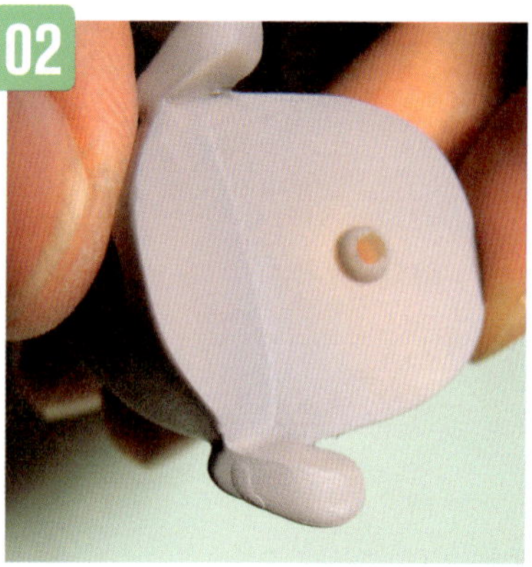

磨き残し

耳の裏です。気泡をシアノンで埋めたところを処理し忘れてそのままになっていました。サーフェイサーを吹くとこういったところも見つかります。磨いてから再度サーフェイサーを吹いて仕上げます。

03

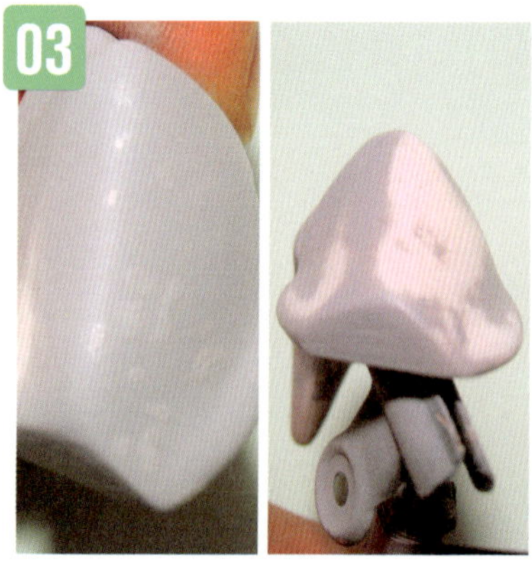

気泡の埋め忘れ

深い傷や、新たに見つかった気泡をシアノンやSSPで埋めます。固まったら表面にヤスリをかけて平滑にし、再度サーフェイサーを吹きます。

04

気泡処理終了

見つかった傷を処理し終わったところです。見落としていた全てのパーツを、このように仕上げなくてはなりません。しっかり表面処理したはずでも結構残っているものです。

持ち手への固定

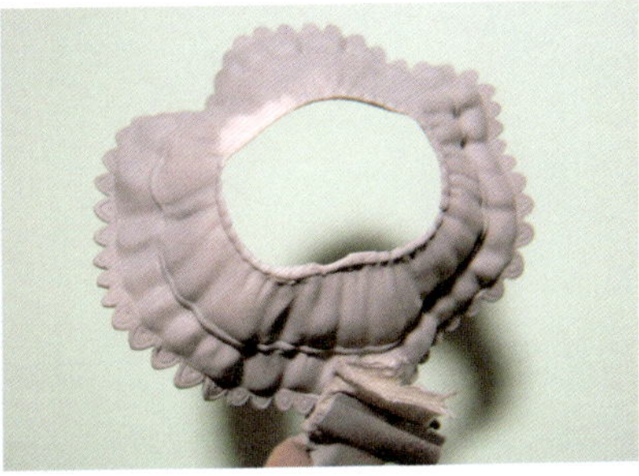

塗料が乗らなくてもいい部分がなく、挟む部分がない場合は、穴を開けて持ち手に固定します。穴を開ける場所もないパーツは、適当な部分に挟み、塗ります。塗った後、別の部分に挟み換えて、塗れていない部分を塗ります。写真の右上の白いところが最初に挟んでいた部分です。今度はここを中心に吹き付けます。周りのグレーと見分けが付かないくらいになったら吹き付け終了です。ここでも徐々にグレーに染まるようにします。一気に吹きつけると塗料が垂れてしまったり吹き流れてしまう失敗につながります。

フラットスポット

同じく、パーティングラインの部分を削った際に平らな面(フラットスポット)ができてしまい、脚の曲面にエッジが残っていました。

削って丸くした

フラットスポット部分を削って脚の曲線に馴染ませました。サーフェイサーが剥げて成型色の肌色が出てきています。この後、再びサーフェイサーを吹き付けますが、剥げた部分とその周囲にだけ吹きかければ十分です。

修正完了

磨いた後、剥げた部分にだけサーフェイサーを吹き付けて修正が完了しました。05の状態と比べてもきれいになっているのがわかります。

原型そのものに傷が付いていた

最近はデジタルで造形し、3Dプリンターで出力されたものも多いので積層痕が残っているケースもあります。こういった原型からの傷はどこまで処理するのかが悩みどころです。右下にはホコリが付いているのもわかります。このホコリはピンセットで取れました。取れない場合は軽くヤスリがけをして取ります。

サーフェイサーが濃かった?

表面がざらついてしまっています。サーフェイサーが少し濃い場合や、他のところを塗っていたときにはね返ったサーフェイサーがかかったときにこうなります。スポンジヤスリで軽く磨けば処理できます。

うがいで攪拌

パーツを修正していて、しばらく吹かずにいると溶剤とサフの顔料が分離してしまうことがあります。そんなときは、洗浄時に行うのと同様、先端のネジを緩めてうがいをすることで、溶剤と顔料を攪拌することができます。

CHAPTER 18

白を吹く

サーフェイサーの後、明るい色を塗装するパーツのみに白を吹きます。サーフェイサーのグレーの上に明るい色を吹き付けると、塗った色が影響を受けて濁った色になってしまうことがあります。これは明るい色は下地を覆い隠す力(隠蔽力)が弱いためです。それらを防ぎ発色良くするために、白を塗っておきます。白は、ガイアノーツの「EX-01:EX-ホワイト」もしくは「001:ピュアホワイト」を使用します。白も、もともとは隠蔽力の低い明るい色なのですが、これらの塗料は隠蔽力が強いのでおすすめです。

01

白を吹くパーツ

白を吹くのは、もともと白いパーツや、黄色や赤などに塗装するパーツです。肌色を吹くパーツもここに入ります。

02

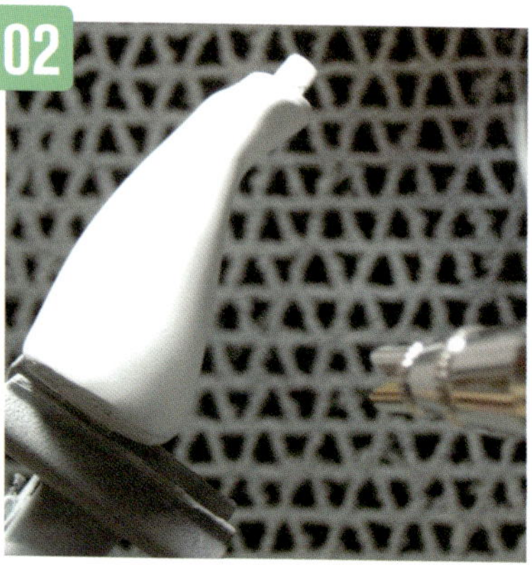

徐々に吹きかける

サーフェイサーのときと同様、紙コップに薄め液を入れ、そこに白を入れます。混合比は、塗料を1として、薄め液を1～2です。サーフェイサーを吹いたパーツの上に白を塗っていきます。

03

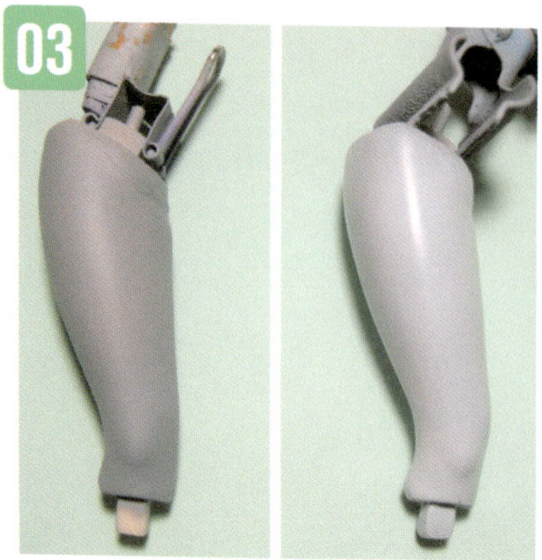

徐々に白く

グレーの上の白はムラが目立つので、色々な方向からまんべんなく吹きかけます。しかし、一度に吹きかけずに徐々に白くしていきます。写真はサーフェイサー吹き状態との比較です。左がサーフェイサーで、右がひとまず白を吹いた状態です。あまり白くはなっていません。

04

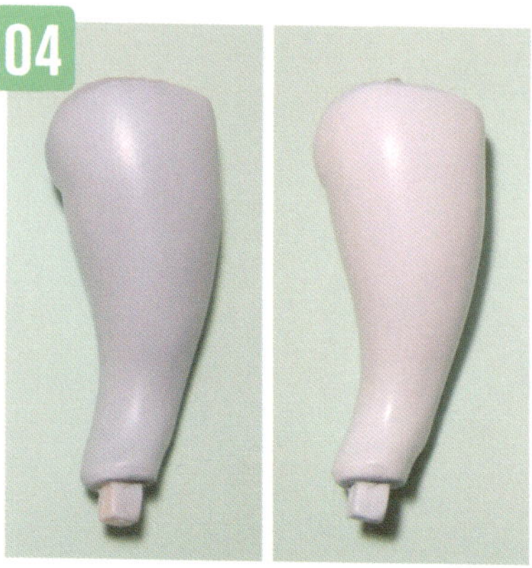

2層目の白を吹いた状態

写真は、左が03の状態、右は2層目の白を吹いた状態です。こうして徐々に白くしていきます。

白を吹く効果

肌色を吹き付けるのは次の工程ですが、ここでサーフェイサーや白色が肌色にどのように影響するかを見てみましょう。白を吹かずに肌色を吹き付けたものが左です。白を吹いてから肌色を吹き付けたもの(右)と比べると、左が暗く濁っているのがわかります。肌色は下地の色を覆い隠す力(隠蔽力)が、さほど強くないため、サーフェイサーのグレーが透けて見えるのでこのように濁ってしまうわけです。他にも黄色や薄いピンクなどは隠蔽力の低い色なので同様に濁ってしまいます。それを避け、きれいな発色を得るためには白を吹くことが必須なのです。

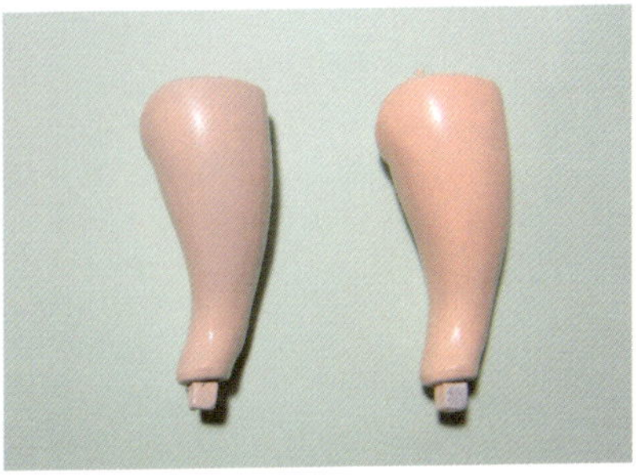

05

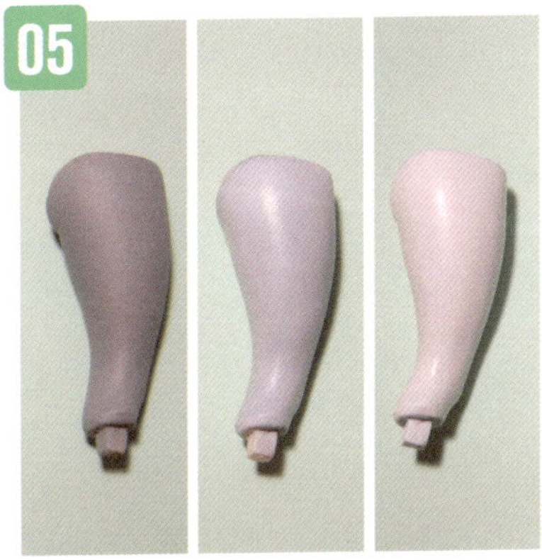

サフの状態からの推移

一番左がサーフェイサーの状態、真ん中が03のひとまず吹いた状態、右が04の2層目を吹いた状態です。一度に白くしないで徐々に白くします。

06

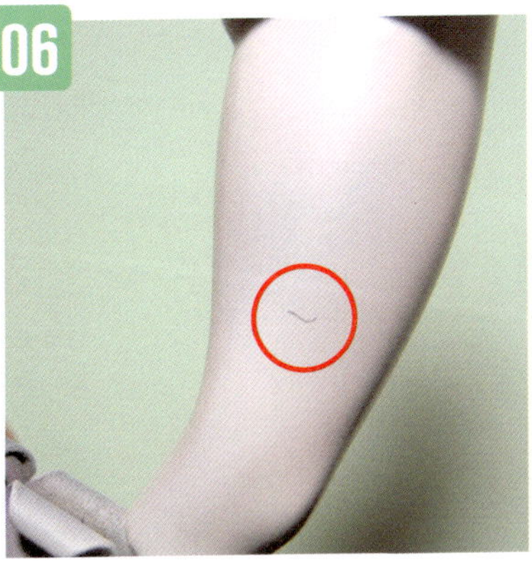

ホコリが付いてしまった

吹き付けている最中に塗装面にホコリが付着してしまうことはよくあることです。まずは、それ以上吹きかけずに乾燥させます。

07

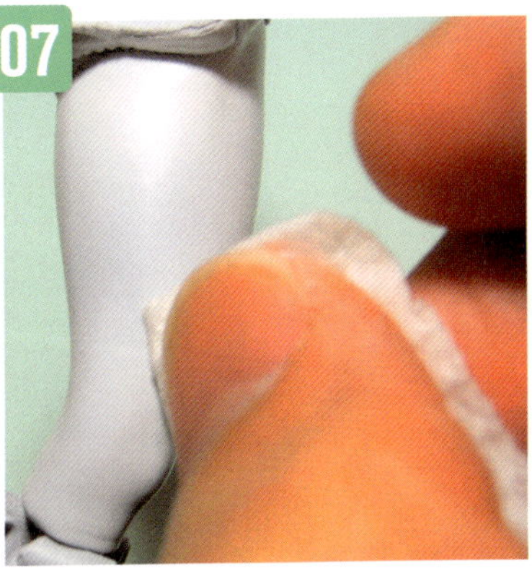

塗装面が乾くまで待つ

塗装面が乾いたところで、ティッシュペーパーやキッチンペーパーなどの柔らかい紙でそっと拭います。さほど定着していないのですぐに取れるはずです。取れない場合は紙ヤスリでそっと削って取ります。塗装面が剥がれた場合は再度吹き付けて修正しておきます。

08

全てを白くする必要はない

このパーツは裾の部分のラインが白です。それ以外は濃い色なので、白の部分のみ吹き付ければ十分です。

09

全体の色味を確認

白を吹き付け終わりました。みな、同じように白くなっているか、並べて確認してください。色味が違っているものがあったら、吹き重ねておきます。

10

組み合わせて確認

単体で見ていると問題なくても組み合わせてみると色味の違いや塗り残しに気が付く場合があります。頭部を組み合わせてみたところ、耳の裏が塗れていないのに気が付いたので、吹いておきました。

第3章②

下地・白・肌色の塗装

CHAPTER

19

マスクして肌色を吹く

白色が吹けたら次は、肌色を吹きます。肌の色はフィギュアの塗装の肝となるところです。イラストや絵画を制作する際でも肌の色から決めるというケースはよくあるようです。よほど服で覆われていなければ、ある程度人体の表面を占めるものでもあるからでしょう。さて、肌色を吹く前にひと仕事あります。パーツに白く残す部分がある場合はマスキングしておきます。たとえば、顔の白目部分やパンツなどがそうです。

01

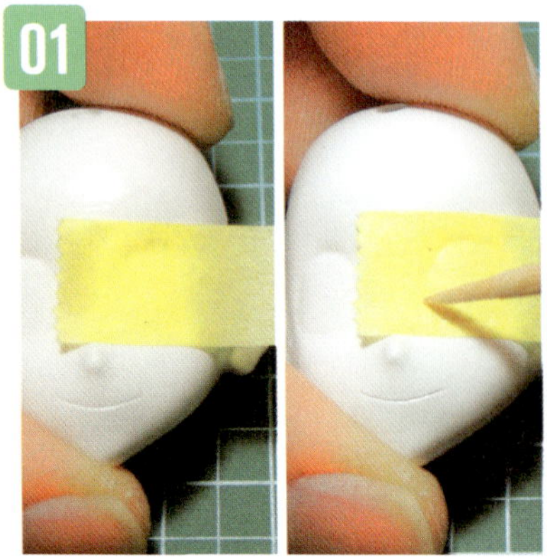

目をマスクする

マスキングテープを貼ってから、爪楊枝などを使って圧着します。マスキングテープはしわができないように貼ってください。爪楊枝で圧着する際は力の入れ過ぎに注意します。強いとマスキングテープに穴が開いたり破れてしまうことがあります。

02

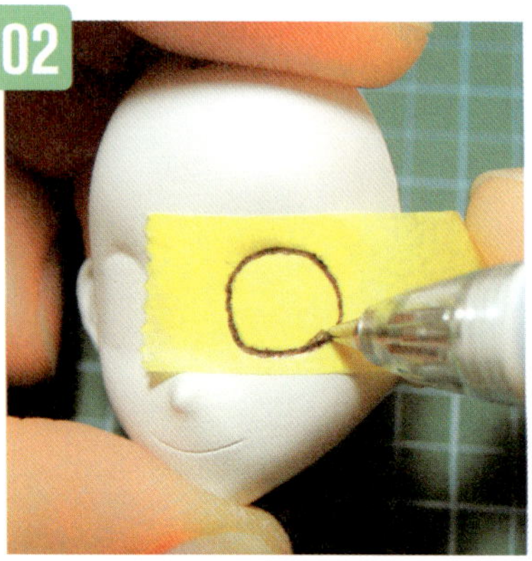

目の輪郭線をトレース

目の輪郭線を写し取るためにボールペンで輪郭線をなぞります。マスキングテープの表面は光沢があり、鉛筆やシャープペンシルでは書きにくいのでボールペン(油性)を使用します。

03

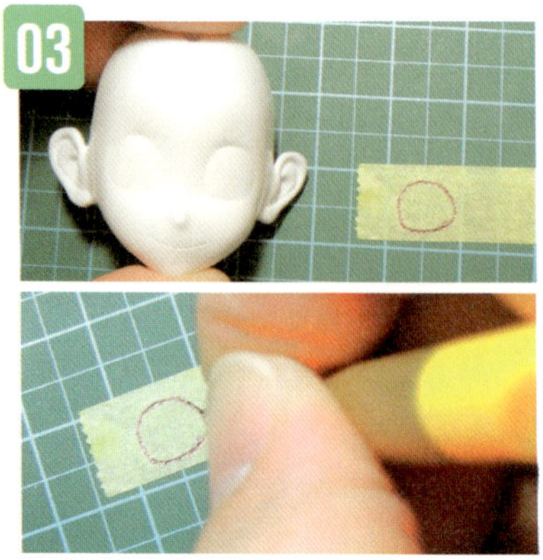

写し取ったら

マスキングテープをいったん外して、カッティングマットの上に貼り、アートナイフでカットします。ここでマスキングテープを外さず、そのままカットする方法もありますが、塗装面を傷付けてしまうリスクがあるので初心者にはおすすめできません。

04

カットしたテープを

ナイフの刃でマスキングテープのふちをめくったら、ピンセットでつまみます。余談ですが、この状態のマスキングテープを紙等に貼りスキャナーでスキャンして画像処理ソフトで開くとデカールを制作するガイドにすることができます。

肌色について

今回は、ガイアノーツの「Ex-フレッシュ」をそのまま使用しました。ぴったりの塗料があれば、それをそのまま使用すれば良いのですが、ちょうど良いものがなければ混色をして作るしかありません。肌色のレシピは人それぞれですが、紹介されている場合もあるので参考にして、自分なりのレシピを見つけてください。ちなみに「クレオスの111キャラクターフレッシュ(1)+112キャラクターフレッシュ(2)+174蛍光ピンク少量」のレシピは、（1）と（2）の配合を変えることでかなり幅広い肌色が作れます。蛍光ピンクを入れるのはモニター上で発色の良い色を表現するためです。

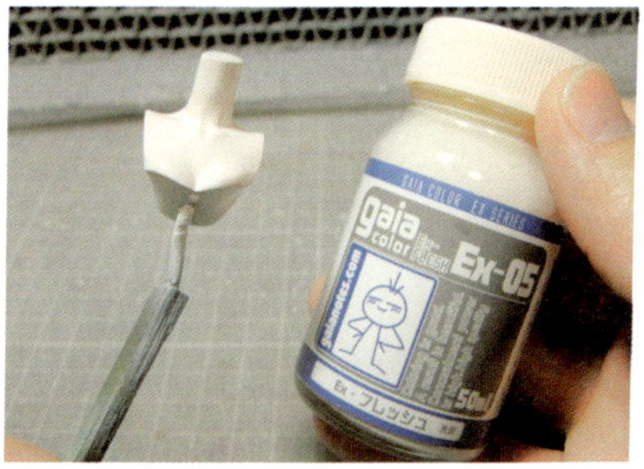

05

然るべき位置に

パーツの目の位置にカットしたマスキングテープを貼ります。ぴったり合うように角度や位置に気を付けて貼ります。

06

両眼とも行う

マスキングテープは一度にまとめて貼って描くのではなく、片方ずつやるほうがきれいにできます。

07

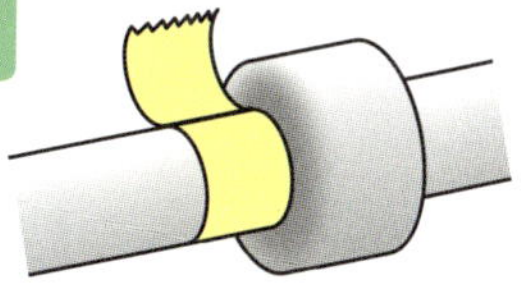

▲ぐるっと巻くだけで境界がマスクできる

▲厚み（段差）の部分もマスクが必要

パンツと腕輪も白いが

パンツや腕輪も白いのですが、ここはマスキングが困難です。図の上のようにぐるっと巻くだけであればよいのですが、腕輪には厚みがあるため、図の下のようなマスキングをしなければなりません。なので、そのまま吹いてしまいましょう。

08

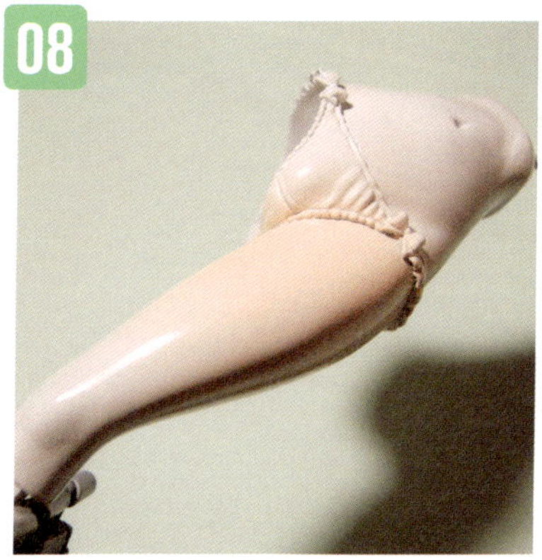

肌色もセオリー通りに

やはりエアーブラシで塗装する以上、奥まったところに色が乗りにくいので、そこから攻めます。写真のパーツでは脚の付け根、パンツとの境目あたりから吹き付けています。

09

目の部分は要注意！

目のマスキング時に、輪郭線を描くのに使用したボールペンですが、じつは油性なのでラッカー系の溶剤で溶けてしまいます。顔に塗料を吹き付ける際に、あまり一気に吹き付けると溶け出して肌色部分に流れていく可能性があります。すぐ乾く程度の量を何度かに分けて吹き付けます。

10

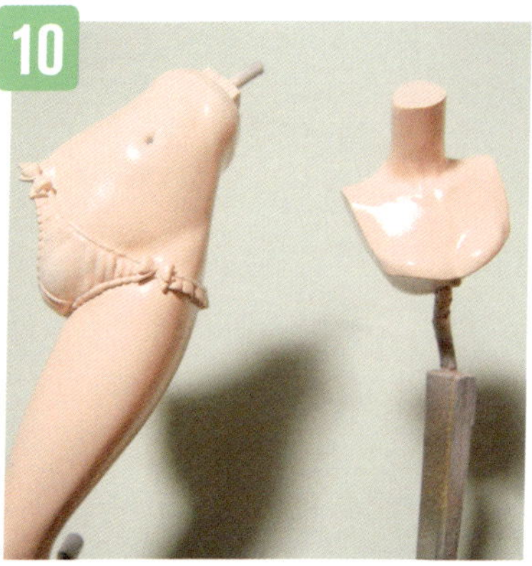

同じ濃さに

これもサーフェイサーや白のときと同様ですが、色味を揃えましょう。吹き終わったパーツを並べて確認します。組み合わさるパーツは組んで確認します。

CHAPTER 20

肌をマスクして白を吹く、クリアー吹き

肌色を吹き終わりました。パンツや腕輪の白い部分はマスクせず吹いたので、肌色になってしまっています。再度、マスキングをして白を吹かなくてはなりません。なぜ、こんな二度手間をしたかというと、「パンツや腕輪をマスクするより胴や腕側をマスキングするほうが楽」だからなんです。塗装作業でいちばん面倒なのはマスキングといっても良いでしょう。ここは何とか手間を減らしたいところです。色を塗る順番のセオリーは薄い色→濃い色、広い面→狭いところですが、それよりもマスキングの手間を減らすほうを優先させる場合が多いのです。それでは実際にマスキングの工程を見てみましょう。

01

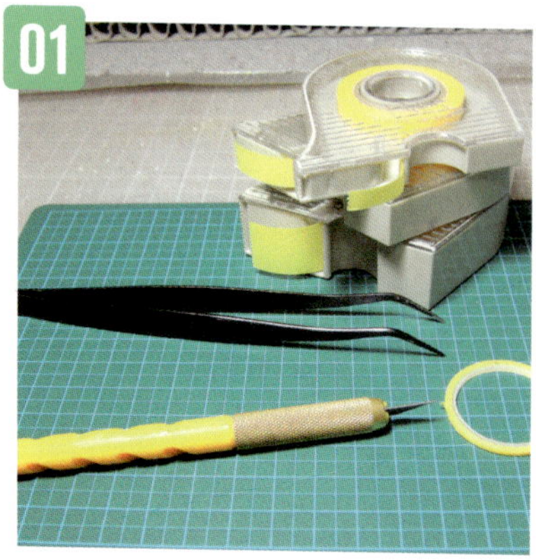

マスキング用具一式

アートナイフ、ピンセット、カッティングマット。それにマスキングテープは様々な太さのものを用意します。私が常備しているのは1.0㎜、1.5㎜、6㎜、10㎜、18㎜です。

02

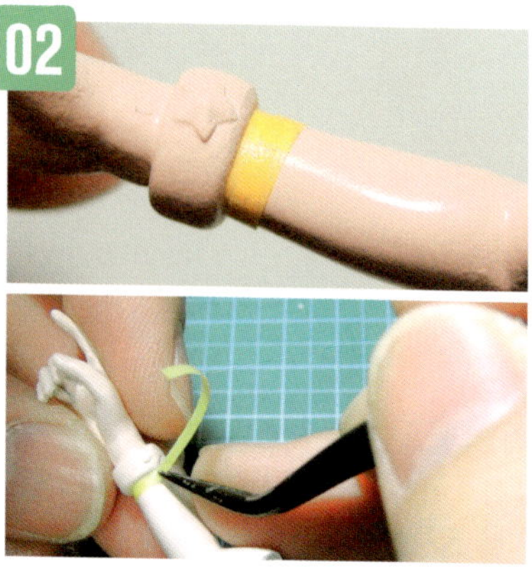

まずはキワから

腕のキワの部分に細いマスキングテープを貼り付けます。1.5㎜のテープを使いピンセットで貼り付けました。円筒形のところにテープを貼る作業はしわもできずスムーズに行えます。

03

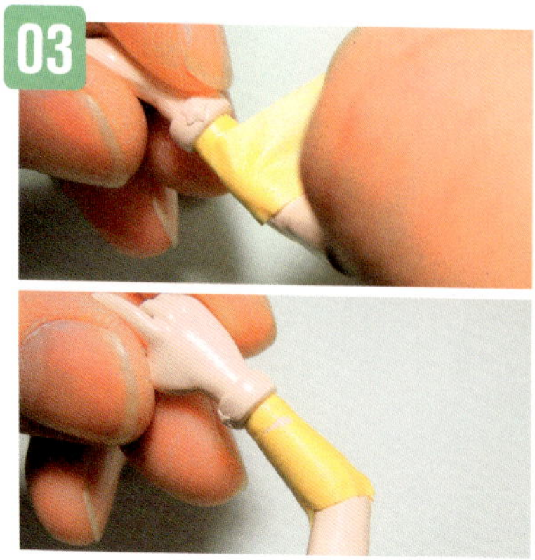

徐々に太く

次に少し太めのテープ、6㎜のテープを貼りました。腕輪からひじにかけては完全な円筒形ではなくひじに向かって太くなっています。テープの幅が広くなるとしわができやすくなります。

04

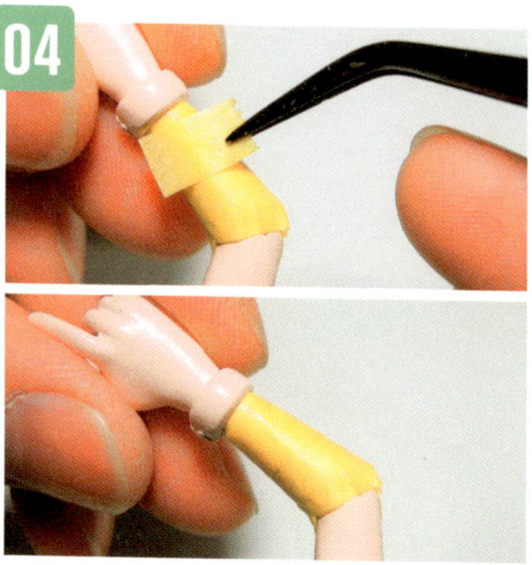

隙間をフォロー

隙間ができてしまいました。短く切ったテープを貼って塞いでおきます。小さな隙間も見逃さないようにしましょう。

クリアー吹き

顔のマスクを剥がしたら、目を描く作業の前に顔全体にクリアー(光沢)を吹き付けておきます(クリアーについての詳細は143ページ参照)。肌色と白色の塗膜を保護し、表面を平滑にするためです。こうすると次の作業で目を描く際に上に乗せるエナメル塗料が落ちやすくなります。そして、ついでと言っては何ですが、顔にクリアーを吹く際に、他のクリアパーツにもクリアーを一緒にかけておくと効率的です。写真右はマントの先端に付く宝石です。ここはクリアーレッドという色味の付いたクリアーですが、無色透明のクリアーを吹いた後に一緒に吹いておきました。

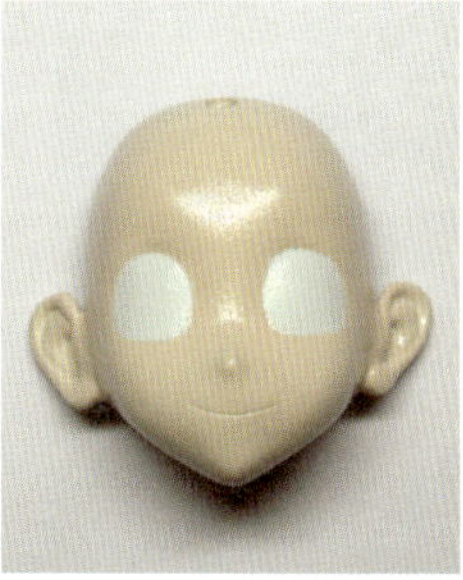

05

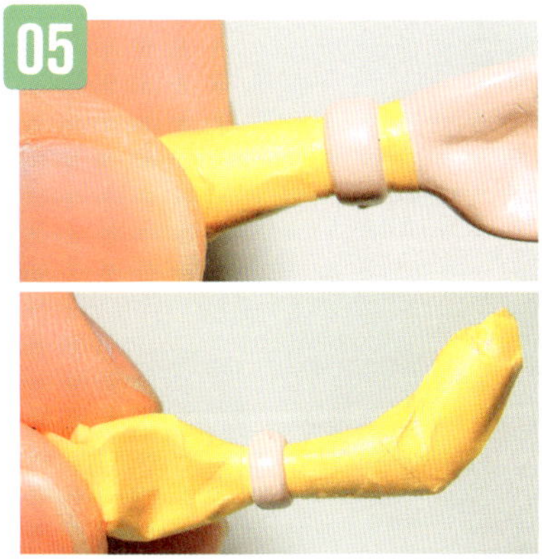

反対側のキワも

反対側の腕輪のキワをマスクしたら指先まで全て覆います。手を覆い隠しさえすれば良いので大胆に貼って構いません。ただし隙間ができないようにだけ気を付けてください。

06

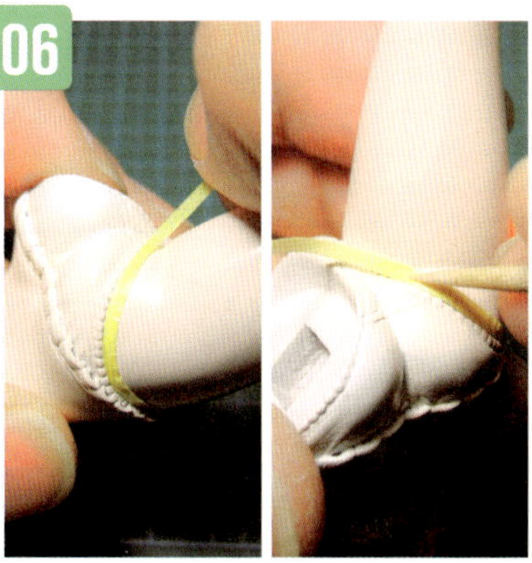

パンツを残して太ももを

複雑ですが基本は腕輪と一緒です。太もものキワを細いテープで貼っていきます。ぴったり貼れるように爪楊枝で押さえます。

07

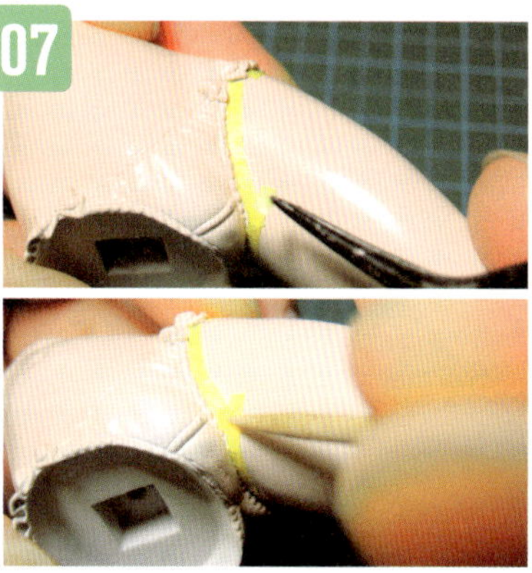

隙間には

小さく切ったマスキングテープをピンセットで貼り、爪楊枝を使って密着させます。テープを三角形に切ると色々なところに応用が利きます。

08

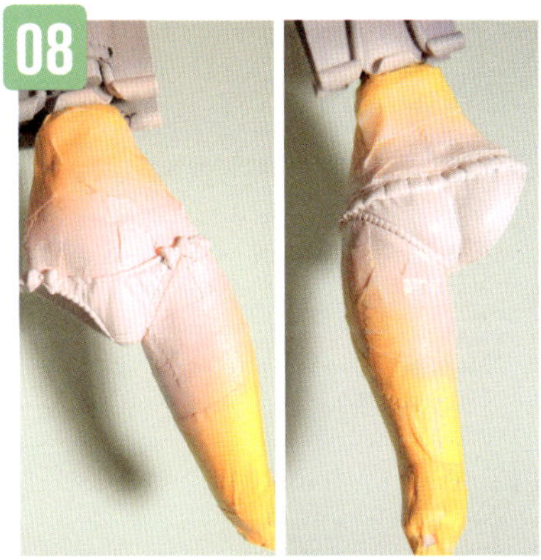

マスキング完了

マスキングが終了して、白を吹いたところです。ここでも、白はガイアノーツの「Ex-ホワイト」を使用。肌色の上からでもきれいに白くなっています。今回は行っていませんがこの段階でパールを吹き重ねるとただの白ではなくシルクやサテンのような質感のパンツに仕上がります。お好みでどうぞ。

09

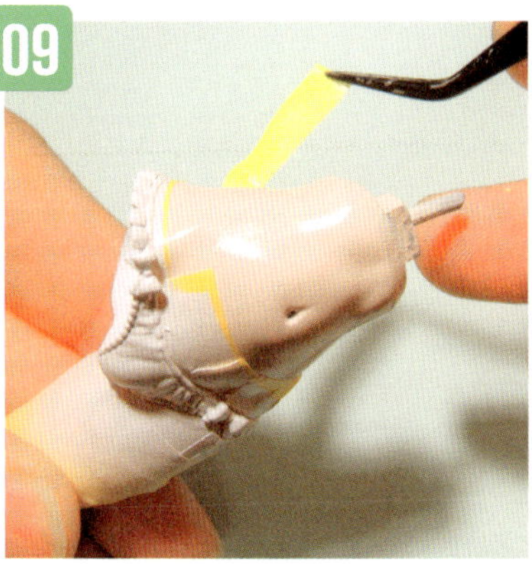

マスクを剥がす

塗装が終了したら、慎重にマスキングを剥がします。ピンセットを使用する場合は、ピンセットの先で塗装面を傷付けないように注意しましょう。

10

マスキングを剥がしたところ

きれいに塗り分けができました。成功です。逆にパンツの部分をマスキングした場合を想像してみてください。結構複雑で面倒臭そうでしょう?

CHAPTER

21

目を描く①

「ラッカー系塗料はエナメル系塗料の溶剤では溶けない」この事実を利用して細かな部分のやり直しや調整をするのがエナメル塗料を使った目入れです。顔の肌色や白目をラッカー系塗料で塗装しておき、虹彩、瞳、睫毛や眉をエナメル系の塗料で描き込むのです。はみ出しや間違いをエナメル溶剤で消すことはもちろん、太めに描いたラインを細く消していくやり方はきれいに仕上げることが可能です。なお、キットにはデカールが付属しているのですが、そこをあえて手描きにするのですから差別化を図りたいと考えました。そこで、今回はデカールとは反対向きの目にしてみました。

01

下地のクリアー吹き

目を描く作業の前に顔全体にクリアーを吹き付けてあります。写真はクリアー吹きをした後の顔パーツです。

02

塗料の準備

エナメル塗料を準備します。まずは、輪郭用の黒、そして溶剤。皿は黒用と溶剤用の2枚を準備。なお、黒はタミヤカラーの「XF-1フラットブラック」です。

03

デカールやパッケージを参考に

資料を見ながら描いていきます。まずは、上まぶたのラインを描きます。肌と白目の境目なので比較的描きやすいです。

04

左右同時進行で

二重まぶたのラインを描きます。少々太くなっても消せるので、気にしなくて大丈夫です。

人形は顔が命

目を描くタイミング、技法書などでは最後にしていますが、早めがおすすめです。特にワンダーフェスティバルなどのイベントに出展する場合の完成見本などは、時間がない中で作業をすることになります。時間はギリギリで体力的にもヘロヘロの状態で目を描く作業をするのでは、うまくいくはずがありません。塗装作業の開始間もなくで、まだ余裕あるうちに作業をするのがおすすめです。顔がきれいでその他が雑なのと、顔が雑でその他がきれいな作品だったらどちらが良いでしょうか?

05

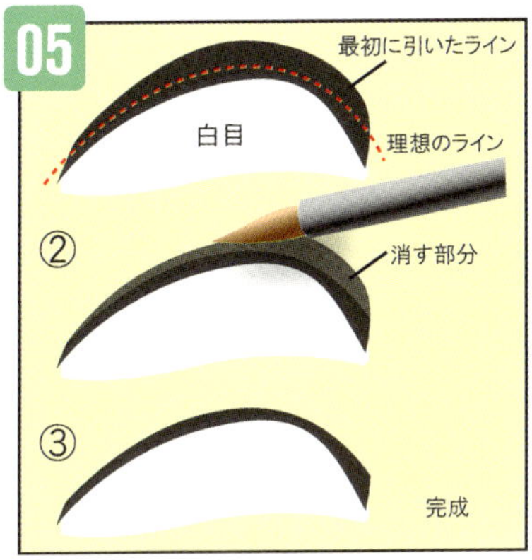

ラインの修正の仕方

まず、カーブの内側に合わせてラインを引きます。外側には太くなっても構いません。次に、エナメル溶剤を含ませた筆で外側を少しずつ消していきます。ちょうど良い太さになったら終了です。

06

黒目のアタリを入れる

左右対称に気を付けながら描きます。ここはアタリなので、少し薄めの塗料で描きました。ところで、普段は黒目と瞳は同じ部分を指す言葉として使用していますが瞳=瞳孔という文献もあり表記に迷うところです。他にも黒目部分を指す言葉に虹彩というのもあります。

07

ハイライトを描く

ハイライトとは黒目の中の光っている部分です。地の白を残して表現します。

08

瞳孔を描く

瞳孔(黒目の真ん中の黒い部分)を描きます。アタリが取れたら塗りつぶします。

09

線の太さを調整する

線の太さがまちまちです。エナメルの溶剤を筆に含ませ余分なところを拭き取ります。

10

修正完了

線の太さ、左右の大きさなどを溶剤で消しながら修正しました。輪郭線ができたので、次のページで色を入れていきます。

第3章②

下地・白・肌色の塗装

CHAPTER

22

目を描く②

輪郭線が描けたので、虹彩の中を塗っていきます。ここでも使用するのは同じエナメル塗料です。ラッカー塗料の上にはみ出た場合は問題なく拭えますが、エナメル塗料で描いた輪郭線は、エナメル溶剤で溶け出しますので、そちらへのはみ出しなどには、注意しながら塗ります。どうしてもエナメルで描いた輪郭線を消したくない場合は、水性のトップコートやラッカー系のクリアーでコートしても良いでしょう。ただし、ラッカー系のクリアーはエナメルを溶かしますので、軽く何回かに分けて吹きましょう。

01

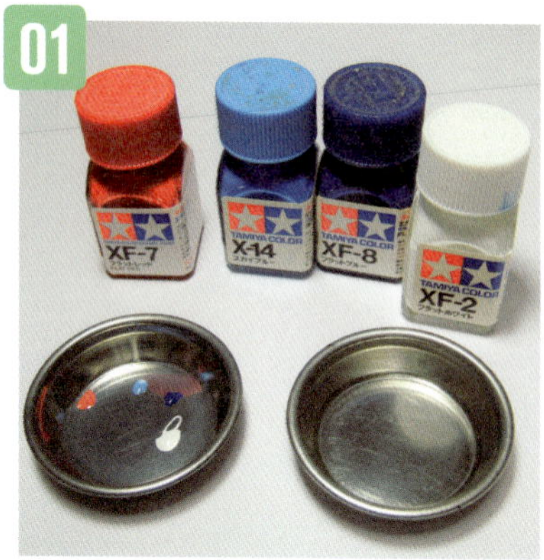

使用する塗料

紫系の虹彩なので、「XF-7フラットレッド」、「X-14スカイブルー」、「XF-8フラットブルー」、「XF-2フラットホワイト」(全てタミヤ)を混ぜて使用します。

02

混色しながら

だんだん色が変わっていく部分などがあるので、お皿の上で混色しながら塗っていきます。なお、赤の発色があまり良くなかったので、「X-27クリヤーレッド」に変えて混色しています。

03

虹彩の上の濃い部分から

青と赤、そしてトーンの調整のために白を加えて作った紫色を、虹彩の上部に塗っていきます。虹彩というのは黒目の中の瞳孔の周りの部分です。

04

下の部分を塗り境界をぼかす

虹彩の下側の水色を塗ります。こちらも01、02で作った混色を使用します。上部の濃い色との境界は両方の塗料を混ぜるようにして塗り、ぼかします。エナメル塗料はラッカー系に比べて乾燥が遅いので、こういったグラデーションはうまくいきやすいです。

クリアーを吹かないと

エナメルで目を描く前にクリアーでコートしておかないと、拭き取りが非常にやりにくくなります。特にツヤ消しの表面は凹凸があり、その穴の中にエナメル塗料が入り込みますので、汚れて落ちなくなるというわけです。左の写真はクリアーを吹かずに目を描いているところです。こうなるときれいに仕上げるのは難しいので、一度エナメル塗料を落としてしまい、クリアーを吹いてからやり直すことをおすすめします。なお、ガイアノーツの「フィニッシュマスター」を使うときれいに落とすことができます。

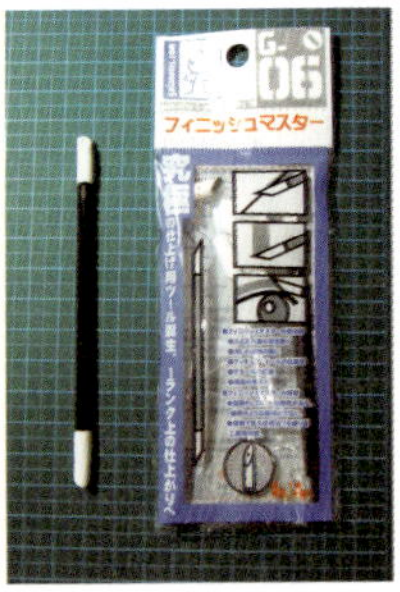

05

ハイライトを入れる

一番白いハイライトはエナメル塗料を溶剤で落として下地の白を露出させて表現します。左上の水色のハイライトはX-14スカイブルーとXF-2フラットホワイトで調色した濃いめの（溶剤を少なめにした）塗料で表現します。塗るというより置くといった感じです。

06

眉毛を描く

ちょっとガタガタしていますし、太いですが、後で細くしますので、とりあえず大丈夫です。

07

前髪を付けて確認

前髪を付けてみて眉の位置や角度を確認します。ちょうど良い位置に来るように太めに描き込んでから、後で不要な部分を消します。

08

眉毛を細くする

エナメル溶剤を染み込ませた筆で眉の輪郭の不要部分を消していき、細くきれいに整えます。線の整え方は131ページで紹介した、線の太さを調整する方法を参考にしてください。

09

汚れを取る

クリアーを吹いてあっても少し塗料が残ってしまいます。そのようなときに便利なのがガイアノーツの「フィニッシュマスター」です。発泡オレフィン製の先端は吸収力と柔軟性に優れ、かなりきれいに拭き取ることが可能です。

10

完成

口にも同じくエナメル塗料のピンクを流してあります。このままでは、顔が脂ぎっているようなので、ツヤ消しのクリアーを吹いてツヤを整えます。

第3章③

服、小物の塗装と仕上げ

CHAPTER

23

髪とスカートの塗装

目を描くという工程を先に行いましたが、エアーブラシによる全体的な塗装に戻ります。塗装は基本的に、薄い色から塗っていきます。肌色は塗りましたので、それ以外で薄い色は、このキャラクターの場合は髪の毛の黄色です。ベースの白や肌色は「ベタ塗り」といってムラなく均一に塗って仕上げましたが、髪や服は、「シャドウ吹き」をして仕上げます。シャドウとは影という意味です。ミゾの奥とか影になる部分に濃い色を吹き付けて、立体感を表現するテクニックです。箱絵は透明水彩風の淡いタッチですがこれをフィギュアで再現することはあまりしません。ベース色にシャドウをグラデーションで入れる一般的な仕上げで塗装します。

01

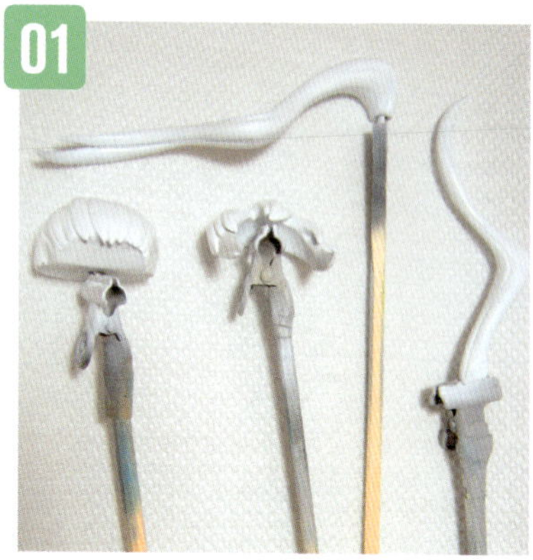

髪のパーツ

白を吹き終わった状態です。プライマー→サーフェイサー→白→髪色と今回のように、続けて塗装する場合は、この間、ずっと持ち手から外さなくて構いません。もちろん、サーフェイサーを吹いた後に気泡処理などをしなくてはならない場合は除きますが。

02

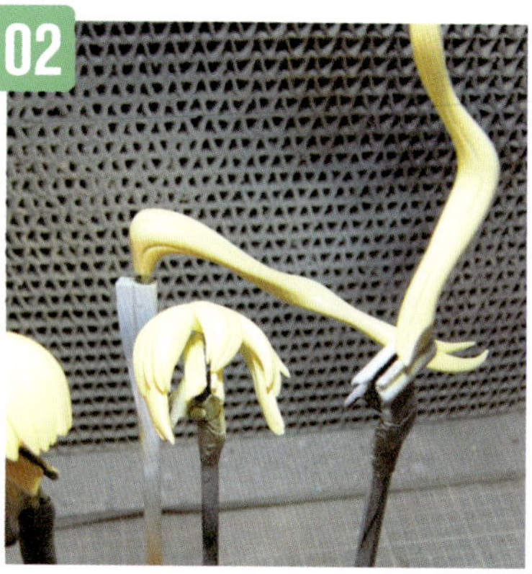

ベース色の吹き付け

まずはベースカラーを均一に吹き付けました。GSIクレオスの「CP01:カスタードイエロー」を使用しました。箱絵の水彩画タッチは再現できませんが、淡い色味は再現しようと思ってこの色をチョイスしています。

03

合わせて確認

白を吹き付けた際にも行いましたが、ここでも隣接するパーツは組み合わせて色味の確認をします。上の写真は前髪と後頭部を合わせて確認しているところです。

04

シャドウ吹き

影色としてガイアノーツの「005:サンシャインイエロー」をくぼんだ部分に吹き付けました。髪の流れを表現したミゾに沿って縦に動かして塗ります。

色についての基礎知識

色の3原色はシアン(C)、マゼンタ(M)、イエロー(Y)です。どんな色も、この3色の組み合わせでできています。シアンとマゼンタで青紫、マゼンタとイエローで赤、イエローとシアンで緑になり、3色全てを混ぜると黒になります。CMYのうち2色を組み合わせてできる色を環状に並べたものを「色相環」と言います。色相環上にある色は「純色」と言い、濁りのない鮮やかな色です。純色に白やグレー、黒色を混ぜると淡い色や暗い色になります。何と何を混ぜたらどんな色になるかを知っておくと、欲しい色が作り出せるでしょう。

05

シャドウ吹き完成

影色だからといってグレーや茶色を混ぜて濁った色を吹き付けてしまうと、汚くなってしまう場合があります。薄い黄色に対して濃い黄色やオレンジといったように彩度は下げずに濃い色にします。

06

ラインをマスク

スカートには白いラインが入っているので、その部分はマスキングで表現します。1.5㎜と2㎜のマスキングテープを貼り、ラインの部分をマスクしました。

07

スカートの塗装

ベース色はGSIクレオスの「CP09:ミルキーストロベリー」、影色は同じくGSIクレオスの「CP10:チェリーレッド」を吹き付けました。

08

スカートの完成

マスキングを外すとこのように白いラインが再現できています。ベースと影色で2色使用したので、立体感も出ています。

09

クリアパーツの塗装

マントの先端に付く宝石です。ガイアノーツの「049:クリアーピンク」を使用しました。クリアー塗料は吹けば吹くほど濃くなるので、複数のパーツの色味を揃えたい場合は吹き付け具合に注意します。

10

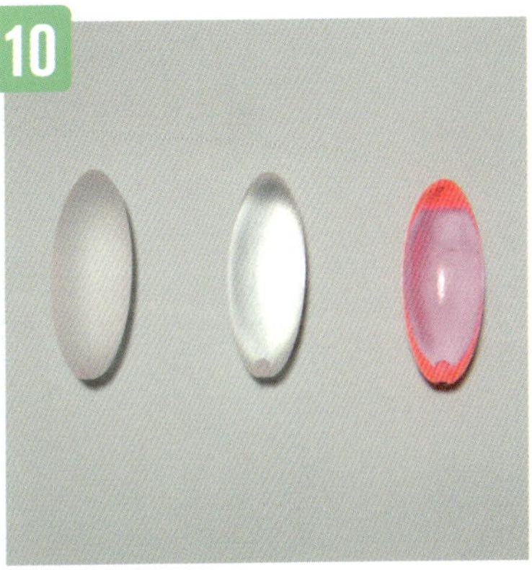

透明度の復活

左から順に表面処理完了時、プライマー塗布時、塗装完了時。徐々に透明度が上がっているのがわかります。クリアパーツの塗装は順番的にはいつ行っても構わないのですが、濃い色の塗装に入る前に行っておくのが無難でしょう。

第3章③

服、小物の塗装と仕上げ

CHAPTER

24

服、マントの塗装

引き続き、服の塗装を続けます。ブラウスとパニエは白いので、ベースに塗った白を生かそうと思います。ですから影色を塗るだけで大丈夫です。白い服の影色は何色にするか難しいのですが、グレーにするよりは薄い水色や紫にすることが多いようです。マント、帽子、ブーツ、ベストやリボンの紫色は、魔法使いの衣装らしく通常の塗装とは違い、パールやメタリックな感じで仕上げようと思います。光沢やパール、メタリックの場合は、シャドウは吹きません。

01

ブラウス

シャドウ色はガイアノーツの「019：ラベンダー」+「Ex-01:Ex·ホワイト」で作りました。光が当たる方向とは反対側から吹き付けます。袖下、脇、胸の下などに吹きかけます。

02

パニエ

ひだの谷の部分などに吹いています。全体的に少し紫がかった感じになりました。

03

ベストやマントの紫色に迷う

候補は、ガイアノーツの「017：パープルヴァイオレット」(写真左)とGSIクレオスの「CP07：ウィステリアブルー」(写真右)の2色。イラストではパステルっぽい紫なので後者のほうが近い感じがしますが、髪やスカートなどがいずれもパステル調なのでぼけないように濃いほうのパープルヴァイオレットに決定。

04

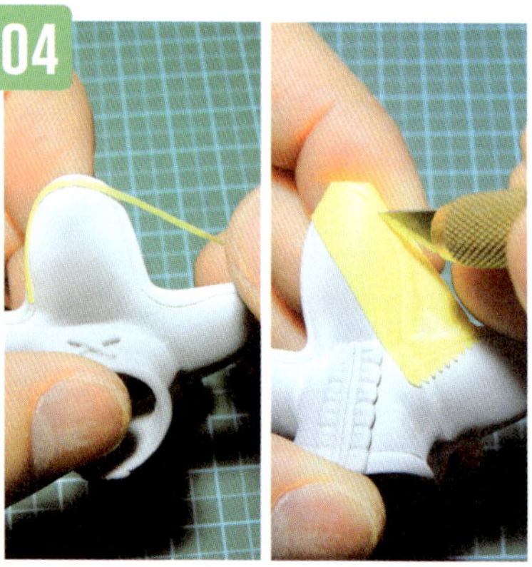

白をマスク

ベストの下部に白いラインがあります。ここはマスキングして紫を吹きます。例によって細いマスキングテープを貼っていく方法(写真左)とマスキングテープを貼って切る方法(写真右)があります。

混色した塗料は

混色して作った塗料が余ったら、ぜひ保存しておきましょう。写真のようなスペアボトルに入れて、ラベルに何の色か、または何と何を足して作った色かといった情報を記入しておきます。一度作った色というのは二度と作れないといっても過言ではありません。残してさえおけば、塗り忘れを発見した際や剥げてしまった場合などに使用できます。写真はウィステリアブルーとパープルヴァイオレットをほぼ1:1で混ぜたもの。03で迷った際に中間色はどうだろうと思い作ってみたのですが、濃いほうが良いと考えたので使用しなかったのです。

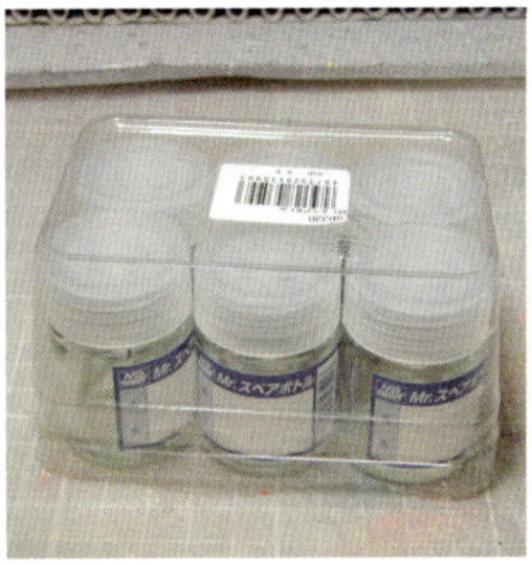

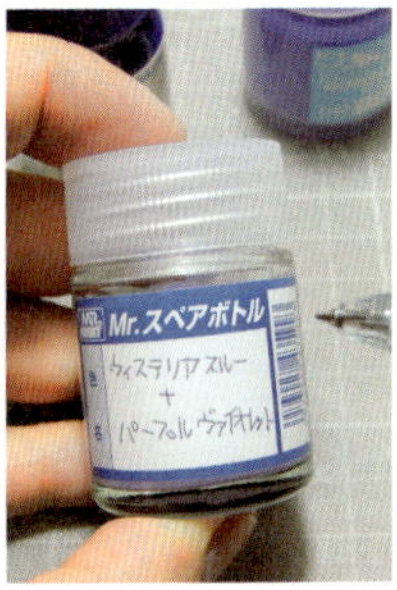

05

マスキング完了

マスキングが完了しました。他のパーツは塗り分けがあっても、金や黒といった紫色より濃い色を塗るのでマスキングの必要はありません。

06

隠蔽力は十分

パープルヴァイオレットは濃い色なのでサーフェイサーの上に直接吹いても問題なく発色してくれます。

07

ブーツの塗装

ソール部は、後で黒を塗ります。塗り分けラインまでがしっかり紫になれば良いので、かかとは塗っていません。黒は紫よりさらに隠蔽力の高い色で、下地の影響は受けないので問題ありません。

08

塗り忘れに注意

隠れる部分など不要な部分は塗らなくても良いのですが、塗り忘れには注意したいです。持ち手のクリップで挟んでいる面が塗れていませんでした。ここは、ブーツの折り返しのパーツが付くので見えなくなりそうですが、一応塗っておきました。

09

ざらついたマントの表面

サーフェイサーを吹いたときもそうでしたが、大きな面積はざらつきやすいです。別の面を塗っているときに飛んでくる塗料の粒子が付着したりするのが原因のようです。水を付けたスポンジペーパー(600～1000番)を使用して磨いたらきれいになりました。

10

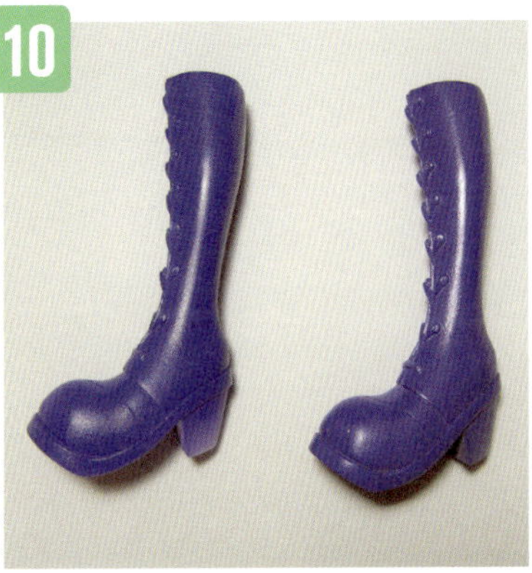

パール塗料を上掛けコート

写真ではわかりづらいですが、右がパールコートしたものです。使用したのはGSIクレオスの「XC04:アメジストパープル」。さらに輝きが増すように、クリアーでコートしました。

CHAPTER 25

金属色の塗装

マントや帽子の装飾部分の金色や杖の銀色を塗装します。杖の柄は作者による完成見本ではグレーですが、イラストでは銀っぽく見えたので銀にすることにしました。金属色は下地に黒を塗っておくと発色がとても良くなるので、先に黒を塗ります。表面が平滑なほど輝きが増すわけですから、このとき使用する黒は光沢(ツヤあり)にします。ブーツのソール部や紐なども黒なので一緒に塗ることにしました。金や銀などの金属色は粒子が大きめで、すぐに沈殿します。エアーブラシのカップ内でも顔料と溶剤の分離が起こります。117ページの洗浄のところで紹介した「ノズルキャップを緩めてのうがい」をすると塗料が撹拌されます。ときどきうがいをしながら塗ってください。

01

下地の違い

左半分は白いパーツの上にそのまま、右半分は黒を塗った上に銀を吹いています。写真ではわかりづらいかも知れませんが、黒の上のほうが発色の良さや色の深みが感じられます。なお、黒の上に金属色を吹くと、色が乗りやすいので、比較的速く塗ることができます。

02

マントのマスキング

ふちが金色なのでマントの大部分をマスキングします。キワはいつものようにマスキングテープでマスクします。それ以外の部分はマスキングテープでなくても大丈夫なので、紙を切って使用しました。

03

まずは黒を吹く

マスキングが完了したら黒を吹きます。黒はガイアノーツの「002:ピュアブラック」を使用。帽子やブーツの折り返し部分なども一緒に吹きます。杖や宝玉留め金具のパーツはマスクなしで全体に黒を吹きました。

04

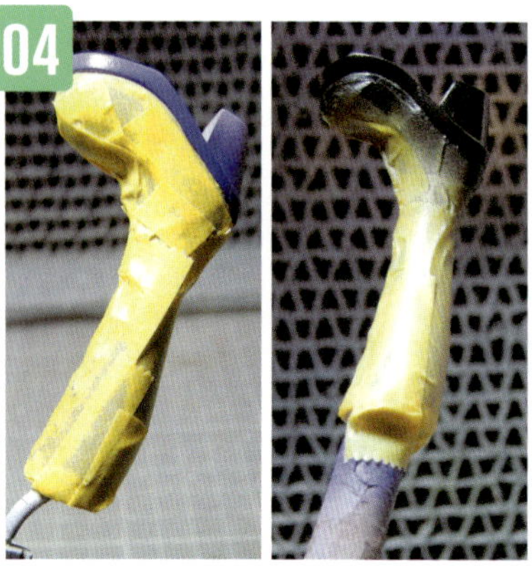

本当はツヤ消しが良いけれど

ここで、ブーツの靴底の黒も一緒に吹きました。ソール部分はゴムのような素材だとするとツヤ消しの黒のほうが良いのですが、後でツヤ消しコートをして対処することにしました。靴紐の結び目も塗っています。

マスキングしてから吹き付けるまでに時間をおいた場合は

長時間連続して作業をするわけにはいかない場合、マスキングを終えた段階で作業を中断することもあると思います。「帰ってきてから吹こう」とか「明日、朝起きてからにしよう」といった具合に。それは、別に構わないのですが、再開する際には、マスキングテープが浮いていないかを確認する必要があります。写真左はマスキングが浮いているのに気が付かず金を吹いてしまったブーツの折り返し部分です。右がマスキングを剥がしたところ。浮いたところから塗料が吹き込んでしまっています。こうならないためにも確認が必要です。なお、はみ出し部分の修正・対処法は次のページを参考にしてください。

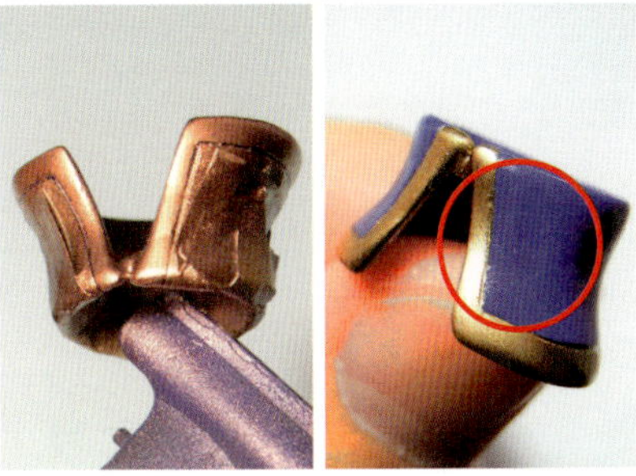

05

先に銀を吹く

黒を塗ったらいよいよ金属色を吹き付けます。金と銀、どちらを先に塗っても問題ないのですが杖の柄の部分のほうがマスクしやすいので銀色を先に吹きました。銀はGSIクレオスの「SM01:スーパーファインシルバー」を使用。マスクした後、金を吹きます。

06

続いて金色を吹く

ちょっと他の作業で間が開きましたが、03の続きになります。金色はGSIクレオスの「9:ゴールド」を使用します。

07

マスクを剥がして完成

吹き終わった金が乾燥したらマスキングを剥がします。マントの塗り分けが完成です。箱絵のマントはグラデーションになっているのですが、光の表現なのか実際にグラデーションなのかがわからないのでベタ塗りにしています。星は省略しました。

08

帽子

金色のラインが入った帽子です。直線的なのでマスキングは簡単でした。上面のダボのところに帽子の紫色の先端が付きます。

09

ブーツの折り返し

きれいに塗り分けができました。じつはこのパーツは左右分で二つあります。そのうちの一つが失敗していました。失敗は上の部分を見てください。

10

塗り分けの終了したパーツ

エアーブラシとマスキングによる塗り分けが完了した帽子や杖、リボンなどのパーツです。ここにあるパーツは筆塗りする部分もないので、実質完成。後は組み立てを待つばかりです。

CHAPTER

26

はみ出しの修正

エアーブラシとマスキングによる塗装作業もほぼ終了。きれいな仕上がりには丁寧なマスキング作業が必要不可欠。少々手間ですが、きちんとマスキングしてエアーブラシで塗装すれば、きちんと塗り分けられるのです。しかし、ときにはマスキングがうまくできていなくて塗料が漏れ出したり、逆に塗れていなかったりという箇所もあるのではないでしょうか。ここでは、それら失敗箇所の対処法を見ていきたいと思います。

01

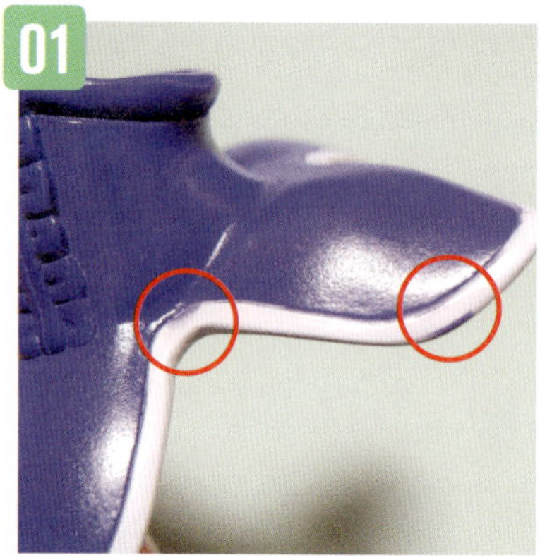

失敗したパーツ

ベストのパーツです。下部の白いラインをマスクして紫色を吹き付けたのですが、○印の2箇所ではみ出していました。

02

マスキングして塗り直す

筆で白を塗るという方法もあるのですが、紫色の部分をマスキングして塗り直すことにしました。マスキングテープを大雑把に貼り密着させます。境目にアートナイフで切れ目を入れた後、マスキングテープを剥がして白い部分を露出させます。カーブのところは浮かないように細切りのテープを貼っています。

03

修正部分だけで十分

はみ出した紫色の部分が塗装できれば良いのでその周辺の白いラインを露出させ、後は全てマスキングしてしまって構いません。

04

白を吹く

ガイアノーツの「Ex-01：Ex-ホワイト」を吹き付けました。すぐに白くなり、わからなくなりました。

筆塗りによる修正

マスキングして塗り直すより手っ取り早く修正できるのが、筆塗りによる修正です。写真ではわかりにくいですが肉眼で見ると修正した箇所は一目瞭然です。目立ちにくい場所ならば多少の仕上がりの見栄えを犠牲にして簡単な方法で修正するというのも良いでしょう。見栄えを優先するか手間のかからなさ(時間)を優先するかによって、修正方法を選択してください。

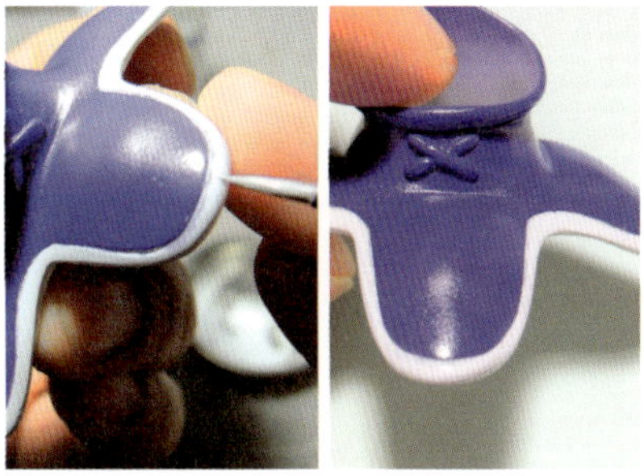

05

今度は大丈夫?

マスキングを剥がしてみました。問題ないようです。01の写真と見比べると修正されたところがわかりやすいでしょう。

06

ブーツの折り返し

マスキングテープが浮いていて隙間に塗料が吹き込んでしまった部分です。紫色の塗装面の上に金色が乗ってしまっているのです。何とか金色の塗料だけ落としたいもの。

07

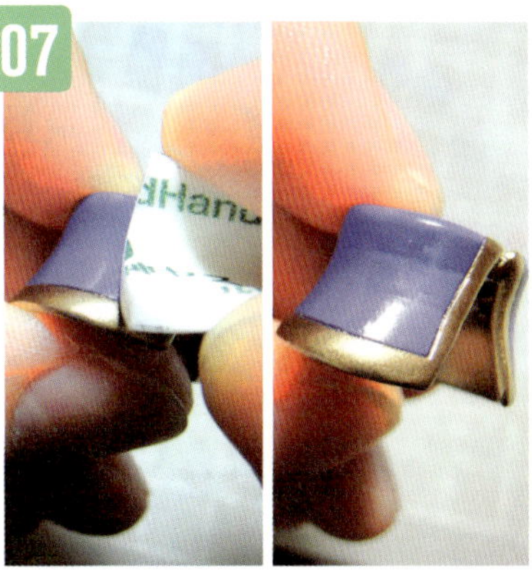

ヤスリで磨く

紙ヤスリやスポンジヤスリで磨けば取れそうですが、紫色の塗膜まで削ってしまいそうです。8000番のスポンジヤスリでそっとやってみましたが、何とか落とすことができました。

08

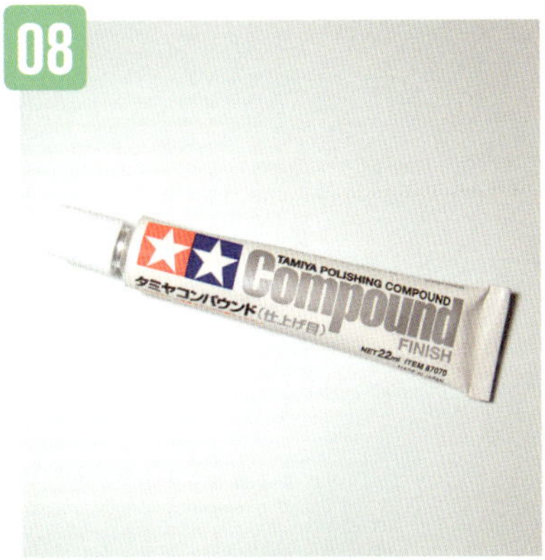

コンパウンドで磨く

「コンパウンド」は塗装面を磨いてツヤを出すための研磨剤です。これで磨くことで落とせないか試してみます。使用したのは「タミヤコンパウンド(仕上げ目)」です。

09

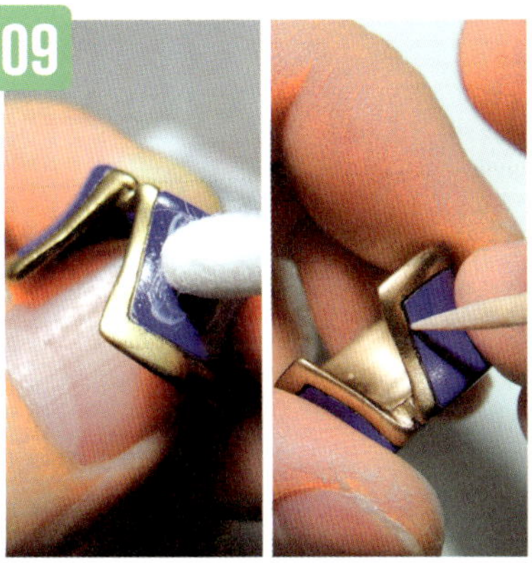

綿棒につけて塗装面をこする

磨き終わったらコンパウンドは拭き取るか、水で洗い流します。ミゾに入ったコンパウンドは爪楊枝などで取り除きます。

10

きれいに落ちた

今回はうまくいきましたが、下地が出てきてしまった場合は、マスキングをして塗り直すしかありません。

第3章③

服、小物の塗装と仕上げ

CHAPTER

27

小技、ツヤのコントロール

エアーブラシを使った作業をもう少しだけ行いました。帽子に付く髑髏のパーツですが眼窩と鼻腔の部分は黒く、全体は白く塗り分けます。普通なら白を塗ってからマスキングして黒を吹き付けるところですが、黒の部分と白の部分の境目をぼかした感じにしようと考えました。エアーブラシの細吹きで境目をぼかすことも、できなくはないのですが、もう少しで簡単に行う方法があるので紹介します。また、ツヤ消しのクリアーを吹き付け、ツヤのコントロールも行いました。

01

眼窩と鼻腔を黒くする

帽子に付く髑髏のパーツです。サーフェイサー吹きして仕上げた状態の上に黒を吹き付けます。眼窩と鼻腔の部分のみでOK。黒はクレオスの「33:つや消しブラック」です。

02

練り消しゴムでマスク

練り消しゴムを適当な大きさにちぎって丸め眼窩と鼻の穴に詰めます。詰めたらその状態のままエアーブラシで白を吹き付けます。

03

練り消しゴムを取る

白く塗れました。乾いてからピンセットで練り消しゴムを取り除きます。

04

完成

目と鼻の部分がうまくぼやけて仕上がっています。マスキングをかっちりしないことでぼかした状態の塗り分けができたのです。

クリアー吹きについて

クリアーには光沢とツヤ消しがあり、ビン入りの塗料の場合薄めて使用します。ツヤ消しの場合、塗りにくいからといって、薄め液を大量に入れたものを吹くと、ツヤ消しの効果が得られないことがあります。薄め液のリターダー成分で表面がなめらかになりツヤありになってしまうのです。逆も同じです。光沢の効果を得ようとして濃い目に溶いたものを吹き付けると、表面がざらついてしまうことがあります。通常の塗料を薄め液で薄めるのと同程度の濃度にするのでは、どちらも都合が悪いようです。光沢は薄めに、ツヤ消しは濃い目に溶くようにすると良いようです。写真左はガイアノーツの「Ex-04 Ex-フラットクリアー(つや消し)」、右は「Ex-クリアー(光沢)」。

05

ツヤ消しクリアー塗布前

ツヤのコントロールを行います。まずは目を描く際に、エナメル塗料が落ちやすくなるように光沢のクリアーを吹き付けた顔パーツです。

06

ツヤ消しクリアー吹き付け後

ご覧のように、ツヤ消しのクリアーを吹くと、しっとりと落ち着いて良い感じになりました。デカールを貼って仕上げたものの場合には、クリアーを吹くことでデカールの保護にもなります。

07

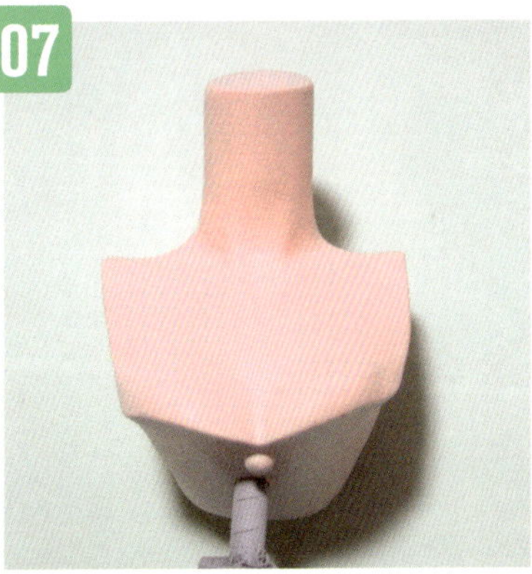

肌は全部マットに！

肌の部分は全てツヤ消しのクリアーを吹きます。顔以外には光沢のクリアーは吹いていませんが、もともと塗った塗料にツヤがあるので、ツヤ消しにします。

08

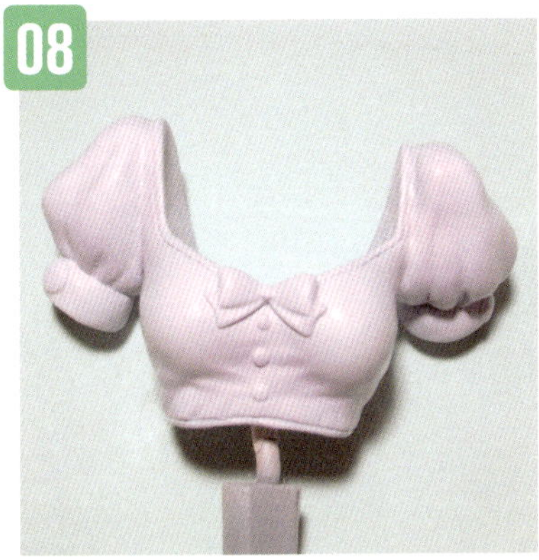

服(ブラウス)

下地に吹いた白に光沢があったので、ブラウスが光沢になっています。ツヤのある布地もありますが、ここはコットンをイメージしてツヤ消しにします。

09

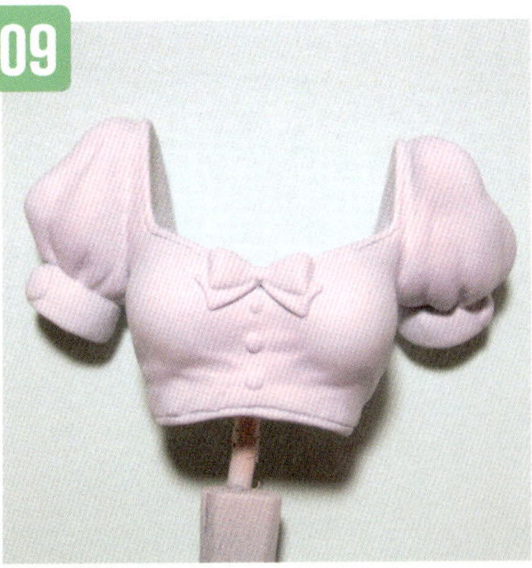

まだリボンを塗ってない

ツヤ消しを吹いた後のブラウスです。筆塗りする予定なので中央のリボンを塗っていませんが、ここはツヤありの塗料で塗る予定です。もしリボンを塗った後にツヤ消しクリアーを吹くならリボンをマスキングしなくてはなりません。こうしたことも考えてツヤ消しのクリアーを吹くタイミングを決めています。

10

靴紐

靴紐は金属色の下地の黒を塗る際に一緒に塗ったのでツヤありです。そこで、ツヤ消しにします。当初、靴紐と同様、ブーツのソール部分もツヤ消しにしようと思っていましたが、魔法少女の衣装なので質感のリアルさより、見た目の派手さを優先してツヤありのままとしました。

第3章③

服、小物の塗装と仕上げ

CHAPTER

28

筆塗り細部塗装

細かな部分を筆で塗り分けていきます。筆塗り自体は、カラーレジンキットの際や目を描く際にも行っていますので、難しいことではないと思います。今回使うのは、ラッカー系塗料です。カラーレジンキットに使用した水性アクリル塗料や目を描いたときのエナメル塗料と違い、乾燥が速いため注意します。また、エアーブラシ塗装に使った塗料と同じ種類の塗料なので下地が溶け出す可能性があります。手早く塗りましょう。ブラウスのリボン、パンツのリボン、ブーツの靴紐、腕輪の金色など、そんなに多くはありません。また、スミ入れも行ってしまりのある完成品にします。

01

基本は同じ

塗料皿に塗料を入れ薄め液を入れてちょうど良い濃度にします。筆に含ませ、皿のふちでしごいて穂先に含ませる塗料の量を調整します。

02

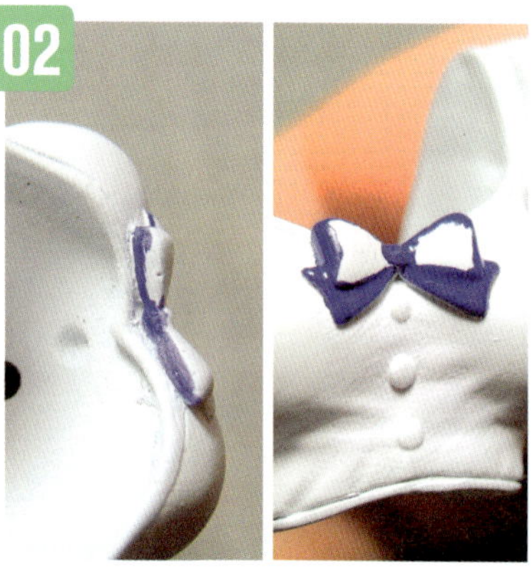

はみ出さないように

輪郭部分から塗っていきます。マントやブーツに吹き付けた色、ガイアノーツの「017:パープルヴァイオレット」を使用しました。

03

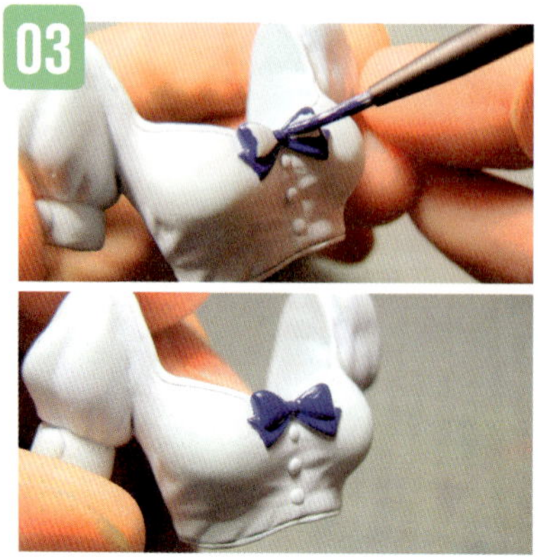

ブラウスのリボン

輪郭部分が塗れたら、筆に塗料をたっぷり含ませ、真ん中部分を塗ります。ブラウスはツヤ消しですが、リボンがツヤありの塗料なのでワンポイントになっています。リボンもツヤ消しにするなら、筆塗り後にツヤ消しのクリアーを吹く手順になります。

04

パンツのリボンも

パンツにもリボンが付いています。ここもブラウスのリボンと色を合わせて「017:パープルヴァイオレット」で同様に塗りました。

塗料の濃度のコントロール

ラッカー系塗料は他の塗料と比較して圧倒的に乾燥が速いです。乾燥を遅らせるリターダー入りの薄め液を使うと良いでしょう。ここまでエアーブラシ塗装に使ってきたガイアノーツの「モデレイト溶剤」にもリターダー成分が入っていますが、筆塗り中の実感としては、意外と乾燥するのが速い気がします。作業中に適宜、薄め液を足して調整するのがコツです。なお、筆先の塗料をちょうど良い濃度に保つため、薄め液だけを塗料皿に入れておき、それを使って調整しながら塗っています。

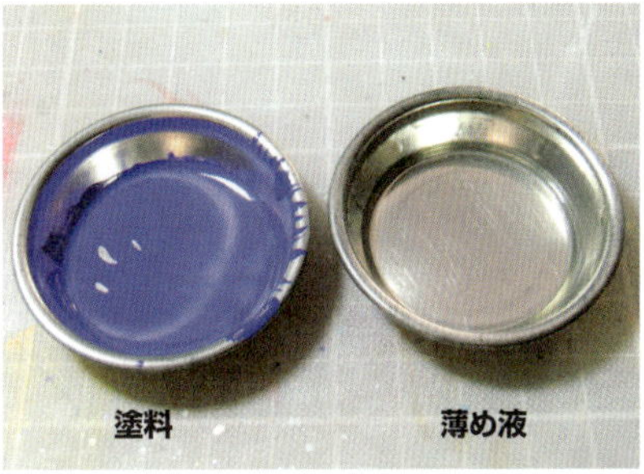

05

腕輪の星

白い腕輪に、星が付いています。イラストには腕輪そのものがありませんが、首に星の形の留め金があり、それが金なので金色にしました。金はクレオスの「9:ゴールド」を使用。

06

靴紐は片側から

靴紐はクレオスの「33:つや消しブラック」を使用しました。靴紐はクロスしているのですが、片側のみ先に仕上げました。同じ側のみを続けて作業するほうが効率的ですし、反対側をやろうとして持ち替えたりしているうちに塗ったところを触ってしまうという失敗が少ないだろうと考えてのことです。

07

塗り分け完成

靴紐が塗れました。ブラウスやリボンとは逆で、ツヤありの地にツヤ消しの塗料での仕上げとなっています。靴紐もツヤありで仕上げるなら筆塗り後にクリアー(光沢)を吹くことになります。

08

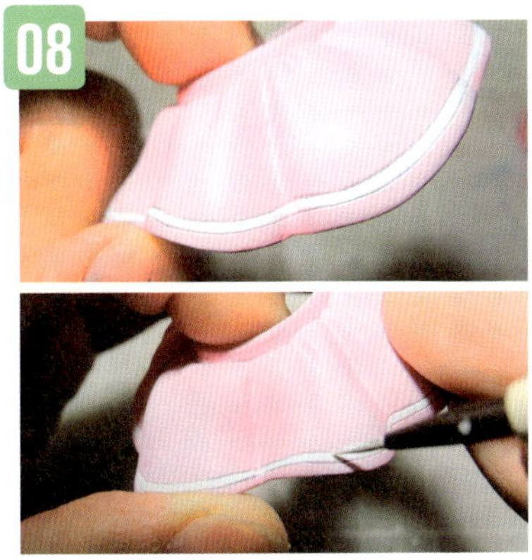

黒以外でも

マスキングして塗り分けたスカートの白いライン、ミゾの中があまりきれいではありません。ここにスミ入れをすると、「ぱきっ」とするのですが、黒だときつすぎる気がします。そこでタミヤのエナメル塗料「XF-2フラットホワイト」を使ってスミ入れしました。同系色ならきつくないのでピンクでも良いでしょう。

09

金モール

ブーツの折り返し部分とマントの金と紫色の境目のミゾにタミヤのエナメル塗料「XF-1フラットブラック」でスミ入れをしました。

10

ブーツにもスミ入れ

ブーツの縫い目にもスミ入れをしました。色の境目以外でも、いや、同じ色のところのミゾのほうがむしろ、スミ入れは有効ですね。

第3章③

服、小物の塗装と仕上げ

CHAPTER

29

パステルメイクアップ

イラストなどでは、女の子の頬は赤みをおびています。エアーブラシで吹き付けて表現することもできますが、吹き付ける範囲や濃さなどの調整が非常に難しいでしょうね。そこで、簡単に効果を出すことのできる方法として「パステル」を使って頬を染めるという技法を紹介しましょう。パステルと言うのは、乾燥した粉末状の顔料を固めたものです。絵画、デッサンに使われる画材ですが、最近ではフィギュアやドール、ミリタリーモデルなどにも使用されています。

01

迷ったらセットを

パステルを画材店に買いに行くとたくさんあって迷ってしまうかもしれません。模型店やホビーコーナーで入手できるものが良いでしょう。今回、使用したのは造形村の「SD用メイクパステル･ベースメイクカラー」です。

02

ヤスリで削る

紙ヤスリの上で円を描くように動かし、削って粉末状にします。色はピンク、紙ヤスリは600番を使用しました。

03

筆先に付ける

水を付けない乾いた筆の穂先で削ったパステルの粉をすくい取ります。

04

頬に乗せる

パステルメイクは、顔の表面をツヤ消しにしてから行います。頬に粉を乗せ、塗り広げます。表面に凹凸があるので隙間に入って定着します。

やり直しと定着

どうしても気に入らなくてやり直す場合は、練り消しゴムで拭えば取り除くことができます。取り除くことができるということは、塗装面に乗っているだけで定着していないということです。触ると取れてしまうので、定着させるなら、トップコートやクリアーでコートしましょう。

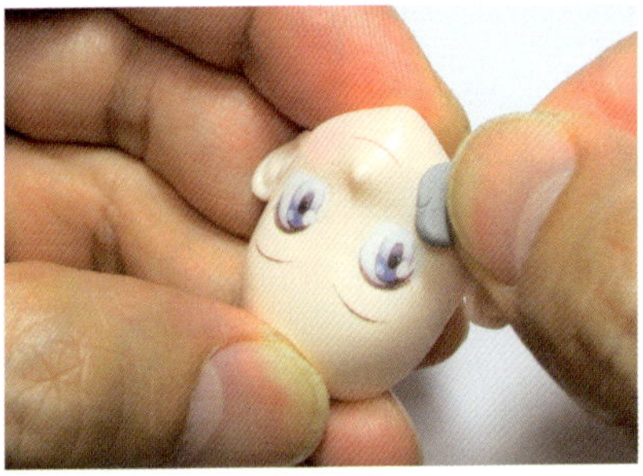

左右とも行う

左右の頬に乗せました。が、あまり赤くなっていません。色味が薄かったようです。そこで、色名がわからないのですがもう少し赤い色にすることにしました。

ローズピンク?

セットの中にある濃い目のピンクを削りました。

今度は少し濃過ぎる?

新しく削ったこの色だけだと、濃いような気がします。そこで、薄いピンクが付いたままの筆に濃いほうの色を付けました。

頬の上でブレンド

頬の上に置いてみるとやはり少し赤過ぎるようです。そこで、頬の上で先ほど塗ったピンクと混ぜました。すると良い感じになりました。

完成

もし、濃過ぎると思った場合、筆で伸ばして範囲を広げたり、きれいな筆で少し顔料を払って、取り除いたりと、調整ができます。

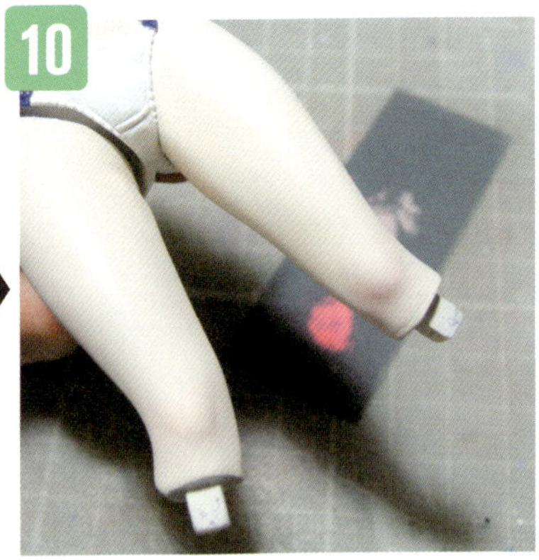

頬以外にも使える

写真では、ひざ下の部分に赤みを差しています。ひじや関節部分などは赤みがあるので、そういった部分に行うと効果的です。

第3章④

レジンキャストキットの組み立て

CHAPTER

30

組み立て

塗装が終了。いよいよ組み立てていきます。組み立て作業も、基本的にはカラーレジンキットのときと同様、瞬間接着剤で接着していきます。流し込みで行う部分と貼り合わせで行う部分があるのも同じです。ただ、パーツの全面に塗装してあるので、塗装面に接着剤を付けて汚してしまわないように注意が必要です。また、塗装により、塗膜の分の厚みが増え、はまらなくなったりもしているので、調整して組み立てていきます。組み立て直前まで塗装作業を行っていた場合は、塗料や溶剤が手に付いている可能性が高いです。組み立ての際にパーツを汚さないように良く手を洗っておきましょう。またきれいな手袋をはめて行うのも効果的です。

01

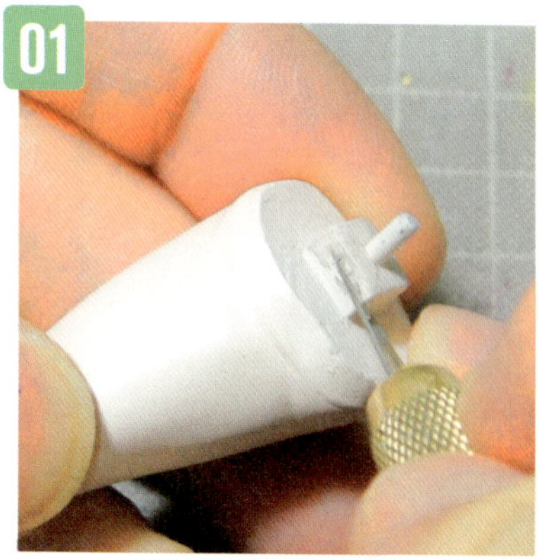

接着部分の塗装は剥がす

パーツとパーツを接着する際、塗膜の部分で接着すると塗膜ごと剥がれて外れてしまうことになりかねません。それを防ぐためにも、接着面の塗膜は剥がしておきます。アートナイフで剥がします。

02

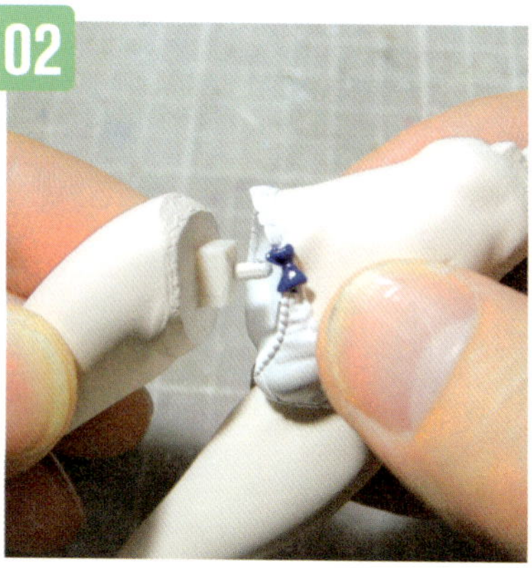

貼り合わせで

右脚の接続部分です。ダボがあり金属線で軸打ちもしてあるので、しっかりはまります。ここは、瞬間接着剤を塗ってはめ合わせて接着します。

03

シアノンで接着

貼り合わせには、瞬間接着剤の中でも、固まるまでに比較的時間があるシアノンを使用。接着剤としての本来の使用法ですね。もちろん高強度やゼリー状の瞬間接着剤でも良いです。

04

ブーツの折り返し部分

ここは脚をはめると見えなくなるので、折り返し部分のパーツをはめ込んだ状態で、接着剤を流し込んで接着しました。流し込みの際は思わぬところにまで流れていくことがあるので注意が必要です。押さえている指まで接着してしまうこともままあります。

組み立て前にパーツの確認を

全てのパーツを並べてみました。組み立て前に再度「パーツが足りているか」「塗り忘れがないか」などの確認をしておきましょう。じつは、この写真を撮影する際に、両腕がないのに気が付いて探しました。すぐに見つかって事なきを得ましたが……。塗り分けが終了したものは持ち手から外して箱に入れて保管していました。クッション代わりにキッチンペーパーが敷いてあったのですが、その下に落ち込んでいたのでした。

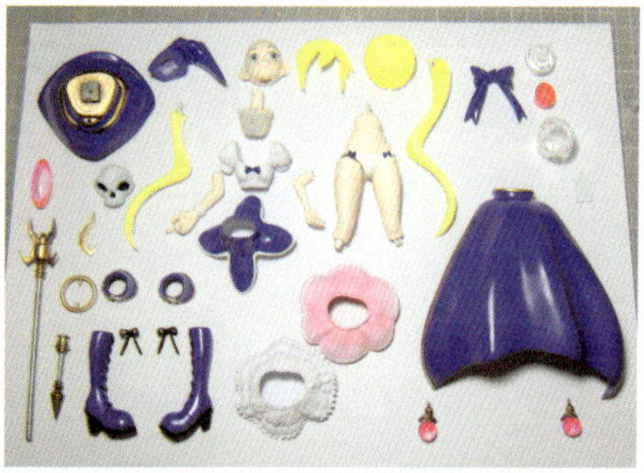

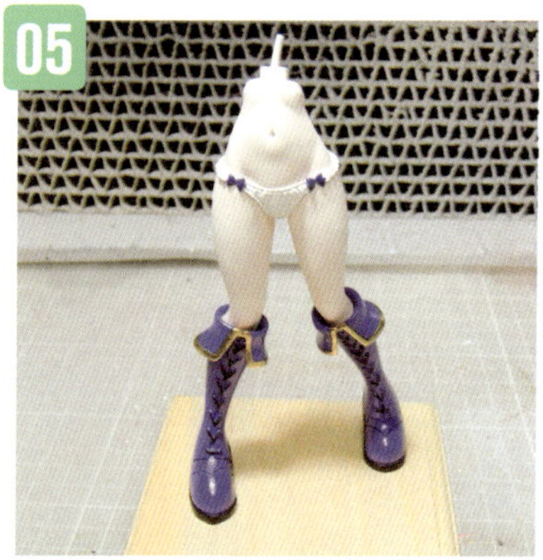

05

下から組み上げる

ブーツと脚を接着後、ベースに差し込みました（ベースとフィギュアは接着していません）。ここから上に組み上げていきました。

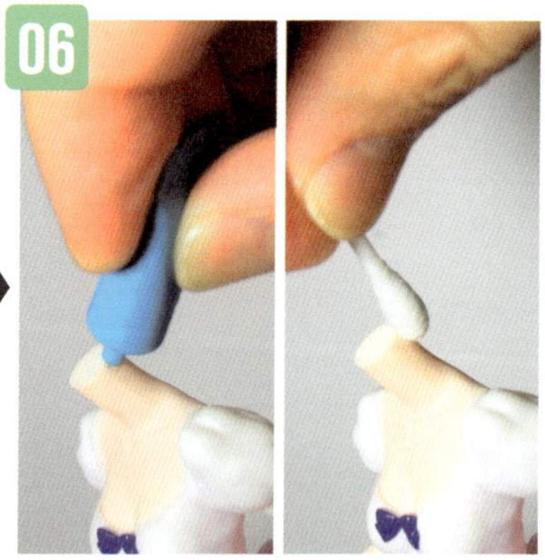

06

首がはまらない

はまりそうなのですが、無理にはめると塗装が剥げてしまいそうです。対処法としては、通常は塗膜を剥がすのですが、ここでは綿棒で首の表面にグリスを塗り広げて滑りを良くし、はめ込みました。

07

薬ビンの固定

薬ビンは透明です。接着すると汚くなりそうなので、当初両面テープで固定しようと思っていましたが、意外に重く、すぐに落ちてしまいました。そこで薬ビンと手をピンで繋ぐことにし、手のひらに2㎜の穴を開けました。

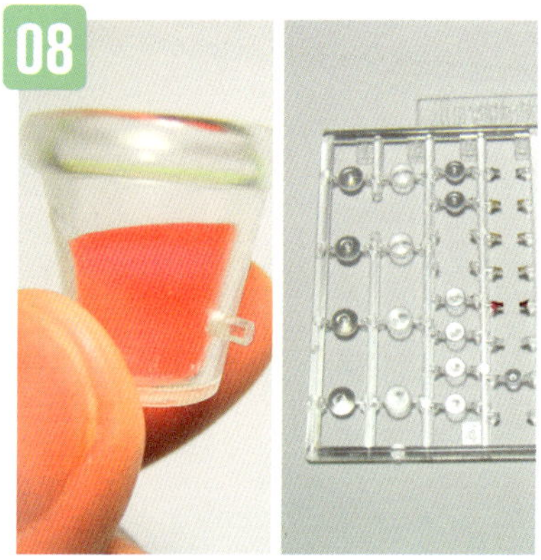

08

薬ビンにピンを

薬ビンにも穴を開け、ピンを挿しました。ピンは透明なプラ棒を使用。市販のプラ棒でも良いですが、家にあったプラモデルのクリアパーツのランナー部分を切り取って使用しました。

09

固定完了

うまく、固定することができました。この角度からだと固定ピンが見えます。

10

塗膜が剥げた

はめ合わせる際にこすって塗膜が剥げてしまいました。結構目立つので、影色に使った「005:サンシャインイエロー」（ガイアノーツ）を筆塗りして補修しました。多少は、こういった部分は出てくるので、使った塗料でリカバリーします。

第3章④

レジンキャストキットの組み立て

CHAPTER 31

完成！

本格的なレジンキャストキットが完成しました。気泡やパーティングラインなどの処理は大変でしたが、完成すると感慨もひとしおです。マントは固定にしてしまいましたが、帽子は、かぶった状態と取った状態の差し替えができるようにしておきました。しかし、全てを塗装したキットの場合は、あまりパーツの抜き差しなどを行うと塗装が剥げる恐れがあります。現に帽子を外した際に前髪の一部が剥げてしまいました。基本的な工作ができ、エアーブラシを使った塗装ができれば、どんな状態のキットも完成させることができます。気に入ったキットを購入して、どんどん制作していきましょう。

完成品①

パッケージのイラストに忠実な作品ができました。魔法の杖は金属色の下地に黒を塗ったため、重厚な感じになり、少しイラストの軽い感じとは異なってしまったかもしれません。マントや帽子の紫は、実物はきれいな色ですが、印刷ではなかなか再現できないのが残念なところです。

ワンポイント

今回は行いませんでしたが、マントや帽子の裏は箱絵のようにグラデーションで仕上げても面白いでしょう。また、星は描き込んだりマスクして塗装するよりネイルやデコレーション用のシールを使うと手軽に再現できます。

完成品②

帽子を外した状態の完成品です。軽やかな印象になりますね。

CHAPTER 32

塗装用具の手入れ

エアーブラシ塗装、筆塗りによる塗装が終了したら、塗装用具の洗浄・手入れをしておきましょう。作業終了時に清掃しておけば、次回使用時にスムーズに作業が始められます。もちろん、作業後、すぐに片付けられないという場合もあるでしょうが、その場合でも、なるべく早く手入れをすることをおすすめします。「使用後はそのまま放置。洗浄するのは次回使用するとき」というのでは、作業の流れが止まってしまい、モチベーションも下がってしまいますよね。

エアーブラシの洗浄

色替えのときと同様、カップの中の塗料を処分してから、ツールウォッシュでうがいを繰り返してカップ内をきれいにします。ツールウォッシュを捨てカップ内を空にしてから、軸キャップを外し、ニードルチャックネジを緩めてニードルを抜きます。抜いたニードルはきれいに拭いておきます。

カップ内の掃除

カップの底を掃除します。筆などでツールウォッシュを塗り、綿棒で拭き取ります。ニードルが外してあるのでカップ内の掃除がしやすいと思います。

ニードルキャップ、ノズルキャップの掃除

ニードルキャップ、ノズルキャップは外して洗浄します。塗料皿にツールウォッシュを入れ、そこに浸けて汚れを落とします。汚れがひどい場合は掃除用の筆で落とします。汚れが落ちたら拭き取ります。

ノズル周りの掃除

ノズル周りの汚れも拭き取ります。汚れが乾燥している場合は、ツールウォッシュで湿らせたキッチンペーパーなどで拭き取ります。ノズルは外さなくて構いません。

エアーブラシの分解洗浄について

通常の使用時は、下記の洗浄方法で十分ですが、押しボタンの周りがカップからこぼれて伝った塗料で汚れた場合は、ニードルスプリングケースを回して外し、押しボタン周りを綿棒などで拭いたり、分解洗浄が必要になります。また、押しボタンが戻らないなどのトラブルについても分解洗浄し、その後、グリスや油を差すことで対処できるのですが、メーカーによっては分解を推奨していないところもありますので自己責任で行うことになります。取扱説明書やメーカーのホームページなどを参考に、自分で対処するか修理を依頼するか選択してください。

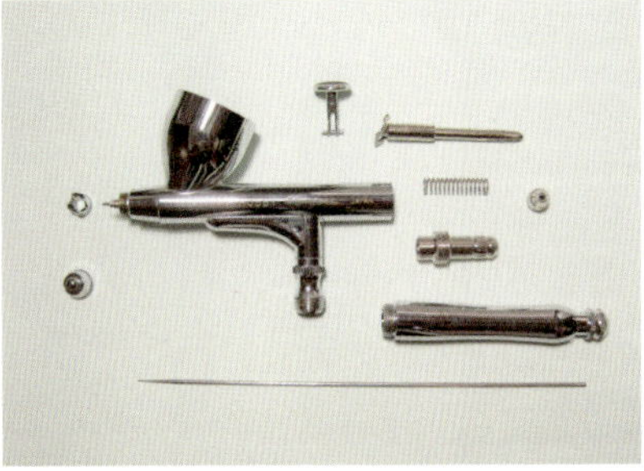

05

カップふたや本体の掃除

カップのふたの裏や本体にも塗料が付いています。ツールウォッシュを浸み込ませたキッチンペーパーや、掃除用の筆を使ってきれいに拭き取りましょう。全ての掃除が済んだら、もと通り組み立てて終了です。

06

調色スティックの掃除

調色スティックの表面に残っている塗料を拭き取ります。こびりついているようなら、紙コップに入れたツールウォッシュの中に浸けて濯ぐと落ちやすくなります。私は、エアーブラシのカップを洗浄するのに使ったツールウォッシュを紙コップに溜めておき、使用しています。

07

塗料皿の掃除

汚れの軽いものは皿の中にツールウォッシュを入れてから、キッチンペーパーで拭き取ります。

08

塗料皿の浸け置き洗い

汚れのひどいものは、紙コップに入れたツールウォッシュの中に浸けてからピンセットなどで引き上げ、筆で汚れを落とした後、拭き取ります。

09

使用後のツールウォッシュは

空になった薄め液やツールウォッシュの容器に溜めておき洗浄時に使用したりしていますが、処分する場合は、塗装作業時に使用したティッシュペーパーやキッチンペーパー、新聞紙などに吸わせて可燃ごみとして処分します。決して流しや排水溝に捨てないようにしてください。

10

筆の掃除

ツールウォッシュを入れた紙コップやブラシウォッシャーの中で濯いでからキッチンペーパーなどで拭き取ります。筆は、最後にまとめて洗うより、使用したらその都度、洗うのをおすすめします。塗料が乾燥すると落ちにくくなるのと、その状態で放置しておくと筆の毛先が痛むからです。

COLUMN 03 レジンキャストキット今昔物語

昭和40年代生まれの私たちの世代は、プラモデルを完成品にすることの延長としてレジンキャストキットに挑戦してステップアップして来ました。小学校の頃は、全ての男の子がプラモデルをたしなむ時代でした。しかし、ほとんどの友達は成長するにつれ、スポーツや音楽など他に興味の対象が移ってプラモデルから卒業していきました。そんな中、継続してプラモデルを趣味にしていた私はレジンキャストキットの存在を知ります。昔からあったものを知ったというのではなく、ガレージキットというものが登場した時代だったのです。1980年代後半から90年代初頭、高校に入った頃からレジンキャストキットをはじめとするガレージキットが出回り始めました。岐阜県の田舎出身だった私は岐阜市の高校に進学しました。当時、岐阜にはパルコがあり、パルコの中に「ポストホビー」というホビージャパンの経営するホビーショップが入っていました。そこにはプラモデルと一緒にガレージキットが並んでいたのです。そこでレジンキャストキットに出会います。しかし、レジンキャストキットは高校生には高嶺の花でした。専門学校生になりアルバイトなども始めると、多少自由になるお金もでき、自然な流れでプラモデルからレジンキャストキットへとスライドしていったのです。初めてワンダーフェスティバルに参加したのも専門学校の頃でした。クラスメイトに誘われて行ったワンダーフェスティバルは、まだ、浜松町の都立産業貿易センターで行われていた頃です。その後、参加の回数を重ね、やがて、スクラッチ(フィギュアを一から作ること)を始めるようになり、出展する側に回るようになったのです。ところが今ではプラモデルを作る人も減り、そこからステップアップするというルートが、ほとんどなくなっているように思います。

現在、私はカルチャー教室でフィギュア制作を教えていますが、プラモデルやレジンキャストキット制作の経験なしに、いきなりスクラッチにチャレンジする人がほとんどです。私たちの常識ではスクラッチというと、プラモデル→レジンキャストキットとステップアップして来て、初めて挑戦するものでした。それを一足飛びに行うというのは、「自分の好きなキャラクターを形にしたい」という強い欲求のなせる業なのでしょうか。それとも、それは現在のフィギュアを取り巻く環境によるものなのでしょうか。販売されているフィギュアのほとんどは完成品です。食玩もゲームセンターの景品もです。しかし、フィギュアに関する技法書といえば、スクラッチ(原型制作)に関するものがほとんどです。そういった環境であれば、「フィギュアが好き、とりあえず原型制作をやってみよう」と思うのが自然かもしれません。そうして、技法書を見ながら何とか完成させたとき、「どうやって色を塗ろう?」という疑問にぶち当たるのです。何しろ身の回りにあふれているフィギュアは最初から色が着いた状態です。ところが自分が粘土やパテで作ったフィギュアはグレーや黄色、白い塊なのですから。「プラモデル用の塗料を使ってプラモデルと同じように塗れば良いです」と説明しても、「プラモデル?　組んだことないし」という答えが返ってきます。そして、プラモデルを組んだことがある人もこう答えるのです。「はじめから色が着いていたので塗っていません」と。そうのなのです。キャラクターのプラモデルも進化していて塗らなくても済むようになっているのでした。

さて、最近は、デジタルによるフィギュア造形が普及してきていますね。しかし、カラーでの出力は、まだ満足のいく状況ではなく、単色(素材そのものの色)で出力した後、自分で色を付ける作業が必要です。また、20cm程度のフィギュアを満足のいくクオリティで出力するには8万円ほどかかるそうです。とても必要な数だけ出力できる単価ではありません。出力した一体分のパーツをシリコーンゴムで型取りし、レジンキャストで複製することでようやく1万円前後で販売することができるようになります。他に選択肢がない以上、デジタル造形の普及に伴ってイベントなどで売買されるレジンキャストキットの量が増加するのではないかと予測できます。ただし、色付きの出力品が完成品フィギュア並みの価格とクオリティになるか、3Dプリンターの出力単価がレジンキャストキットの価格と同じくらいになるまでという条件が付きますが。

レジンキャストキットが普及したとき、それらに色を塗って組み立てられたら良いとは思いませんか。ぜひ、原型制作に取り組む前に、いや、取り組んだ後でも構いませんのでレジンキャストキットの塗装・組み立てに取り組んで欲しいものです。

第4章

ワンランク上の仕上がりを目指そう!

上級というよりも楽をするテクニック

この章ではサーフェイサーを吹かずに仕上げる「サフレス」塗装という技法で制作します。ワンダーフェスティバルなどの展示即売イベントで個人ディーラーが完成見本として展示しているフィギュアのほとんどがサフレス仕上げではないでしょうか。透明感があり、きれいなサフレス塗装の完成品ですが、そのメリットは制作時間の短縮にあります。じつは楽をしようとしたことからできたテクニックなのです。ただ、長期保存をするとレジンキャスト自体が黄色く変色するので、白い服が黄色くなったり肌の色味が黄ばんだりしてしまう欠点があります。それを嫌って全塗装をすすめる完成品制作代行業者もあります。とはいえサフレス塗装の透明感は魅力的です。サーフェイサーを使った通常塗装でもサフレス塗装に近いものにできないかと考えられた技法にクリアーカラーを使ったサフレス風の塗装方法があります。こちらも紹介します。

CHAPTER 01

サフレス塗装仕上げ

通常塗装の工程のうちの、サーフェイサーを吹くという工程を行わないで完成させる方法があります。これを「サーフェイサーレス」略して「サフレス」と言います。レジンキャスト樹脂の素材の色を生かした透明感のある仕上がりは、ワンランク上と言っても良いでしょう。このページの完成見本は、第3章の通常塗装の作例でも使用した「見習い魔法使いミルカ」のキットをサフレス仕上げで制作したものです。この章ではまず、この仕上げの工程を紹介します。

透明感のある肌

今回はサフレスということで肌の露出を多めにしようと考え、軽装タイプで完成させました。ベストはなし。帽子、マントもなしです。

通常の服として

髪のリボンやブーツは、マントやベストと同じ色ですが、魔法使いとしての服ではなく、普通の服として仕上げたので、ツヤ消しの質感にしてあります。下の写真は比較用の「通常塗装で仕上げたミルカ」です。

CHAPTER

02

サフレス仕上げの気泡、傷の処理

サフレス塗装のメリットの一つには、作業工程が減るというのがあります。実際にサーフェイサーを吹く工程を省略できるのはもちろん、サーフェイサーを吹いた後、明るい色を塗るパーツに白を吹いて発色が良くなるようにするという工程をも省くことができます。ただし、その反面、サーフェイサーによる塗料の定着や表面の細かな傷を埋めるといった効果の恩恵が受けられないのが問題です。しかし、現在では、塗料の定着に関しては性能の良いプライマーのおかげで問題はありませんし、傷の処理方法に関しても良い方法があります。ここでは、サフレス仕上げをする際の気泡や傷の処理について、また塗装の際に気を付けておくべきことなどを見ていきます。

01

通常通りに

サフレス塗装でもやることは一緒です。まずは、ゲートやバリの処理をしつつ、仮組みしていきます。軸打ちも行い、その後、パーティングラインや気泡の処理に移っていきます。

02

気泡はシアノンで

第3章の通常塗装の制作工程でも紹介していますが、白いレジンキャストのパーツには白い瞬間接着剤であるシアノンがベストです。細かな傷や気泡はそのまま、大きなところは、SSPのHGパウダーやベビーパウダーと混ぜて埋めます。

03

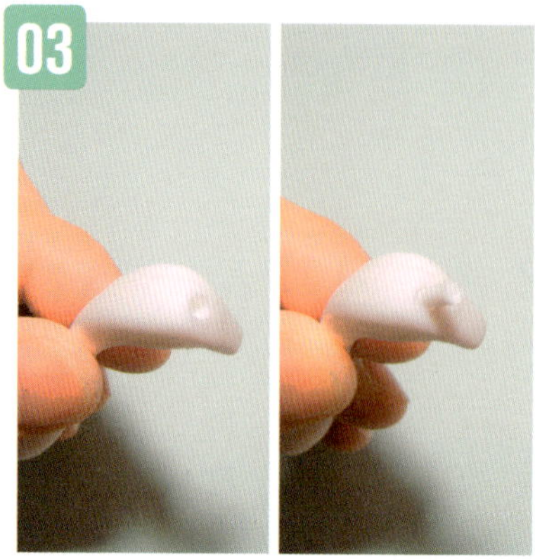

レジン片を利用した気泡埋め

108ページの気泡処理でも紹介していますが、気泡を埋めるのに切り取ったゲート部分のレジン片が使用できます。気泡部分にレジン片を差し込みます。

04

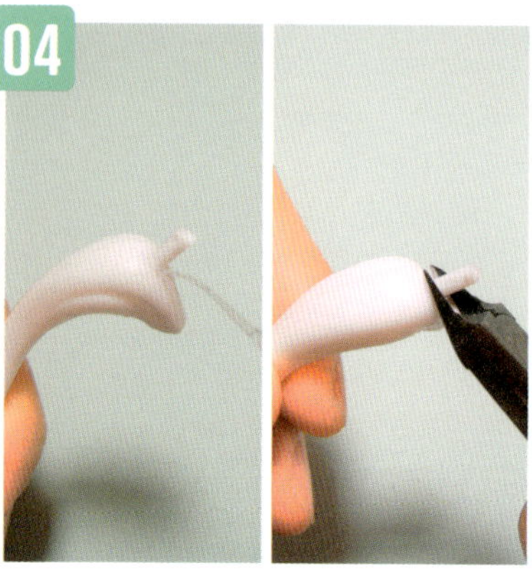

挿入、固定、カット

差し込んだレジン片を流し込みタイプの瞬間接着剤で固定した後、余分な部分をニッパーでカットします。

効果的なのは白

サフレス仕上げに向いたキットというのがあります。まず、はじめは気泡や欠けが少ないパーツの状態が良いもの。そして、サフレスの効果が高いのが肌の色の表現なので、肌の露出の多い水着などのフィギュアが向いています。さらに、レジンキャストの色は白がベストですね。作例に使用している「見習い魔法少女ミルカ」のキットでは肌の部分が肌色のカラーレジンで成型されていましたので、制作者の紙パレット氏に無理を言って作例用に白いレジンキャストで抜いたパーツを用意してもらいました。

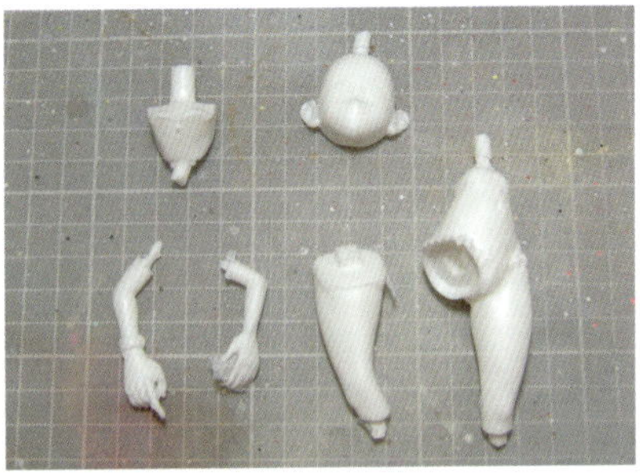

05

切削

切り取ったところを金属ヤスリで周りと均一にならします。差し込んだレジン片が多めに残っているようならアートナイフで削ってから行っても構いません。

06

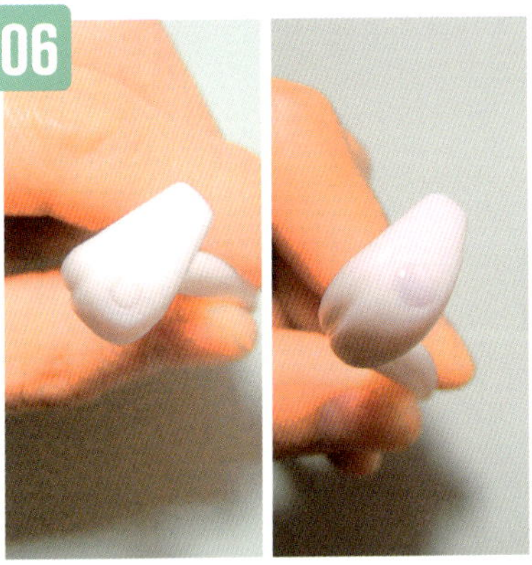

隙間埋め・整形

隙間があるような場合はシアノンを充填します。シアノンが硬化したら削って整形して完了です。急ぐ場合は瞬間接着剤用の硬化促進スプレーをひと吹きするか、SSPのHGパウダーを混ぜて使用します。

07

塗装前には洗浄

気泡やゲート、パーティングラインなど、塗装前に行うべき加工が終了したら洗浄しておきます。このあたりは通常塗装の前の工程と何ら変わりありません。

08

プライマーは必須！

レジンキャストの表面に塗料で色を塗った部分は、爪でこすると簡単に剥がれてしまいます。塗り分けの際に貼ったマスキングテープを剥がしたらごっそり塗料が剥離したということも良くありました。それを防ぐことのできるのがレジンキャスト用の「プライマー」です(プライマーの吹き方については116ページ参照)。

09

まずは肌色から

プライマーを吹いたら、まずは肌色を吹きます。通常塗装で肌色を吹いたときと同様、目の部分はマスクして吹きます。プライマーを塗布した部分はベタ付きます。レジンキャストの地色の白をそのまま生かす部分はプライマーを吹く前にマスクしておくとベタ付かずに済みます。

10

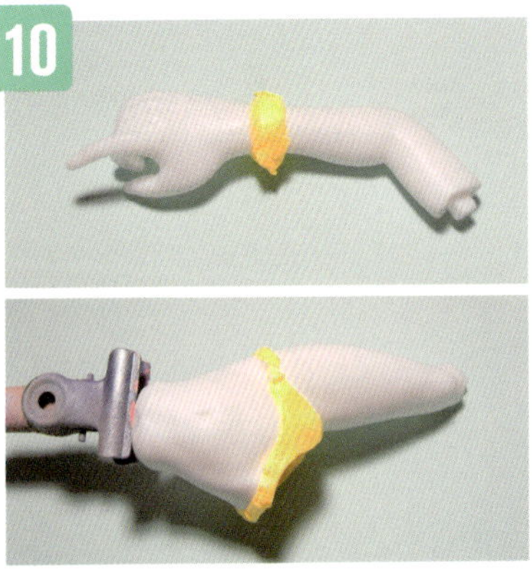

パンツと腕輪もマスキング

通常塗装の際は、肌色を吹いてから、肌の部分をマスキングして下着の白を吹き付けましたが、せっかくの白いレジン地を生かすには、はじめからマスクするしかありません。胴や腕側をマスキングするほうが楽なのですが、この場合は仕方ありません。

CHAPTER
03

肌色の塗装とシャドウ吹き

肌色の塗装は当初、ガイアノーツの「EX-フレッシュ」の濃淡だけで表現しようかと考えていました。ところがあまり濃淡がつかず均一に塗れてしまったのと思ったより、淡い色合いだったのでシャドウを吹くことにしました。シャドウ色はガイアノーツの「シャドー用フレッシュピンク系（スペシャルフレッシュセット）」を使用。これはイベント限定のセットなので市販品なら「053ノーツフレッシュピンク」が近いようです。

01

左右の色味を揃える

サフレスでは下地の色を生かすので軽く吹き付けます。肌色などの隠蔽力の低い色はしっかり吹き付ければ濃くなり、軽く吹き付ければ薄くなります。部位によって変わってしまわないように注意します。並べて確認すると効果的です。

02

シャドウ吹き

ひざ下など影ができるところを濃く塗ると効果的です。影のできる方向から吹き付けます。シャドウ色と言っても茶色やグレーなどの濁った色にするのではなく、肌色より赤みやオレンジ味を強くした色を吹き付けます。

03
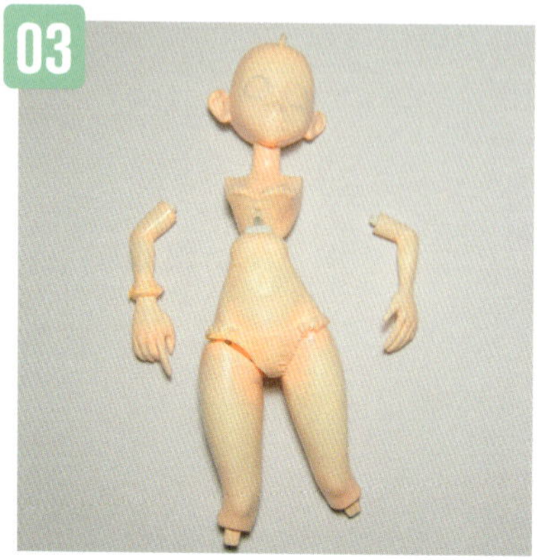

シャドウでメリハリ

ひざ下やひじ、手の甲のなどの関節部分はもちろん、首の下や脚の付け根などにもシャドウ色を吹いています。

04

パンツのマスクは難しい

マスキングを剥がしてみると、肌の側に少し塗られてない部分がありました。やはり厚みのある部分をマスクするのは難しいですね。

サフレスとサフありの違い

右が、サーフェイサーの上に白を吹いてから肌色を吹き付けたもの。左が、レジンキャストの上にプライマーのみ吹いてから肌色を吹き付けたもの。吹き付けた肌色は全く同じものです。左側のほうが、透明感があって明るい仕上がりになっています。写真ではわかりづらいかもしれませんが、肉眼では良くわかります。サフレス塗装とサフあり(通常塗装)の差については165ページでも比較していますが、キットの全てのパーツをサフレスだけで仕上げなくてはならないということはないのです。肌の部分と白い服はサフレスで仕上げてその他の部分にはサーフェイサーを吹いて仕上げるといった方法も問題ありません。

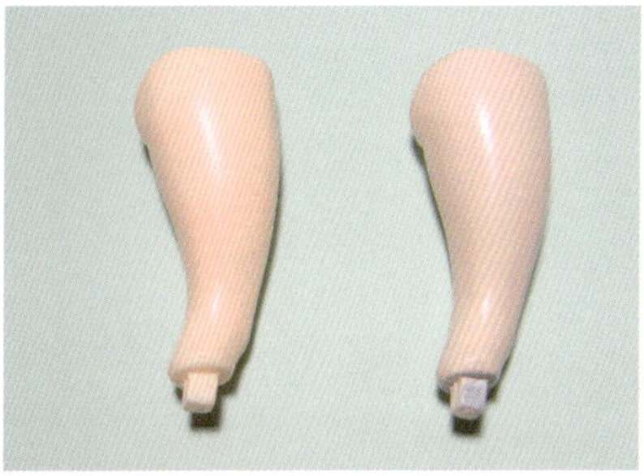

05

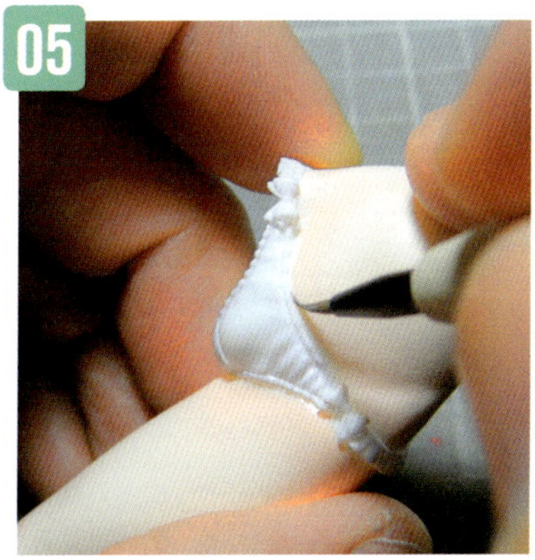

筆でリカバリー

吹き付けに使っていた塗料の残りを筆に含ませ、隙間を塗りました。穂先に塗料を多めに含ませ、息を止めてひと筆で塗ります。

06

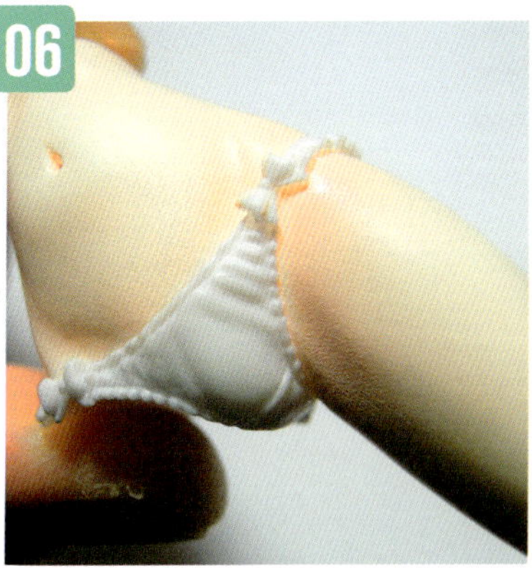

リカバリー完了

うまくカバーできました。もし、逆に白い部分に肌色がはみ出していたら、薄め液を含ませた筆で拭き取れば白くなります。

07

パニエ

パニエの白は、レジンの色をそのまま使います。その上に影の部分の色を入れ立体感を表現しました。影の色は通常塗装のときのブラウスの影に使用したガイアノーツの「019：ラベンダー」+「Ex-01：Ex-ホワイト」です。

08

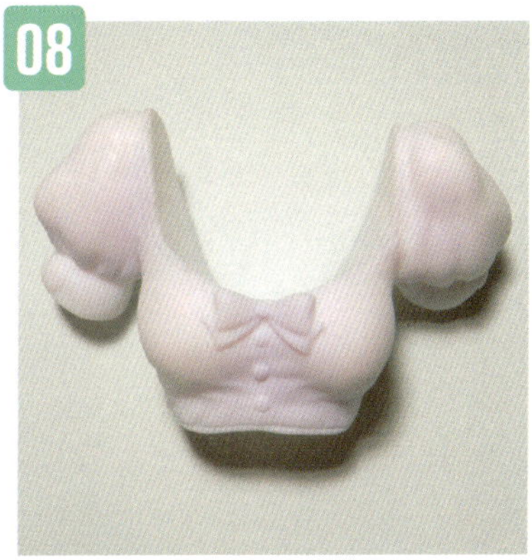

ブラウス

ブラウスも、ベースカラーはレジンの白をそのまま使用。影色は07のパニエと同様、通常塗装のときのブラウスに使った色を使用しました。

09

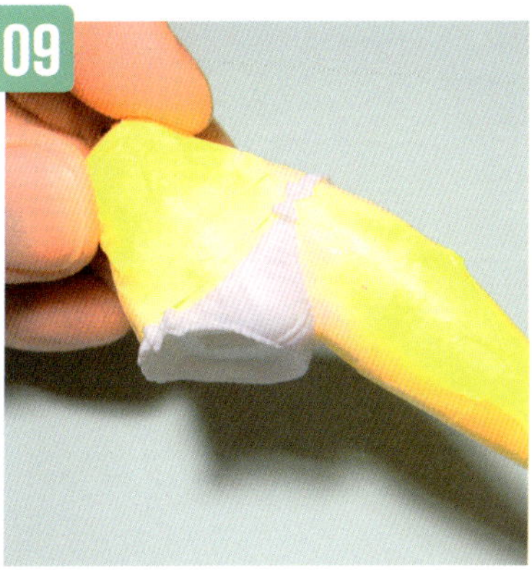

パンツ

パンツも白一色ではなく、服と同じ影色を入れることにしました。肌のほうをマスクしてパンツのみ露出させ、ミゾのところに細吹きで影色を入れていきます。

10

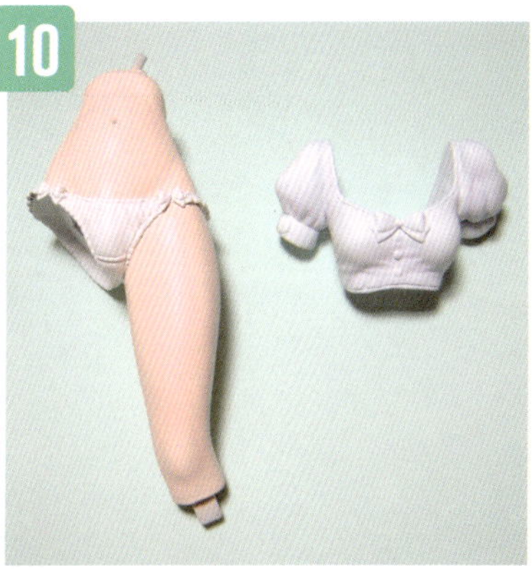

塗り上がったパーツ

白いブラウスやパンツと肌色。いちばんサフレスの効果がわかるところです。

第4章①

サフレス塗装

CHAPTER

04

髪、スカートの塗装

肌をはじめに塗ったら、後は薄い色からどんどん塗っていきます。白い服の影色をブルー系で塗ったら次は、髪やスカートの淡い色を塗っていきます。基本的に通常塗装と同じ色を使用しましたが、塗装の方法は若干変えています。同じ色を使っても仕上がりの状態が違うということを知ってください。もちろん、今回のやり方が通常塗装時に使えないわけではなく、逆に通常塗装時の方法がサフレス塗装仕上げのときに使えないわけでもありません。

01

髪色

髪も通常塗装のときに使用した色と同じ色を使用しました(ベース色がGSIクレオスの「CP01：カスタードイエロー」、影色がガイアノーツの「005：サンシャインイエロー」)。ただし、今回は塗る順序を変えました。影色をくぼんだところに塗った後、ベース色を吹き付けました。

02

シャドウを先に

くぼんだところには、色が乗りにくいので先に塗ったシャドウ色が濃い色のまま、残ることになります。この方法は、影に色を吹くよりも簡単で自然な仕上がりになります。

03

大胆に貼る

続いてスカートを塗ります。白いラインがあるのでマスキングしなくてはなりませんが、細いテープを貼っていくのではない方法でマスクします。まずは幅広(6㎜)のマスキングテープをスカートに貼ります。白いラインが収まるようにします。

04

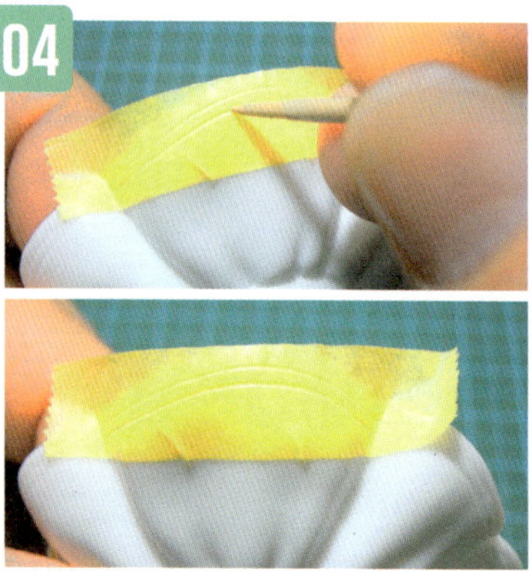

爪楊枝で密着

白いラインの両ふちのスジ彫りを爪楊枝でなぞり、マスキングテープを密着させます。

SSPとシアノンの違い

SSPを使用して気泡を埋めると写真の左のように、埋めた箇所の色が違い一目瞭然です。もし、サフレス仕上げで上に塗る色が薄い色の場合、この色の違いがそのまま現れてしまいます。だからこそ、シアノンや同じ色のレジンキャストでの気泡処理を推奨してきたのですが、どうしてもシアノンが入手できなかったり切らしていて、SSPを使用して埋める場合もあるでしょう。そのようなときの対処法として、埋めた箇所に白を吹くという方法があります。もちろん隠蔽力の高い塗料がベストなので、再三紹介しているガイアノーツの「Ex-ホワイト」が良いでしょう。ちなみに右の写真が、白を吹いた状態です。全くわからないシアノンほどではありませんが、目立たなくなっています。この上に塗装をすれば、なお目立たなくなるでしょう。

05

密着させたらカット

ミゾに沿わせてアートナイフの先端を引き、マスキングテープをカットします。切れ味の良い新しい刃を使うことをおすすめします。

06

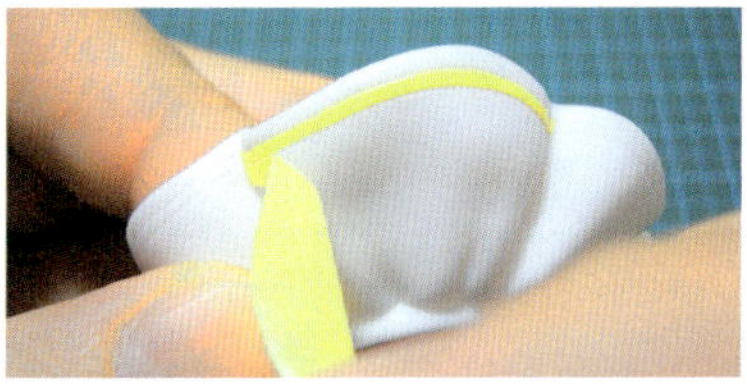

カットしたら剥がす

カットしたマスキングテープを剥がします。このようにきれいに剥がれます。塗装が剥がれる恐れのないサフレスに適したマスキング法です。

07

一度には無理なので

ひだのあるスカートなので、一度に貼ろうと思っても無理です。一山ずつマスクしていきます。

08

マスク終了

パーツにナイフを入れるこの方法は、先に塗った部分の塗膜を傷付けてしまい、マスキングテープを剥がす際に一緒に塗料が剥がれやすくなるリスクがあります。しかし、この段階ではプライマーしか塗布してないので色が剥がれる心配はありません。

09

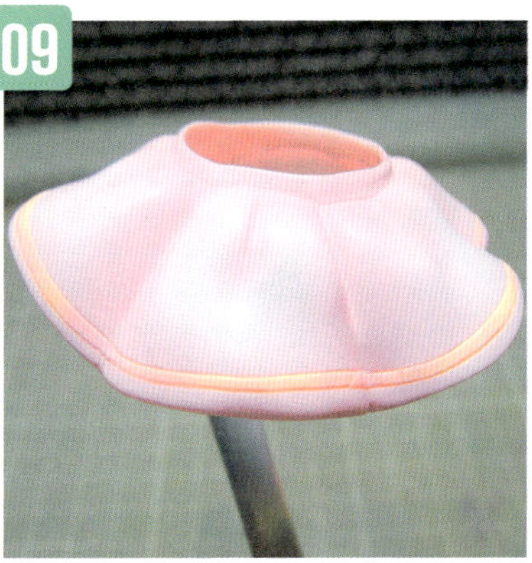

ミルキーストロベリーを吹く

通常塗装に使用したGSIクレオスの「CP09：ミルキーストロベリー」をエアーブラシで吹き付けました。塗料の乗りにくい奥まったところから塗るのは鉄則ですからそうしたところ……。

10

これで十分

当初は、ミルキーストロベリーのベタ塗りの上に、「CP10：チェリーピンク」でシャドウを入れようと思っていました。ところが、この状態でも出っ張ったところに下地の白が残っていて立体感が出ているのと、十分に全体がピンク色に見えると考え、シャドウを吹くのを取り止めました。

CHAPTER 05

小物の塗装、デカールを貼る

他の部分も塗って仕上げます。エアーブラシでリボンやブーツを塗り、細部の筆塗り塗装やスミ入れをして仕上げます。このあたりの工程は通常塗装時と同じなので省略します。今回、目は付属のデカールを使用しました。デカールの貼付については、第2章で紹介しましたが、今回のデカールは個人が自作したもので、市販のキットに付属するものとは少々勝手が違います。そのあたりを紹介します。サフレス仕上げの追加も解説はここまでです。あとは通常塗装時と同様に組み立てて完成させます（完成状態は156～157ページを参照）。

01

ブーツ

ブーツは、通常塗装時と同様、ガイアノーツの「017:パープルヴァイオレット」で。特殊な素材などではなくビニールを想定してクリアーを上掛けするにとどめました。ソール部分はゴムの質感を表現するためにツヤ消しの黒で塗っています。

02

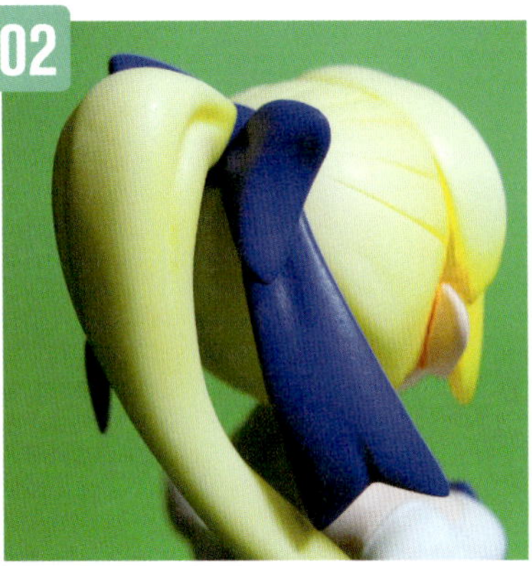

リボン

リボンもブーツと同様、パープルヴァイオレットで塗装しました。こちらは、布製を想定してツヤ消しのクリアーを吹いた仕上げとしました。

03

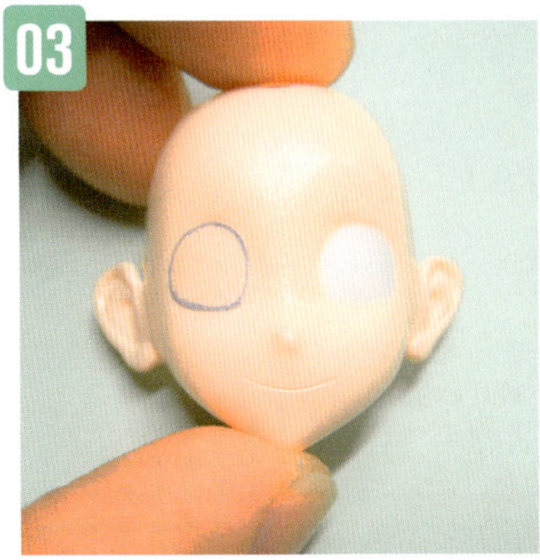

デカールを貼る

目の部分に貼っておいたマスキングテープを外して、そこにデカールを貼ることで顔を仕上げます。

04

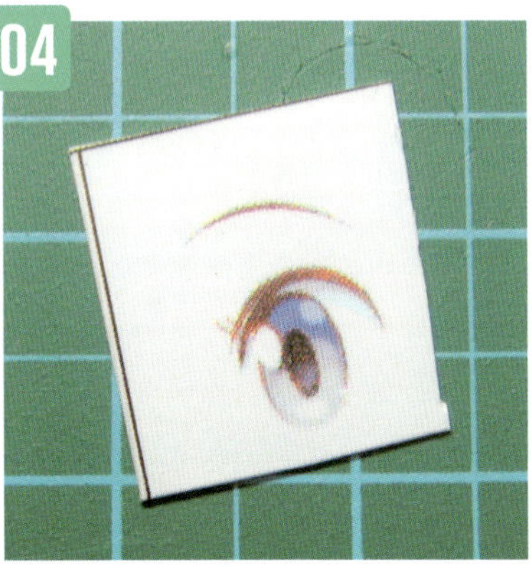

市販品とは違う！

市販品のデカールは印刷面の周りだけにフィルムの膜があるもので、大まかな形に切った台紙を水に浸けるとマーク（絵柄）の部分のみが剥離します。ところが、アマチュアがキットに付けているデカールは、台紙全面に貼られた透明なフィルムの上に印刷されているので、切り出した台紙の形のまま剥離します。

濃い色はサフレスの効果なし

写真はブーツの塗装途中です。右側がサフレスでパープルヴァイオレットを吹いたもの、左が、サフの上に同じくパープルヴァイオレットを吹いたものです。これくらい濃い色になると、サフレスだろうが、サフありだろうが、ほとんど変わりありません。サフレス独特の透明感や明るさの効果は望めないということです。ただし、サーフェイサーを吹くという一工程は省略できるので、その点はメリットになるでしょう。

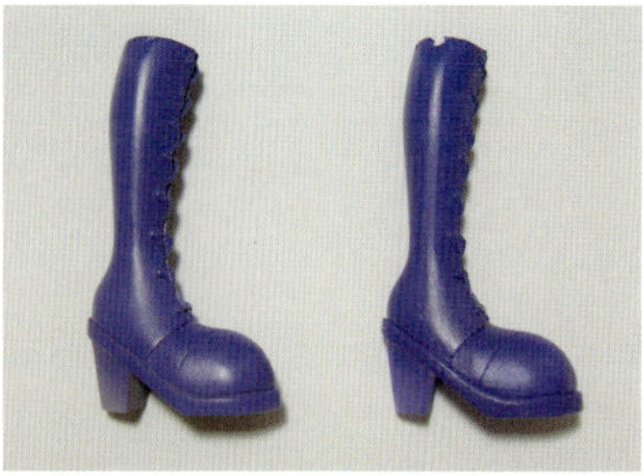

05

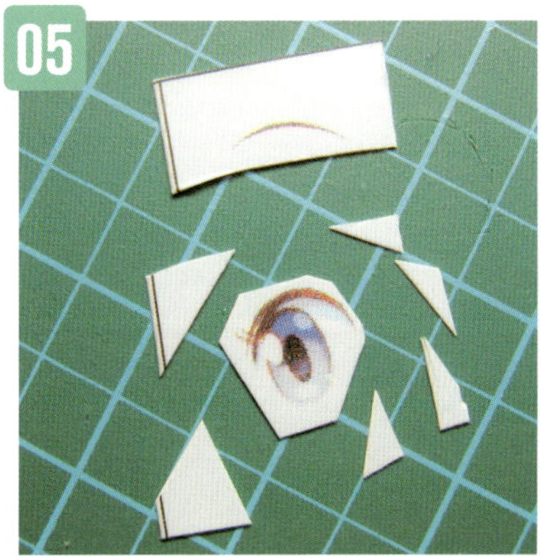

余白をカット

というわけなので、極力余白部分をカットします。大まかに直線でカットした後、細かく切ります。アートナイフの刃を引くと切り口の端にまくれ上がりができるので、押して切るのをおすすめします。

06

貼付完了

水に浸けてからは、市販のデカールと同じです。スライドさせて位置合わせをして貼ってあげましょう。印刷面が弱いので、移動させる際などに綿棒などで強くこすったりすると画像がかける恐れがあるので注意してください。失敗した場合は予備を使用してください。予備がなくなってしまった場合は自分で手描きしましょうか。

07

マークソフター

手作りのデカールは市販品に比べると若干フィルムが厚く、硬いようです。06の写真のように少し、しわが寄ったり、浮いてしまう場合は、「マークソフター」を使用して定着させましょう。写真はGSIクレオスの「Mr.マークソフター」。

08

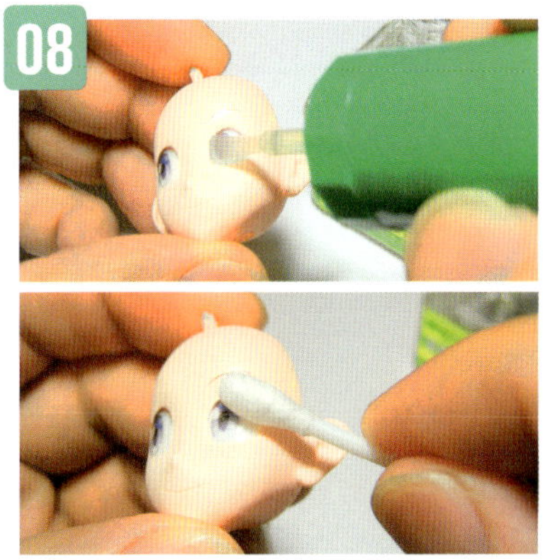

塗って乾かす

マークソフターをデカールのしわの部分などに塗ります。余分な液体を綿棒などで取り除きながらデカールやしわを押さえます。マークソフターは、デカール軟化剤です。破れやすくなるので注意しましょう。

09

馴染ませられた

マークソフターで定着させたデカールです。06の写真と見比べてみてください。しわがなくなり曲面にうまくなじんでいます。

10

修正&メイクアップ

じつは、瞳(瞳孔)の一部分が剥がれてしまっていました。そこでエナメル塗料のツヤ消しの黒を塗ってリカバリーしておきました。また、通常塗装同様、こちらも、頬にパステルで赤みを差しています。

第4章②

ディテールアップとサフレス風クリアーカラー塗装

CHAPTER

06

シャープにする

前ページでサフレスのキットが終了。ここからは、もう1体作ります。レジンキャストキットに限らず、型に樹脂を流し込む方法では、その成型の限界からあまり薄いものは作れません。また、安全性や破損の問題で尖らせられない部分もあったりします。そういった部分に手を入れることで、より精密感や完成度を高めることができます。ディテールアップの方法はどの仕上げにも使えるので、お好みで行ってください。

01

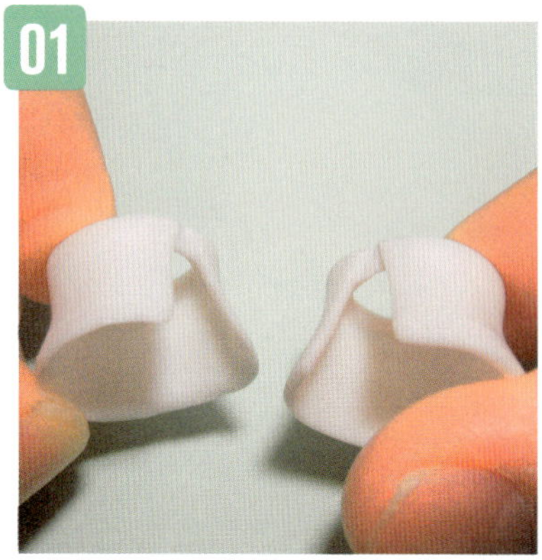

ふちを薄く

ブーツの折り返し部分のパーツです。右側が加工前、左が加工後です。厚みが気になるのでナイフで削って薄くしました。しかし全体を薄くしてしまうと強度が低くなり、割れたりしやすくなるのでふちのみ薄くします。

02

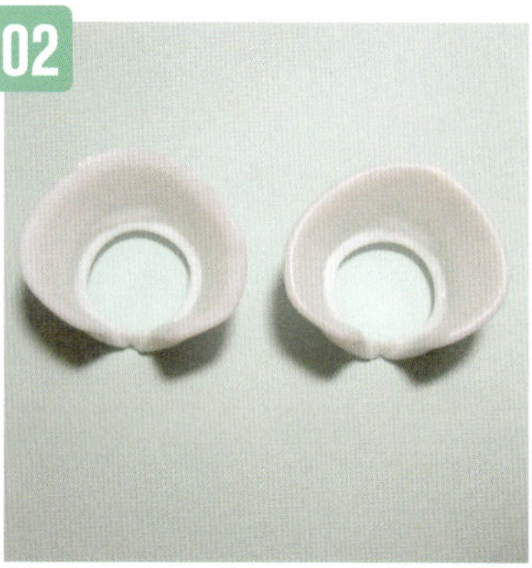

裏から見ると

このように厚みのあるパーツのふちのみを斜めに削ってパーツ全体を薄く、シャープに見せるテクニックです。プラモデルのディテールアップで使われる技法です。

03

スジ彫りを深く

同じくブーツの折り返しのパーツです。金と紫の塗り分けの部分のミゾが少し、浅いように感じたので目立てヤスリを使って深くしておきました。

04

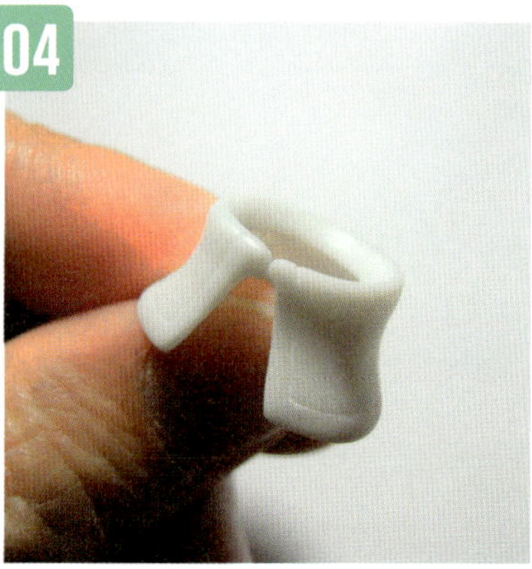

スジ彫り完了

パーツの整形時にゲートやパーティングラインの関係で消えたり浅くなった部分はもちろん、きちんと彫ってあるけど浅い部分なども彫り直すと、シャープに仕上がり、塗り分けも楽になります。

パーティングラインの処理のときにも使ったが

リボンのような平らなところを薄くする場合は、ナイフの刃を立ててカンナがけのようなやり方で薄くすることもできます。力をかけ過ぎてパーツを破損しないように注意が必要ですが……。

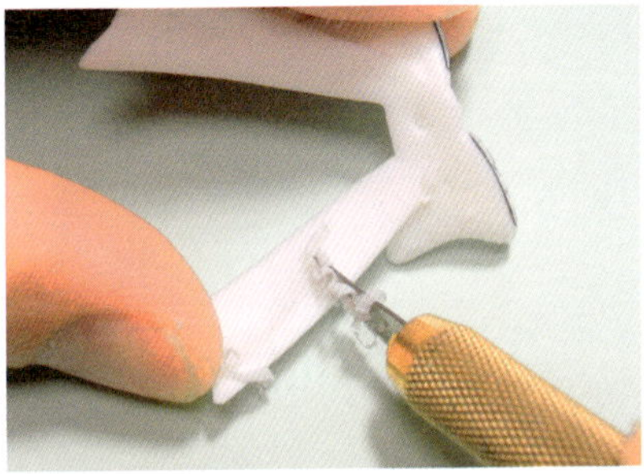

05

スカートも

スカートも分厚いのでアートナイフで削ります。このようなくぼみの部分を削るには曲線刃が適しています。

06

ふちを黒く塗ると

スカートのふちをマーカーで黒く塗ってみました。作業をした部分はマーカーのラインが細くなって薄くなったのがわかります。

07

金属ヤスリで

大まかにナイフで削ったら、その後は金属ヤスリの半丸を使用してカーブの内側を削っていき、ナイフで削った部分ともとの部分がスムーズに繋がるようにします。その後は紙ヤスリで磨きます。

08

パニエ

パニエも同様に行います。レースは小さいですが全体的に薄くすることはできません。一つ一つのふち部分のみを薄くするようにします。

09

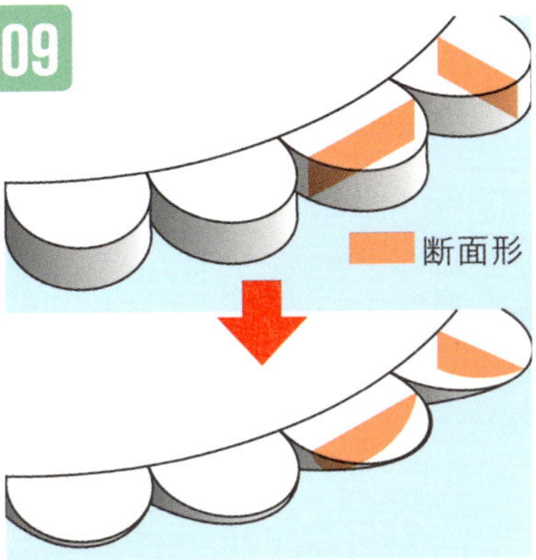

図説すると

写真だけだと、どう加工したのかがわかりづらいでしょうから、図で説明しました。

10

加工前後でこんなに違う

右が加工前、左が加工後です。先端が細かくて大変ですが、やっただけの効果はあります。

CHAPTER 07

自分好みの形状にする

前ページの作業は、本来あるべき姿に戻すというディテールアップなのでやっておいたほうが良い作業と言えるでしょう。それとは別に、どうしても必要というわけではありませんが、キットの形状を自分の好みに直したいという部分があるかもしれません。それはもう、好みの問題ですし、それこそが自分でキットを組み立てる醍醐味でもあるわけですから、どんどんやりましょう。ただし、あまり、アレもコレもと欲張ると完成しなくなりますので、はじめはポイントを絞って改修すると良いでしょう。

01

シューレースパイプの再現

靴紐の先端はほどけないように、また穴に通しやすいようにシューレースパイプで留めてあります。これを、パーツを削って再現しました。左が加工前、右が加工後です。

02

杖の輪っか

杖に付く輪っかはわりと太い軸で杖と繋がっています。イラストを見ると、本来は何もなく浮いているようですが、現実に浮かすことはできないので少しでも目立たないように金属線で固定することにしました。

03

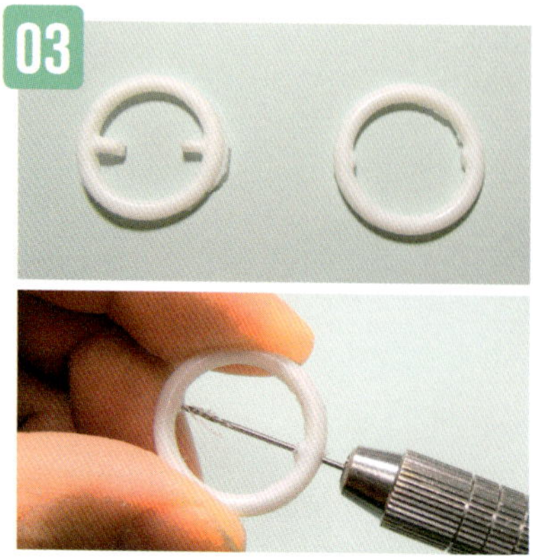

輪っかに穴を

もともとの接続部分を切り取り、ドリルで穴を開けます。ドリルは0.8㎜。細いほうが目立たないのですがある程度の強度も必要だと考えて……。

04

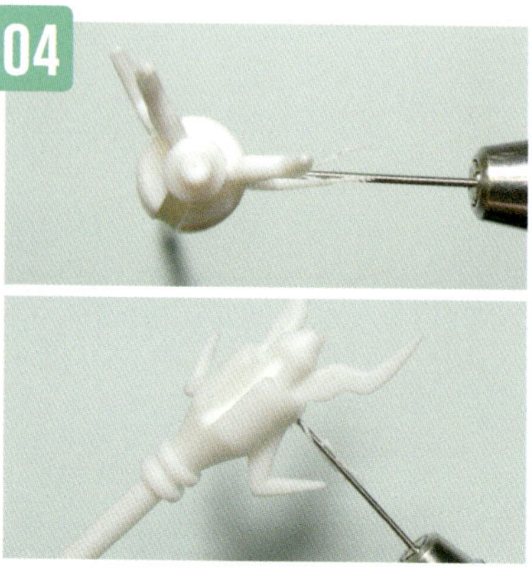

杖にも穴を

輪っかが付く位置に穴を貫通させます。上や横からしっかり見て、垂直水平、そして杖の中心をきちんと通るように開口してください。

顔も好みに

口の周りの立体感が少し欲しかったので、下唇の下、オトガイ筋の上あたりを削って唇の立体感を出してみました。このように、自分の好きなようにアレンジできるのも完成品のフィギュアにはないキットならではの楽しみです。この作業も突き詰めると「一から自分で作れるんじゃね?」ということになり、フルスクラッチ、すなわち原型制作にステップアップするというのが一般的な流れだったのですが、最近はレジンキットを組んだことのない人がいきなり原型制作を始める時代……。いやはやびっくりです。

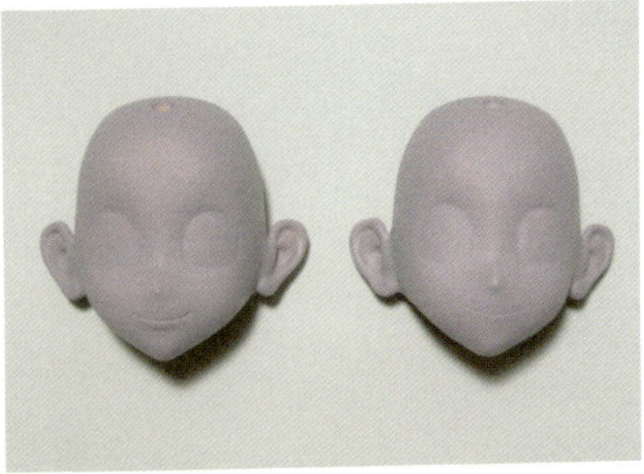

05

接続して完了

金属線を差し込んで固定。はみ出した金属線はちょうど良い長さに切り取ります。

06

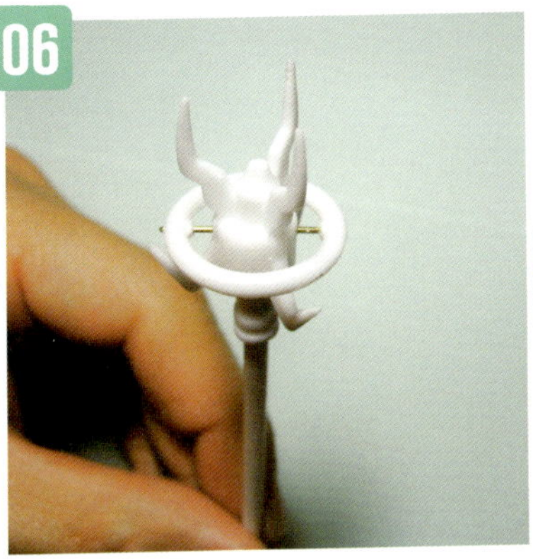

完成

02と比較すると、その差は歴然。細いほうがシャープです。今回は行っていませんが、三叉になっている部分の先端を尖らせたり、厚みを薄くするというディテールアップもあります。お好みでチャレンジしてみてください。

07

リボンの加工

リボンの上の羽根は、輪っか状になっていると思います。それを彫り込みで再現してみましょう。まずはアタリを描きます。

08

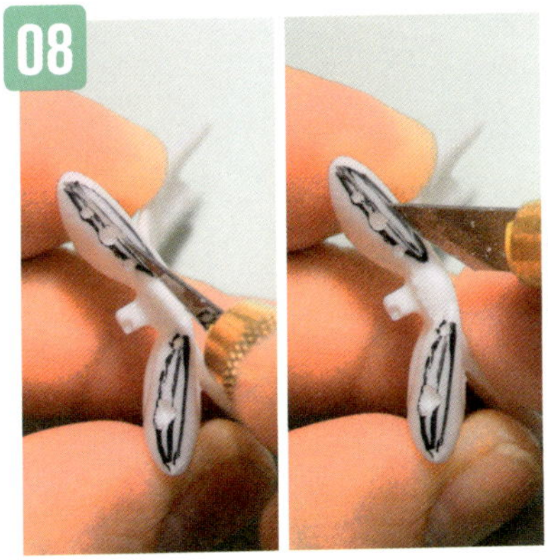

穴を開けるのは難しいので

真ん中の縦の線に切り込みを入れます。側面から先ほど切った真ん中の線に向かって切り込みを入れます。気泡がありますが気にせずに。

09

切り離せた

気泡があっても切り取る部分なので問題ありませんでした。同様に他の部分も切り取ります。

10

彫り込み完了

とりあえず彫り込みが完了しました。この後、切り取った部分より外側や深いところにある気泡を埋めて表面を整えます。

第4章②

ディテールアップと
サフレス風クリアーカラー塗装

CHAPTER 08

サフレス風クリアーカラー塗装

サフレスの魅力は透明感のある肌色の仕上がりでした。同じ肌色を吹いても、サーフェイサーの上に白を吹いてある通常塗装では、レジンキャストの素材が持つ光を通す透明感がありません。ならば、「吹き付ける肌色のほうに透明感を持たせたら透明感が出せるのでは?」という発想が出てきました。クリアーカラーを使って肌色を表現する方法は、その仕上がりのテイストが全てのキャラクターに合うとは言えませんが、表現の一つとして紹介しておきます。

01

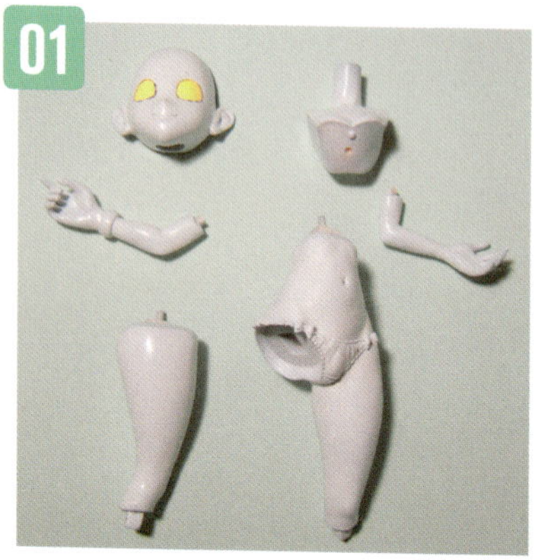

プライマー→サフ→白

ここまでの工程は通常塗装と同じです。目の部分は肌色を吹く前にマスクしておきます。

02

クリアーカラー

使用するのはクリアーカラーです。クリアーオレンジにクリアーイエロー、クリアーレッドなどを混ぜて使用します。今回は、クリアーオレンジの陰影のみでやってみることにしました。使用したのはガイアノーツ「042クリアーオレンジ」です。

03

シャドウ部分や赤い部分から吹き付け

例によって下着は後から肌をマスクして白を吹くことにして、そのまま吹き付けています。

04

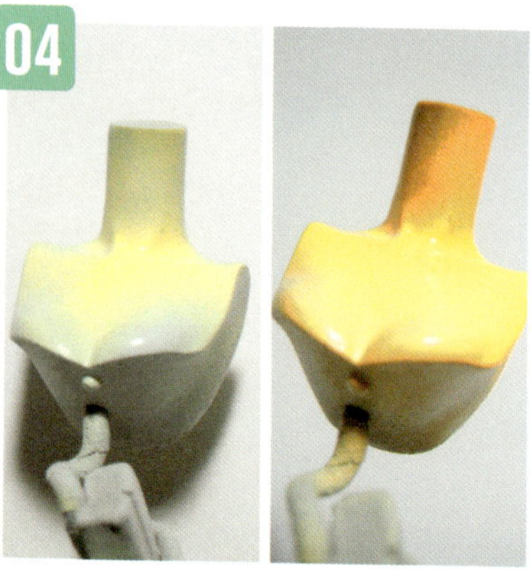

少しずつ濃くする

クリアーカラーは吹き重ねれば重ねるほど濃くなります。どの程度で止めるかがポイントです。

今回は失敗しましたが……

時間をかけてじっくりやれば、クリアーカラーの吹き重ねだけでうまく表現できます。ぜひ、チャレンジしてください。右の写真を04の写真と比較してみてください。ちょうど二つの中間、このくらいまでにしておけば良かったかもしれません。が、後の祭りですね。

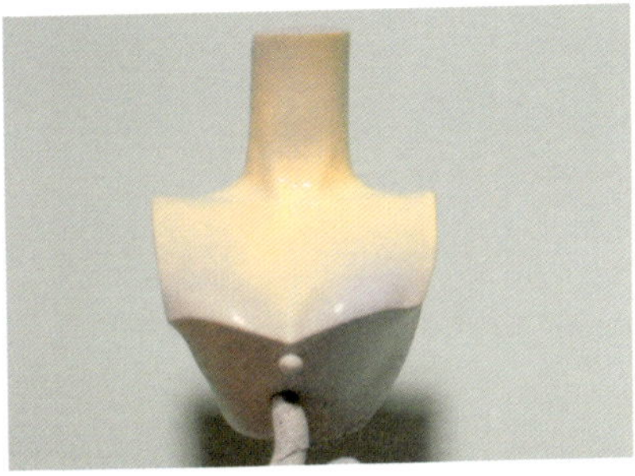

05

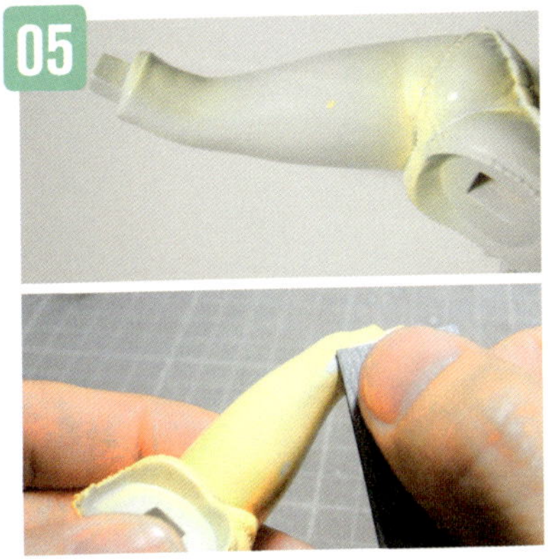

飛び散ったところは……

クリアーカラーは、ノズルの先端に溜まった塗料が飛び散ったところが、通常より目立ちます。リカバリーの方法としては、その部分を紙ヤスリで削ってから吹き付けます。

06

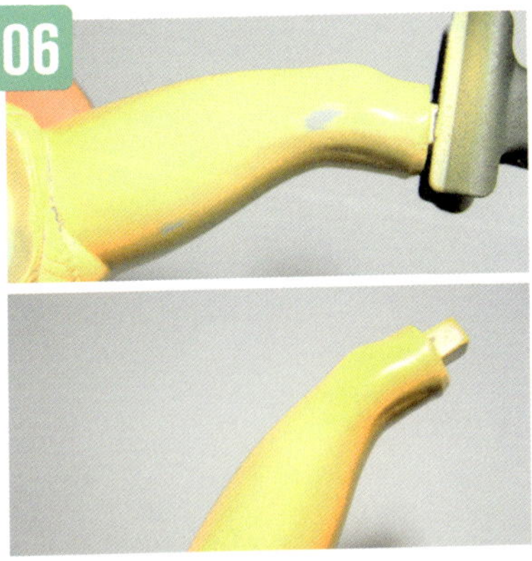

サフが露出しないように

削る部分はクリアー層だけにします。白の層が削れてサーフェイサーがでてきた場合は、白を吹き付けてからクリアーカラーを吹きます。少しわかりますが、このくらいならOKでしょうか。

07

色味を揃える

パーツ単位で吹き付けていると左右で色味が違ったりします。通常の塗料より顕著に差が出ますので、並べて比較して色味を合わせましょう。

08

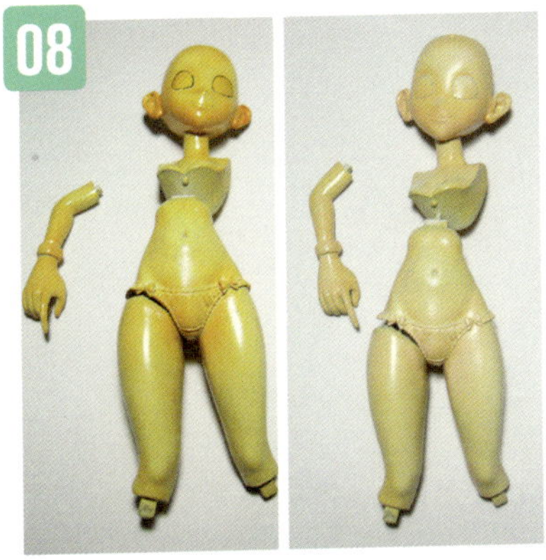

オレンジ色過ぎる!

左は、全体的に吹き過ぎて濃くなり過ぎたようです。右がやり直そうと思い白を吹いたところ……ちょうど良い色味に落ち着きました。瓢箪から駒、偶然の産物ですが今回はこれで良しとします。

09

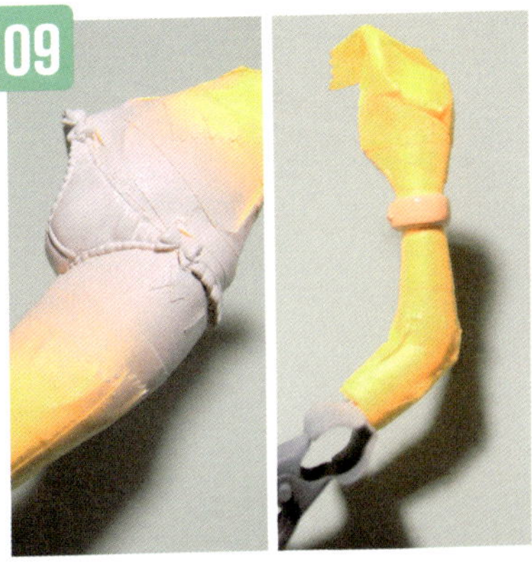

マスキングして白を吹く

肌色が塗れたので、マスキングしてパンツの白を吹きます。腕輪の部分も白を吹きます。

10

マスクを剥がしたところ

どうでしょう、透明感がありませんか。ベタ塗りの肌色とは違ってリアルな感じの肌色になったと思います。この方法は、リアルタッチのフィギュアに向いているような気がします。

第4章②

ディテールアップと
サフレス風クリアーカラー塗装

CHAPTER

09

完成！

前ページのクリアカラーを使ったサフレス風塗装で仕上げたボディとディテールアップしたパーツを塗装して組み上げたフィギュアです。服や髪などのカラーを変更し、通常塗装やサフレスの作例とは違った仕上がりにしてみました。カラーリングのイメージはハロウィーンの魔女。髪の色はブロンドをイメージしたので目の色を緑にしました。デカールを使用し、薄紫の部分をアクリルガッシュで塗ってカラーを変更しています。上の説明にもあるように肌の部分は通常塗装です。それ以外は全てサフレス塗装で仕上げています。パニエや上着、スカートのラインの白は全てレジンの地色そのままです。この作例を見れば、サフレスとサフありのパーツが組み合わさっても問題ないことがわかります。

完成品①

通常の布を想定したので、リボンやスカートのオレンジはツヤ消し。帽子とベスト、ブーツの黒もツヤ消しです。ブラウスやパニエの白はパールを吹いてシルクのような質感をねらってみました。魔法の杖は黒を下塗りしないで金属色を直接吹きかけたので軽い印象に仕上がっています。杖の宝石はオリジナルのクリアーレッドに対してクリアーブルーに変更。色が変わると雰囲気もがらりと変わりますね。

完成品②

帽子を外した状態にした状態の完成品です。マントもないのでいっそう軽やかな印象です。

ディテールアップの効果

帽子やリボン、スカートやパニエのふちを薄くしてありますので、シャープな印象です。

アップ

顔の造形もいじってあります。ブラウスのパール具合や目の緑色の感じが良くわかるのではないでしょうか。

金がアクセント

ブーツは黒一色だと地味なので紐と折り返しのふちを金色に。

GLOSSARY 用語集

本書に登場する各種用語の補足説明とさくいんです。数字は本文中の参照ページです。合わせて参考にしてください。

うがい →p.117

薄め液 →p.062

溶剤と同じもの。塗料を適正な濃度に薄めるためのもので、乾燥を遅らせるリターダー成分の入ったものや、臭いを抑えた臭気緩和タイプなどもあります。塗料の種類に合わせた専用のものを使用しなくてはいけません。

エアーブラシ →p.092,114

HG液 →p.093

HGパウダー →p.093

SSP(瞬間接着パテ) →p.093

エナメル系塗料 →p.062

エポキシ系接着剤 →p.080

攪拌棒 →p.063

型ずれ →p.024

型割り →p.015

型を割って、原型を取り出すこと。

カッターのこ →p.093

カッティングマット →p.020

紙パレット →p.063

紙ヤスリ →p.021,046

カラーレジン成型 →p.008

レジンキャストに色を付けて成型したもの。カラーレジンキットと言う場合はもとのキャラクターの塗り分けに準じたパーツの色分けがされているものを指します。

空研ぎ →p.046

紙ヤスリで磨く際に水を浸けずに行うこと。水を浸けて行う場合は「水研ぎ」と言います。ただし、水研ぎが行えるのは耐水ペーパーのみ。

ガレージキット →p.016

個人やグループ、小規模なメーカーなどが制作する少数生産の組み立て模型。「ガレキ」と省略されることも。

キッチンペーパー →p.063

気泡 →p.025

業者抜き →p.009

複製作業を専門の業者に依頼すること、また、そうして生産された成型品のこと。

金属ヤスリ →p.021,045

クランプ →p.015

もともとはネジを回して挟み込んで固定する道具の名称です。そこから転じて挟んで固定することを指す言葉として使用されるようになりました。バインドとも言います。

ゲート →p.024

光沢 →p.063,143

表面にツヤがある状態。またはそのように仕上げられる塗料。ツヤあり、グロスとも言います。

コンバーチブル →p.091

数種類のパーツが入っていて組み立て時に選択する仕様のキット。ちなみに「コンパチ」はコンバーチブルの略で、互換性があること。転じて、完成後も差し替え可能なキットを指します。

コンプレッサー →p.092

サーフェイサー →p.093

シアノン(瞬間強力接着剤) →p.093

軸打ち →p.098

シャドウ吹き →p.134

瞬着 →p.080

瞬間接着剤のこと。瞬接と言う人もいるが瞬着のほうが圧倒的に多い。また、「瞬間接着剤専用硬化促進剤」は長いので「瞬着硬化スプレー」などという表記がされています。

シリコーンゴム →p.014

はじめはペースト状だが触媒(硬化剤)と混ぜると硬化し、ゴム状になる材料。このシリコーンゴムで型を作り、そこにレジンキャストを流し込んで複製品を得ます。硬化時間は6〜12時間程度。

水性アクリル系塗料 →p.062

スポンジヤスリ →p.021,046

スミ入れ →p.068,144

3Dプリンター →p.007

パソコンソフトを利用して制作した造形物のデータを立体物として出力する機器。近年、急速に発達・普及しつつあり、造形のデジタル化を促進させています。

洗浄 →p.060

耐水ペーパー →p.021,046

脱型 →p.015

原型や複製品を型から外すこと。

ダボ・ダボ穴 →p.025

単色レジン成型 →p.008

パーツが1色で成型されているものを指す。本来は「単色成型レジン」と表記されることが多いようです。本書の中では「カラーレジン成型」との区別のために使用しました。

注型 →p.015

シリコーン型にレジンキャストを流し入れること。夏場などは、この作業を手早く行わないと流している途中で硬化し始める場合もあります。

注型材 →p.015

型の中に流し込んで成型する造形材料。注型剤とも表記します。レジンキャストキットの場合は無発泡ポリウレタン樹脂がそれに当たります。ホワイトメタル(鉛とスズの合金)やエポキシ樹脂も注型材となります。

通常塗装 →p.089

サーフェイサーを塗った上で塗料を吹きつける塗装法。サーフェイサーレス(サフレス)塗装と区別するために使用されますが、現在ではサフレスのほうが日常的に使われる塗装法となっていて、実態にそぐわない呼び名となっています。

ツールウォッシュ →p.119

ツールクリーナー →p.062

ツヤ消し　→p.063,143

表面にツヤがない状態。またはそのように仕上げられる塗料。マットとも言います。

ディテール（アップ）　→p.166

ディテールというのは細部を意味する言葉。フィギュア的には細部にほどこされた彫刻などの表現を指します。ディテールアップとは、それらの細部を追加したり削ってシャープにしたりする工作のことを言います。

デカール　→p.019

デザインナイフ　→p.020

アートナイフと混同されますが、刃の小さなものがデザインナイフ、大きなものがアートナイフです。

手流し（成型）　→p.009

個人が複製を行うこと。この場合、型の上方から樹脂を流し樹脂の重さによって型の中に樹脂を行き渡らせる「重力注型法」を指します。気泡ができる、樹脂が行き渡らないなどの欠点がありますが、特別な設備が必要ないのがメリット。「業者抜き」に対する言葉として使われます。

当日版権　→p.013

版権とは商品化権（ライセンス）の俗称。アニメやゲーム・マンガのキャラクターを立体化する2次創作のフィギュアは、権利者・版権元（ライセンサー）の許可なしに展示・販売することはできません。そこで、イベントの当日のみ特別に許可をもらうのが当日版権システムです。イベント主催者が出展者の申請を取りまとめ、ライセンサーに許可を得ます。ワンダーフェスティバルが始めたシステムですが、他の造形イベントなどでも実施されています。

塗装ブース　→p.076

排気ブース、排気装置、排気ファンとも言います。エアーブラシを使った塗装を行う際に、塗料の粒子を吸い込んでくれる道具。吸い込んだ粒子はフィルターに付着するので交換や洗浄が必要です。空気を外に排出するので換気にも役立ちます。市販品を購入する以外に換気扇や段ボール箱などで自作する人もいます。

トップコート　→p.063

塗膜　→p.148

パーツの表面に膜状に形成される塗料の層のこと。「塗膜が厚い」「塗膜を侵す」などのように使用します。

塗料皿　→p.063

ニッパー　→p.020

抜き　→p.009,014

注型・脱型作業を行うことを「抜く」と言い、転じて複製作業全般のことを「抜き」と言います。「抜き屋」は複製業者、注型業者のこと。型取り屋さんとも言います。

乗る

（塗料が）かかる、付着する、塗れるというような意味で使います。

パステル　→p.146

バリ　→p.025

ピン　→p.025

ピンバイス　→p.020,033

筆　→p.063

プライマー　→p.093,116

フラットスポット　→p.048

ヤスリがけなどによってできた平らな部分のこと。

プラ棒　→p.021

ベース　→p.058,134

①フィギュアを飾るための台座のこと。②グラデーション塗装や影を付ける塗装法で全体に塗る色をベースカラー、または単にベースと呼びます。

ペーパーがけ　→p.046

紙ヤスリで表面を磨くこと。ヤスリがけ、サンディングとも言います。

ベタ塗り　→p.134

ポリキャップ　→p.019

マスキングテープ　→p.021

目立てヤスリ　→p.093

モールド　→p.111

彫刻。

湯口　→p.025

油土　→p.014

油粘土のこと。シリコーン型を作る際に原型を埋めるのに使用します。分割ラインを理想的な位置にすることができます。まれにシリコーンに喰い付いて離れないものがあるので専用のもの以外を使用する場合、銘柄に注意が必要です。

湯逃げ　→p.024

溶剤　→p.062

薄め液と同義。

ラッカー系塗料　→p.062

有機溶剤系アクリル樹脂塗料。水性アクリルに対して「油性アクリル」と呼ぶこともあります。ラッカー系というのは通称で、本来のラッカー塗料（ニトロセルロースラッカー、ラッカーエナメル）とは別物なので、混同しないように注意が必要です。

ランナー　→p.025

離型剤落とし　→p.060

レギュレーター　→p.092

レジンキャスト　→p.006

本来は、合成樹脂の成型方法を指す言葉。フィギュアや模型業界では「二液混合重合型の熱硬化性樹脂（無発泡ポリウレタン樹脂）そのものを指します。これは、模型用として販売された「レジン」「プラキャスト」や「ハイキャスト」といった商品名が略されて材料名として定着したことによります。ちなみにレジン(Resin)は、「樹脂」全般を意味する言葉で、キャスト(Cast)は、「鋳型」を意味する言葉。

レジンキャストキット　→p.006

本書で取り扱っている組み立て式フィギュアの一種。「ガレージキット」とイコールではありません。「レジンキット」や「キャストキット」と略されることもあります。ただし、「キャスト」には注型、鋳造の意味しかなく「キャストキット」と略すのは好ましくありません。

ワンダーフェスティバル　→p.012

最大級の模型の展示即売イベント。

How to build《ハウツービルド》 GARAGE KIT《ガレージキット》 VOL.02
フィギュアの教科書
レジンキット&塗装入門編

2016年9月28日　初版発行
2025年4月24日　4刷発行

著者:藤田茂敏

編集:オメガ社
新紀元社 編集部

カバー撮影:石田健一

カバー･本文デザイン:ミズキシュン(+iNNOVAT!ON)

DTP:オノ･エーワン

協力:グリフォンエンタープライズ、海洋堂、ブラウニー、ボークス、まんだらけ、リバティー
(敬称略･あいうえお順)

発行人:青柳昌行

発行･発売:株式会社 新紀元社
〒101-0054　東京都千代田区神田錦町1-7錦町一丁目ビル2F
Tel 03-3219-0921　Fax 03-3219-0922
http://www.shinkigensha.co.jp/
郵便振替　00110-4-27618

印刷･製本:株式会社シナノパブリッシングプレス

プロフィール
■著者
藤田 茂敏(ふじた しげとし)

フィギュアはもちろん、ノベルティグッズ、ペットボトルなども手掛ける原型師およびフィニッシャー。複数の学校にてフィギュア関連学科の立ち上げ、カリキュラム編成に携わり、多くの原型師･フィニッシャーを育成。現在は「大阪芸術大学短期大学部　デザイン美術学科キャラクター･マンガ･フィギュアコース」非常勤講師、「名古屋デザイナー学院プロダクトデザイン学科」非常勤講師、カルチャースクール「おとなの美術室」でアナログフィギュア系講座を担当。著書に『フィギュアの作りかた①②』『フィギュアを塗ってみよう』(グラフィック社刊)がある。「ワンダーフェスティバル」などのイベントには、YAN,3D-PROJECTのディーラー名で精力的に出展している。

■原型制作
2章:ちびかんたんタン

株式会社ボークスのグループ企業のひとつで、ボークスから発売される各種立体物の原型を生み出している、我が国随一の創作造形を生業とする集団です。キャラグミンをはじめとする美少女フィギュアやロボットものから、スーパードルフィー(R)などボークスオリジナルホビーの原型制作まで、幅広く手掛けています。「無から有」を生み出すその技術や表現能力の高さは折り紙付きで、生み出される立体造形は「造形村作品」として世界中のホビーファンから特別な意味を込めて尊称されています。また、他社製品の原型制作、工具や用品用材の企画･開発、メーカーとして航空機スケールモデル事業も手掛けています。

3･4章:見習い魔法使いミルカ
紙パレット

イラスト、漫画 、自主制作ゲームの制作活動をしながら、近年のデジタル造形の高まりを受けてZBurshによるフィギュアの制作を始める。ワンダーフェスティバルなどのイベントにはZ造形野郎のディーラー名で出展。本業はゲーム会社の2Dデザイナー。